우리 문화재 수난일지 5

우리 문화재 수난일지 5

2016년 11월 27일 초판 1쇄 인쇄
2016년 11월 30일 초판 1쇄 발행

글쓴이 정규홍
펴낸이 권혁재

편집 김경희
출력 CMYK
인쇄 한일프린테크

펴낸곳 학연문화사
등록 1988년 2월 26일 제2-501호
주소 서울시 금천구 가산동 371-28 우림라이온스밸리 B동 712호
전화 02-2026-0541~4
팩스 02-2026-0547
E-mail hak7891@chol.net

책값은 뒷표지에 있습니다.
잘못된 책은 바꾸어 드립니다.

ISBN 978-89-5508-358-3 94910
ISBN 978-89-5508-353-8 (SET)

우리 문화재 수난일지

5

정규홍

학연문화사

목차

朝日修好條規
大日本國與
大朝鮮國素敦友誼歷有年所今因視兩國情誼未
洽欲重修舊好以固親睦是以日本國政府簡特命
全權辦理大臣陸軍中將兼參議開拓長官黑田清
隆特命副全權辦理大臣議官井上馨詣朝鮮國江
華府朝鮮國政府簡判中樞府事申櫶副總管尹滋
承各遵所奉諭旨議立條款開列于左
第一款
朝鮮國自主之邦保有與日本國平等之權嗣後兩
朝日修好條規

우리 문화재 수난일지

1918년

1918년 1월 5일

와다 유지(和田雄治) 타계하다.

와다는 1918년 1월 5일에 일본 도쿄에서 타계를 했는데, 『매일신보』 1918년 1월 8일자에는 그에 대한 것을 특필하고 있다. 그 기사 중에 세키야關玉 국장은 「기상관측의 은인」 이란 제하의 글에서, "인천에 거주할 때에 지방 사람이 사부와 같이 존중하며 인천 통감이라 하였다. 조선에서 다수의 사재를 투投하여 수집한 고기물과 불상의 류를 작년 교토대학에 기증한 등은 여하히 그 기질의 반면이 엿보여지는 것이 아닌가" 하고 있다. 즉 그간에 와다가 수집한 모든 유물들은 교토대학에 기증했다는 것인데, 그가 수집한 것 중 극히 일부인 석기시대의 유물은 여러 지면에 발표를 하기도 했지만 그 외 고기물이나 불상 등은 알려진 것이 거의 없다. 1917년에 교토대학에 기증한 목록을 찾기 전에는 그의 다양한 수집품을 알 수 없다.

和田博士逝去

元仁川觀測所長理學博士和田雄治氏ᄂᆞᆫ五日午後十時四十分大學病院에셔肺炎으로因ᄒᆞ야逝去ᄒᆞ얏더라(東京)

氣象觀測의恩人

關屋局長談

和田理學博士의訃音을齎ᄒᆞ고關屋學務局長을訪ᄒᆞᆫ즉局長은慨然히左와如히語ᄒᆞ더라

진실노可惜ᄒᆞᆫ事이로다和田博士ᄂᆞᆫ다만氣象學上의造詣가深ᄒᆞᆫ先覺뿐안이라我國에在ᄒᆞᆫ海流의研究에先鞭을著ᄒᆞᆫ事ᄂᆞᆫ크게博士에게向ᄒᆞ야感謝치안이치못ᄒᆞᆯ지라故로農商務省에셔ᄂᆞᆫ來年브터特히博士를煩케ᄒᆞ야

海流의研究

를專門으로行ᄒᆞ기로ᄒᆞ얏슨즉確乎明年度의豫算에海流研究의費目이計上될터이더니博士의訃報와共히海流의研究도一頓挫을生ᄒᆞᆯ터인ᄃᆡ博士에依ᄒᆞ야先鞭을著ᄒᆞᆫ者임으로다시今後篤學者를待ᄒᆞ야此新研究가續行될뿐ᄂᆞᆫ勿論이로다元來此海流研究라ᄂᆞᆫ者ᄂᆞᆫ아즉我學者間에셔試驗ᄒᆞᆫ者ㅣ無ᄒᆞ얏스나此研究에依ᄒᆞ야水產業者의利될바ᄂᆞᆫ甚大ᄒᆞᆯ것이라博士ᄂᆞᆫ考古學에도非常ᄒᆞᆫ趣味를持ᄒᆞ고또天文學以外에地質學도深히研究ᄒᆞ야理學博士의學位를授케되얏슴은無論碩學인故이니와

『매일신보』 1918년 1월 8일자 기사

『매일신보』 1918년 1월 8일자에는 다음과 같은 기사가 있다.

조선에 지진의 선尠함은 현재 지진의 휴지기休止期라 하는 논문을 일불문日佛文으로 제출하였도다. 조선에 내來함은 일로전쟁日露戰爭 당시 문부성文部省으로부터 파견되어 금일의 관측소를 설設하였고 그 후 계속하여 조선에 체재하여 현재에는 각지에 경성 외 10개소의 측후소가 출래出來하고 유시由是 매년 2개소씩 증가하는 터이라. 여하간 조선에 기상관측은 거의 박사에 의하여 완성한 것이므로 기 공로는 파頗히 현저한 자라. 그리고 박사는 명치11년 이과대학을 출出하여 중앙기상대장의 나카무라 키요오中村精男 박사 등과 동기생인줄로 사思하노라. 기 성질性質은 하인何人이라도 지知함과 여如히 극極히 염담恬淡 차且 쾌활快闊하므로 인천에 거주할 제際에는 토지인土地人이 사부師父와 여히 존경하며 인천통감仁川統監이라 하였더라. 조선에서 다수의 사재私財를 투投하여 수집한 고기물古器物과 불상佛像의 유類를 작년 경도대학京都大學에 증贈한 등等은 여하히 기 기질의 반면半面이 규시窺視되는 자 아닌가.

初代觀測所長
和田博士の胸像
十八日除幕式を行ふ

1931년 10월에 인천관측소 구내에 거립한 와다의 흉상(『경성일보』1931년 10월 9일자)

와다 유지和田雄治는 1905년 인천임시관측소장으로 활동하기 전부터[1] 자료 수집 차 한국에 여러 차례 건너온 것으로 보인다.[2]

1907년 10월에 일본 황태자가 왔을 때 인천 측후소장 와다는 인천에서 황태자를 맞아 수행하기도 했다.[3] 1908년에는 농상공부 관측소 기사로 임명, 1909년 소네曾彌가 부통감으로 있을 당시 경주 순시에 함께 동행하기도 했다. 소네의 초도순시에 대해 와다는 1917년에 간행한 『조선고대관측기록조사보고』에서 일부 기술하고 있다. 그 기록에는 1909년 4월 21일에 부산항에서 광제호光濟號에 편승하여 경주로 향했다. 일행으로는 소네 부통감과 그 수행원, 그리고 와다와 그의 동료 히라타平田 학사, 야마모토山本 기수가 있었으며 헌병 순사 등이 호위를 하였다. 와다의 기록은 경주 첨성대에 대한 기술이 중점이며 당시 첨성대 앞에서 찍은 사진과 석굴암 앞에서 찍은 사진이 남아 있다.[4] 그는 경술국치 전부터 전국을 답사하면서 관측 관련 조사를 한 자로, 1911년에는 조선시대 기상 자료를 조사하기 위해 학부창고와 궁내부 규장각 책고를 조사했다.[5] 『조선고대관측기록』을 저술하기도 했으며 1913년 6월에는 이학박사 학위를 받았는데 제출한 논문은 「조선고금지진고朝鮮古今地震考」이다.[6]

와다는 우리나라 고대 유물에 대한 관심이 많았다. 와다가 이학박사이지만

1 『皇城新聞』 1905년 3월 21일자와 3월 2일자에는 인천임시관측소장 和田雄治씨가 기상대를 건축 준공하고 낙성연을 열었다는 기사가 보인다.

2 앞 1899년 11월 참조.

3 加濱和三郎, 『皇太子殿下韓國御渡航紀念寫眞帖』, 1907년 12월.

4 和田雄治, 『朝鮮古代觀測記錄調査報告』, 朝鮮總督府觀測所, 1917.

5 앞 1911년 3월 2일 참조.

6 「時評及彙報」, 『歷史地理』 제22권 제1호, 1913년 7월.

우리나라 유물에 관심이 많았던 것은, 도쿄대 인류학교실이 이학부에서 개설(1893)되어 초기의 고고학, 인류학 연구가 이학박사들에 의해 이루어졌던 상황[7]을 본다면 그리 이상한 것도 아니다.

그는 한국에서 관측소장으로 있는 동안[8] 여러 곳을 조사하고 채집한 모든 유물들은 일본의 학회 등에 기증했다.

1918년 1월 18일

도리이 류조鳥居龍藏은 1월 18일 경성구락부에서 「경상남북도 유사이전의 유적」이란 제목으로 강연을 하다.[9]

1918년 1월 19일

중추원사무분장규정 제정

조선총독부훈령 제3호로 조선총독부 중추원사무분장규정을 제정하다. 조선

7 申叔靜, 「우리나라 新石器文化 研究 傾向」, 『韓國上古史學報』 제12호, 韓國上古史學會, 1993.
8 공식적으로는 1915년 3월 31일 총독부관측소장으로 퇴직한 것으로 나타나 있다.
9 『每日申報』 1918년 1월 19일자.

총독부 중추원에서는 종래 관습 및 제도조사 외에 이에 관련하여 조선반도 및 편찬 기타 역사상의 조사에 종사하였는데, 사무가 이외로 복잡하여, 이번에 분과 규정을 두어 사무분장을 하게 되었다. 그 내용은 다음과 같다.[10]

제1조 조선총독부중추원에 조사과 및 편찬과를 설치한다.

제2조 조사과에서는 구관조사 및 타과의 주관에 속하지 아니하는 사항事項을 관장한다.

제3조 편찬과에서는 사료수집편찬에 관한 사항을 관장한다.

1918년 1월

조선어사전 초고 완성

조선총독부에서는 1910년부터 조선어사전의 편찬에 착수하였었는데 8년 만에 초고를 완성했다. 한국어에 정통한 한국인과 일본인 수십 명을 뽑아 이 사업에 종사하게 하고 규장각도서의 어휘 및 한국인의 기억에 있는 어휘를 모아 7만 어를 정리한 것이다.[11]

---

10 『朝鮮總督府官報』 1918년 1월 19일자.
11 『每日申報』 1918년 1월 18일자.

1918년 2월 4일

성불사 산내 말사 황해도 황주군 주남면 안국사安國寺를 폐지하다.[12]

1918년 2월 16일

동화사 말사 경상북도 칠곡군 지천면 녹봉사鹿峰寺와 염불암念佛庵을 폐지하다.[13]

1918년 2월 21일

서당 규칙 발포

2월 21일 조선총독부령 제18호로 서당규칙書堂規則을 발포發布하여 즉일 시행하도록 했다. 전문 6조로 그 내용은 다음과 같다.[14]

12 『朝鮮總督府官報』 1918년 2월 4일자.
13 『朝鮮總督府官報』 1918년 2월 16일자.
14 『朝鮮總督府官報』 1918년 2월 21일자.

서당 규칙

제1조 서당을 개설한 시時는 아래의 각호 사항을 갖추어 부윤, 군수 또는 도사島司에게 계출屆出함이 가함.

1. 명칭, 위치
2. 학동의 정수
3. 교수용 서적명
4. 유지 방법
5. 개설자, 교사의 씨명 및 이력서
6. 한문 외 특히 일본어, 산술 등을 교수하는 시는 그 사항
7. 계절을 정하고 수업하는 것에 있어서는 그 계절 전항 각 호의 사항을 변경한 시는 부윤, 군수 또는 도사에게 계출함이 가함.

단 개설자, 교사 변경의 계출에 대하여는 이력서를 제출함이 가함.

제2조 서당을 폐지한 시는 개설자가 지체없이 이를 부윤, 군수 또는 도사에게 계출함이 가함.

제3조 서당 명칭에는 학교 유사한 문자를 사용할 수 없음.

서당은 명칭을 기한 표찰을 견見하기 용이한 장소에 게揭함이 가함.

제4조 금고 이상의 형에 피처한 자 또는 성행이 불량한 자는 서당개설자 또는 교사가 됨을 불득함.

제5조 아래의 경우에 있어서는 도장관은 서당의 폐쇄 또는 교사의 변경 기타 필요한 조치를 명함을 득함.

1. 법령규정에 위반한 시
2. 공안을 해하며 또는 교육상 유해하므로 인認한 시

제6조 서당은 특별한 규정이 유한 경우를 제한 외는 부윤 군수 또는 도사島司의 감독에 속함.

부칙

본령은 발포일로부터 이를 시행함.

본령을 시행할 때 존재한 서당은 본령 시행일로부터 6월 내로 제1조의 사항을 부윤, 군수 또는 도사에게 계출함이 가함.

1918년 3월 13일

해인사 말사 중 다음 건을 폐지하다.

경상북도 김천군 대항면 운수암雲水庵, 내원암內院庵, 김천군 김천면 고운암孤雲庵, 김천군 난함암卵含菴, 정각암正覺庵[15]

15 『朝鮮總督府官報』 1918년 3월 13일자.

1918년 3월 27일

제8회 고적조사위원회

1918년 3월 27일에 개최한 제8회 고적조사위원회에서는 '대정7년도 고적조사계획', '고적 보존', '유물 반입', '유적 및 유물 등록(7개 지역 62개소의 등록안)', '고적 보존 추가' 등이 안건이다.[16]

의안1의 '대정7년도 고적조사계획'은 일반조사에서는 올해 4월부터 다음해 3월까지 충청남북도, 전라남북도, 경상남북도에 있는 신라, 유사 이전, 조선시대의 유적유물과 전년도 잔여를 조사하는 것으로 하고 있다. (갑) 전년도 잔여조사는 경상도에서 주로 가야와 신라의 유적유물을 조사하며, (을) 유사 이전 유적유물은 경상남도 거창, 전라남도 화순, 제주도, 전라북도 일대에서 조사한다. 또한 특별조사로 압록강 연안의 고구려 유적 및 함경남도, 강원도의 신라 유적유물 조사를 실시하는 것으로 계획하고 있다.

의안2의 고적 보존의 안건은, 사료로 보존할 가치가 있는 유적이 있는 부분은 국유림으로 존치하기로 했는데 그 고적 및 유물은 55건으로,

1. 고양 아차산성지
2. 홍연봉 성지

16 「제8회 고적조사위원회」, 국립중앙박물관 소장 조선총독부박물관 공문서, 문서번호 : 96-107.

3. 백련봉 성지

4. 능리 아천리의 성지 1~5

5. 능리 성지 1, 2

6. 중곡리 성지

7. 구봉산성지

8. 청주 양성면 성지 작두산성지

9. 청주 양성면 성지

10. 서산성지

11. 백봉산성지

12. 문안산성지

13. 두타산성지

14. 괴산 오봉산성지

15. 은용리 성지 1, 2

16. 서산면 성지

17. 대성지

18. 수암산성지

19. 가야산성지

20. 벽오산성지

21. 불암산성지

22. 광향리 고분군

23. 증산면 고분군

24. 검양리 고분군

25. 응암산성지

26. 동전리 성지

27. 대성산성지

28. 용골산성지

29. 자모산성지

30. 청주 미천리 고분군

31. 월전리, 양수리 성지

32. 월전리 고분군

33. 백화산성지 및 봉수지

34. 배성지

35. 건지산 봉수지

36. 석성산성지

37. 처인성지

38. 여현진성지

39. 부안 월고리 봉수

40. 숙천읍성지

41. 강화 문산리 제단

42. 불암사지 마애불상

43. 백운리 오층석탑

44. 백운리 석불

45. 안암리 삼성산 귀부

46. 제천 남문

47. 주외면 성지 및 봉수지

48. 고미산성지

49. 윤산 성지

50. 배산성지

51. 입암산성지

52. 웅포성지

53. 개성산성지

54. 농암산성지

55. 영등산성지 등이다.

다음으로 목표木標 및 제찰制札을 세우거나, 목책을 설치할 예정인 것은 6개소로서,

56. 사천신채지泗川新寨址

57. 김해 회현리 고분

58. 안주 백상루

59. 부여 능산리 제 1호 고분

60. 부여 능산리 제 2호 고분

61. 익산 석왕리 쌍릉 등이다.

다음으로 이수를 귀부 위로 올리고 목책을 설치할 계획인 것은,

62. 금장사지 미타전비彌陀殿碑 이수 및 귀부

63. 흥법사지 진공대사탑비眞空大師塔碑 이수 및 귀부

64. 사림사지 홍각대사비弘覺大師碑 이수 및 귀부

65. 고달사지 원종대사혜진탑비元宗大師慧眞塔碑 이수

66. 태자사지 낭공대사백월서운탑비朗空大師白月栖雲塔碑 이수 및 귀부 등 5개소이다.

고적 보존의 건은 원안대로 통과되었다.

의안 3의 '유물 취기取寄' 에서는 "함께 조성되었던 탑은 이미 타로 이전되어 비만 남을 이유가 없으며, 훼손 가능성이 우려" 되는 것으로,

1. 법천사지 지광국사현묘탑비智光國師玄妙塔碑

2. 거돈사지 원공국사승묘탑비圓空國師勝妙塔碑

3. 보리사지 대경대사현기탑비大鏡大師玄機塔碑을 들고 있다.

그리고 "파손 망실의 우려가 있으므로 본부에 반입하여 박물관에 보존" 하기로 한 것은,

4. 개태사지 철부鐵釜

5. 성주읍 동칠층석탑

6. 장단 장좌리 철불상

7. 하동 삼신동 철불상

8. 부여 가증리 석관石棺 등이다.

이상의 유물 취기取寄의 건도 원안대로 통과되었다.

의안4 '유적 및 유물 등록(7개 지역 62개소의 등록안)'도 원안대로 통과되었다.

의안5 '고적 추가'의 건은 연산 개태사지, 평남 강서군 강서면 제2호분(고구려 고분)으로 역시 그대로 추가되는 것으로 통과되었다.

1918년 3월

이왕가에서는 대구 뢰경관에 이왕가 고기물을 일부 진열하였는데, 1918년 1월부터 동 3월말까지 대구뢰경관 관람 인원은 1월 일본인 547명, 조선인 1,205명, 2월에 일본인 825명 조선인 2,317명, 3월에 일본인 1,806명 조선인 2,773명, 합계 8,754명이었다.[17]

박물관에 반입한 서산 보원사지 철불

보원사지는 충청남도 서산군 운산면 용현리에 소재한다. 상왕산 동편에 서산 마애삼존불이 위치하고, 이곳에서 강당천을 낀 도로를 따라 2km 쯤 올라가면 오른쪽으로 가야산 서북쪽에 위치한 보원사지가 나타난다.

사지가 있는 운산면 용현리龍賢里는 1914년 행정구획정리에 따라 보현동普賢洞, 갈동葛洞, 강당리講堂里, 거산리巨山里(일부)를 합해 용현리로 통합했다.[18] 보원사는 웅장한 강당이 있었다고 하여 속칭 강당사講堂寺라고도 불렀는데,[19] 동명에서 본 바와 같이 본 사찰과 관련한 동명이 생겨났음을 알 수 있다.

---

17 『釜山日報』 1918년 4월 7일자.

18 朝鮮總督府 官報 第621號(1914년 8월 26일).

19 『大東金石書』에는 "講堂碑"또는 "講堂寺法印大師寶乘塔"이라 기록하고 있다.
『寺塔古蹟攷』에는 "亦稱講堂寺"라 하고 있다.
『大東金石攷』에도, '講堂寺'로 기록하고 있다.

충청남도 서산군 운산면 보현동 전경(中谷近太郎 복명서)

1916년에 조사한 『조선보물고적조사자료』에는 사지는 사유전私有田으로 기록되어 있으며 유물로는, "법인국사보승탑法印國師保乘塔 1기, 동탑비同塔碑 1기, 철불상鐵佛像 1기, 오층석탑五層石塔 1기, 당간지주幢竿支柱 1기, 석조石槽 1기"가 남아 있는 것으로 기록하고 있다.

『조선보물고적조사자료』에 기록하고 있는 철불은 1920년에 출간된 『박물관진열품도감』에는 이 불상이 1918년 3월에 서산 보원사지에서 옮겨진 것으로 기록되어 있다.

총독부에서는 1916년에 보원사지의 철불을 박물관으로 운반할 계획으로 총독부 총무국 회계과 속 나가타니 지카타로中谷近太郎를 현지에 파견하여 철불 운반에 관한 사항 및 기타에 대한 전반적인 조사를 명했다. 나가타니는 조사결

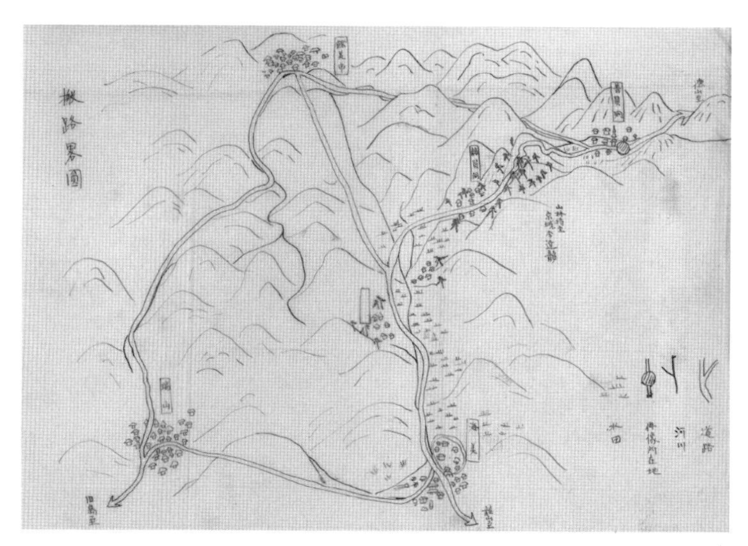

운반로 약도(中谷近太郎 복명서)

과 1916년 6월 10일부로 복명서를 제출했다.[20]

현지에 출장한 나가타니 지카타로中谷近太郎는 그 전의 총독부에서 행한 경험과 전 출장원이 보원사지에 파견 보고한 내용을 참작하여 운반 계획에 완전을 기하고자 했던 것이다.

그런데 그 전 계획에는 철불 중량 약 3백관, 기석 약 4백관 취기 경비 약 4백 엔 내외로 잡혀 있고, 소재지로부터 서산군 해미읍내(천안 서산간가도)까지는 직영直營으로 실시하고 해미에서 경성까지는 청부請負에 부付할 것으로 되어 있다. 그러나 현장 조사결과 철불은 중량 약 5백관 및 기석 약 1천 4, 5백관으로 예상했던 것 보다 배가 이상 초과하였으며, 운반통로가 험조險阻한 산도山道로 우마차가 통

---

20 「서산철불조사보고」(대정5년 6월, 中谷近太郎), 국립중앙박물관 소장 조선총독부공문서, 목록번호 : 96-137.

과하기는 불가함으로 목봉으로 사람이 운반해야하고, 중량물 운반용 기계를 병용해야하고 상도로上道路의 수선 또는 신설을 요하는 개소가 많아 작업이 곤란하다.

그래서 실지조사 결과 당초계획과 크게 차이가 생겨 기석을 제하고 철불만 옮기는 예정경비만도 배액을 요함으로 상황을 보고하여 그 전 계획을 중지하고, 지금으로는 농작물의 피해가 적지 않으므로 비교적 농작물의 피해가 적은 11월 전후에 실시함이 가할 것으로 사료된다고 하며, 실지조사 상황을 기술하고 있는데 대략 다음과 같다.

1. 소재지는 충청남도 서산 운산면 보현동(원 해미군 부산면 강당리, 별지 사진 동 전경)
불체 부근에는 왕시의 사원의 형적이 있고 광대한 구역에 석계, 석조 등의 용서으로 여겨지는 것이 산란하여 일견 대찰의 유허로 상상하기 어렵지 않음, 불체는 전포 중에 별지 사진(누락)과 같이 소옥小屋에 안치하여 문을 잠그고 부락민들이 이를 보관하고 있다.

보원사지 철조여래좌상 터 석표
(국립중앙박물관 소장 유리원판)

2. 불체는 좌상으로 정교 정밀하여 희稀하게 보이는 일품으로(별지 견취도 참조, 누락) 고가 9척 중량 약 5백관 내외로 추정, 기석은 4층으로 상부기석은 파괴되어 현존하는 이하 기석은 2개 또는 3개로 이루어졌으며 일부는 파손된

개소가 있다. 그 전부는 약 1천 4, 5백관 내외로 추정, 기석 중 상부의 1개는 연화를 조각한 형적이 있음

3. 반로운반통로搬路運搬通路 동군 서북방의 소항小港을 경유하여 해로로 인천으로 운송하든지, 아니면 천안에 육도陸道 철로로 옮기는 두 가지 중 선택

4. 경비. 철불 : 소재지에서 경복궁까지 금 860엔

대석: 소재지에서 경복궁까지 약 500엔 내외

이상 운반의 전반을 기술, 수확물의 피해가 적은 계절을 선택하여 실시함이 적당

서산보원사지 출토 불상(용산 국립중앙박물관)

이 같은 나가타니 지카타로中谷近太郎의 보원사지 현지 조사 이후, 1917년 3월 22일 개최한 제5회 고적조사위원회에서 의안으로 채택된 '유물 취기取寄'의 건을 보면, 개성 적조사지철조불상, 개성 적조사지석조보살상과 함께 서산 보원사지철조석가여래좌상을 박물관으로 옮기기로 결의한 것으로 나타나 있다.[21]

또 이곳 사지에 있었다고 하는 불상에 대해서는『조선사강좌朝鮮史講座』에 수록된 가츠라기 스에지葛城末治의 기록에 의하면, "석불, 철불 각 1체가 있으며 또 당간지주 및 석조石槽가 유존하고 있다. 철조석가상鐵造釋迦像은 다이쇼大正7

21 「제5회 고적조사위원회」, 국립중앙박물관 소장 조선총독부박물관 공문서, 문서번호 : 96-107.

서산 운산면 출토 철조불(용산 국립중앙박물관)

년 3월에 사지에서 본부박물관으로 옮겨 경복궁 근정전의 회랑廻廊에 안치하였다"[22]라고 하고 있다.

그런데 1918년에 보원사지로부터 총독부박물관으로 옮겨진 철조불상은 2체를 기록하고 있다. 한 체는 가츠라기 스에지葛城末治의 기록과 동일한 날짜에 보원사지로부터 총독부박물관으로 옮겼다고 박물관진열도감(제2집)에 수록되어 있는 높이 2.6미터의 철불좌상鐵佛座像이며,[23] 또 하나의 불상은 높이 1.5미터로 1918년 4월 20일자로 서산군 운산면 소재 보원사지로부터 반출되어 당시 총독부박물관에 보관되었던 유물카드(유물카드번호 519)에 기록되어 있다. 이 불상은「한국미술5천년전도록」에 8-9세기경의 작으로 표기되어 있으나 황수영 박사는 보원사지를 수 차 조사한 결과 보원사에 전래되고 있는 모든 석조물 등의 조형품이 여초麗初 이상을 오를 수 없다는 결론에 따라 이 철불 역시 연대의 양식을 충실히 따르고 있지만 그 제작연대는 보원사 중창과 시대를 같이 하는 것으로 고려 초기로 추정하고 있다.[24]

『조선보물고적조사자료』에는 철조불상을 하나로만 기록하고 있는데 이중 어느 것을 지칭指稱하는 지는 미상未詳이다.『고적급유물등록대장초록』[25]에는 '강당사지

22 葛城末治,「朝鮮金石文」,『朝鮮史講座』, 朝鮮史學會同人, 1923.
23 黃壽永,「高麗時代의 鐵佛」,『考古美術』166, 167, 1985.
24 黃壽永,「統一新羅時代의 鐵佛」,『考古美術』154, 155, 1982년 6월.
25『古蹟及遺物登錄臺帳抄錄』, 朝鮮總督府, 1924, pp.46-47.

불상講堂寺址佛像' 이라 하여 "고 7척 좌석 고 1척 양수공결손兩手共缺損" 으로 기록하고 있으며, 1927년에 간행한 『서산군지瑞山郡志』에 나타난 기록과도 일치한다.[26] 이 또한 가츠라기 스에지葛城末治의 기록에 나오는 불상으로 보인다.

그렇다면 높이 1.5미터의 불상의 반입경로搬入經路가 미상未詳으로 남게 된다.

일제기 초에 박물관에서 매입한 많은 탑상塔像들이 고물을 매매하던 일인들로부터 구입한 것으로 이들의 대부분은 폐사지 등에서 불법으로 반출한 것이기 때문에 그 반입경로를 은폐하여 사료적인 가치를 소멸시킨 예가 많은 것을 고려한다면, 높이 1.5미터의 불상은 1916년경 산림과에서 사지의 유물들을 조사하기 이전에 사지로부터 반출하여 1918년 4월에 박물관에 매각한 것이거나, 아니면 다른 사지의 것을 보원사지의 것으로 편입했다고 밖에 볼 수 없다.

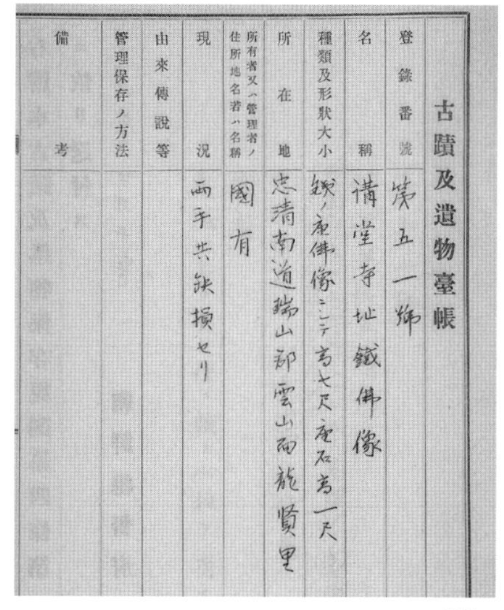

古蹟及遺物臺帳

登錄番號	名稱	種類及形狀大小	所在地	所有者又ハ管理者ノ住所地名者ハ名稱	現況	由來傳說等	管理保存ノ方法	備考
第五一號	講堂寺址鐵佛像	鐵ノ座佛像ニシテ高七尺座石高一尺	忠清南道瑞山郡雲山面龍賢里	國有	兩手共缺損セリ			

1917년 3월 15일 등재한 고적급유물대장[205]

26 李敏寧 編, 『瑞山郡志』, 中央印刷社, 1929.
講堂寺佛像在雲山面龍賢里普願寺址 鐵座佛像高七尺座石高一尺兩手皆缺失 大正九年移送總督府置博物館 云 古物臺帳 第51號.

27 1917년 3월 15일에 등록된 고적 및 유물 제1호부터 제136호까지의 등록번호, 명칭, 종류 및 형상·크기, 소재지, 소유자나 관리자의 주소지명(명칭), 현황, 유래·전설, 관리보존 방법 등을 등록한 「고적 및 유물 대장(古蹟及遺物臺帳)」이다.

보원사의 창건 연대는 명확하게 밝혀진 것은 없으나 보조선사창성탑비문普照禪師彰聖塔碑文에 의하면, 보조선사 체징(804~880)이 흥덕왕2년(827)에 서산 가량협산加良峽山 보원사에서 구족계를 받았다는 기록으로 보아 9세기 이전에 창건된 사찰임을 알 수 있다.

1969년에는 보원사지의 금당지 남측 건물지에서 6세기 중엽 백제시대의 것으로 추정되는 금동불입상(높이 9cm)이 발견되어 혹 백제시대에 창건된 것으로 추정하기도 하지만 명확한 문헌기록이 보이지 않고 있다. 이 후 고려 초에 법인국사法印國師에 의해 번성대창繁盛大昌한 대가람으로 추정된다. 『고려사 세가』 권제6, 정종靖宗2년 5월 신묘에 "왕은 제制하여 말하기를 무릇 4자四子를 둔 사람은 그 한 아들의 출가出家를 허락하여 영통사靈通寺(장단 소재), 숭법사嵩法寺, 보원사普願寺(서산), 동화사桐華寺(원주) 등의 계단戒壇에서 경률經律을 소업所業으로 하라고 분부하였다" 하는 것으로 보아 고려 때는 상당히 활발했던 사찰로 보인다. 폐사 연대는 밝혀진 것이 없으나 『신증동국여지승람』에, "보원사는 상왕산象王山에 있다" 라는 것으로 보아 16세기 초까지는 법등이 이어온 것으로 추정된다.

보원사를 번창시킨 법인국사는 신라말기에서 고려 초에 이르는 명승으로 신라 효공왕4년(900)에 태어나 고려 광종26년(975) 3월 19일에 시적示寂하니 광종이 이를 듣고 조의弔意의 글을 내려 애도하였다. 경종 때에 와서 법인국사로 추익追諡되고 탑은 보승寶乘이라 하여[28] 그 탑비를 세웠는데 비문은 김정언金廷彦이 찬하고 글씨는 한윤韓允이 서書했다.

비를 세운 년시는 비문에 「태평흥국삼년용집섭제사월일입太平興國三年龍集攝提

28 葛城末治,「朝鮮金石文」,『朝鮮史講座』, 朝鮮史學會同人, 1923.

四月日立」 이라 한다. 태평흥국太平興國은 송 태종宋太宗의 연호로 그 3년은 고려 경종3년(西紀 978)에 해당한다.[29] 법인국사의 탑비는 폐사 이후에도 사지에 완존完存하였던 것으로 추정되는데, 법인국사보승탑은 1968년 5월 18일에 밤중에 도굴자에 의해 도괴 파손되었다. 이에 문화재관리국에서 6월 1일부터 6월 5일까지 이에 대한 복원 및 5층석탑의 해체 중수공사를 하였다. 이때 5층석납에서는 제 5층 옥신석과 4층 옥개석에서 사리상치를 발견했고 기단적석積石에서는 소형 전탑塼塔 및 목탑잔해木塔殘骸가 발견되었다.

법인국사보승탑

2004년 2월초에도 법인국사보승탑을 또 다시 도굴꾼들이 도굴을 시도하여 부도 윗부분 옥개석이 10센치 정도 벗어나 있는 것이 발견되었다.

이곳의 5층석탑은 신라시대 일반형 석탑양식을 계승한 고려초기 석탑양식을 충실히 갖춘 우수한 고려초기의 석탑으로 탑정塔頂에 금색 찬란한 금속상륜金屬相輪이 얹혀 있었으나 1920년대에 일본인들이 와서 탑정塔頂 보물을 갈취해 갔다고 한다.[30] 『고적급유물등록대장초록古蹟及遺物登錄臺帳抄錄』에는 등록번호 제52호로 등록하고 "노반이상은 실하고 겨우 철로된 심주心柱만 있다"[31]라고 하는 점으

29 『最新世界年表』, 三省堂, 1935 參照.
30 李殷昌, 「忠南 散逸文化財」, 『考古美術』 第9卷 第2號.
31 『古蹟及遺物登錄臺帳抄錄』, 朝鮮總督府, 1924.

로 보아 금속상륜부金屬相輪部가 도실盜失된 것은 1924년 이전으로 보인다. 지금은 5층석탑의 상륜부에는 로반만이 있고 그 위에 철제鐵製로 된 찰간刹竿이 있다.

현재 일대의 사지는 모두 경작지화 되어 있던 것을 보존지역으로 정리하였으며, 와편瓦片들이 아직도 넓게 산재하여 많은 건물들이 있었음을 추정할 수 있다. 현존하는 유물로는 석조(보물 제102호), 당간지주(보물103호), 5층석탑(보물104호), 법인국사보승탑과 그 비(보물 106호), 석불, 연화좌대 등이 남아 있다.[32]

1918년 4월 18일

신라시대 석궤(石櫃) 발견

4월 18일 경주 임해정지로 추정되는 곳에서 내동면 구황리 거주 이종태 소유 전지에서 동인이 다수의 연화문을 가진 파와와 함께 석궤로 추정되는 길이 3척4촌, 폭 1척9촌의 개석을 가진 수조와 같은 석조물을 발견하였다. 현품은 경주고적보존회에 기부했다.[33]

---

32 이외에도 葛城末治의 記錄에는 石佛이 1軀 더 있었다는 기록이 보이는데, 李殷昌의「서산보원사지의 조사」『考古美術』7-4(통권 69호)에 "金堂址 後側에 現存하는 石造座像(높이 91cm)..... 結跏趺坐에 胸前에서 兩手를 모아 지장인을 하였으니 毘盧舍那佛座像으로 추측된다"라고 하여 당시 사지에 현존했던 것으로 보아 葛城末治의 기록에 보이는 石佛로 추정되는데, 위 이은창의 조사에서는 또 다른 1軀의 石造佛座像이 부락민들에 의해 발견되어 忠南道敎委에 보관되어 있다고 한다.

33 『釜山日報』1918년 4월 19일자.

1918년 4월 19일

하세가와長谷川 총독은 히가시후시미노미야東伏見宮 중장에게 19일 다음 물품을 선물하였다.[34]

一. 고려홍삼 2근

一. 한산모시 2필

一. 시지詩紙 5권

一. 신고려소화병 1점

1918년 4월

부석사 무량수전에서 고불상 발견

총독부 기사 기코木子知隆의 감독 아래에 부석사 무량수전 수선 공사를 하던 중 수미단 아래에서 불상 21구를 발견했다. 다음과 같은 신문 기사가 있다.

> 고불을 발견, 절을 수리하다가
>
> 총독부 기사 목자지융 씨는 지난번부터 경상북도 영주군 부석사에 가서 그 절의 보존공사를 감독하던 터인데 4월 20일 그 절의 수미단須彌壇을 소

34 『釜山日報』 1918년 4월 25일자.

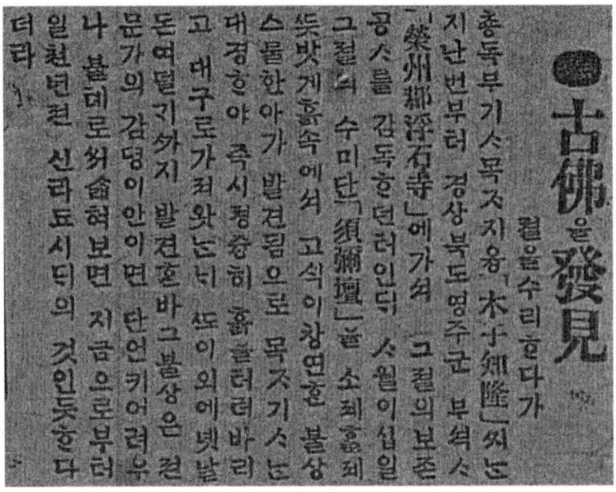

제할 제 뜻밖에 흙속에서 고색이 창연한 불상 스물하나가 발견됨으로 목자 기사는 대경하여 즉시 정중히 흙을 털어버리고 대구로 가져왔는데 또 이외에 옛날 돈 여덟 개까지 발견한바 그 불상은 전문가의 감정이 아니면 단언키 어려우나 불체로서 살펴보면 지금으로부터 일천년 전 신라시대의 것인 듯하다더라(『매일신보』 1918년 5월 7일자).

부석사에서 불상 발견
경북 영주 부석사의 수선 공사를 하던 중 4월 26일 공사인부 윤국환과 조용봉이 무량수전의 수미단 아래를 치우다가 먼지 속으로 청동석가불 1체 외 21점의 불상을 발견하였다(『매일신보』 1918년 5월 23일자).

1918년 5월 1일

재단법인 오쿠라슈코칸(大倉集古館) 개관

오쿠라 기하치로大倉喜八郎는 메이지유신을 전후하여 철포점을 운영하여 막대한 부를 축적하고, 러일전쟁 즈음에는 한국에 농장을 운영하고 토목, 광업,

은행 등에 손을 뻗친 일본 경제계의 거물이다. 그의 아들 오쿠라 요네키치大倉米吉는 1908년에 한국에 건너와 오쿠라농장을 경영하다가 1931년 6월에 일본으로 돌아갔는데 군산의 유지들이 군산공원에 그의 흉상을 건립하기도 했다.

오쿠라 기하치로
(『人間 大倉喜八郎奧附』, 1929)

오쿠라 기하치로大倉喜八郎는 서울에 선린상업학교를 설립하기도 하였다. 『황성신문』 1908년 11월 27일자에는, "선린상업학교 개교식에 참여하기 위하여 도한한 대창희팔랑 씨와 동반 도래한 제씨 등이 재작일 상오 11시경에 경복궁을 배관하였다더라" 라는 기사가 보이고 있다.

오쿠라 기하치로는 고미술에 관심이 많아 일찍부터 고미술품을 수집하였는데, 1903년에 발간한 『고고계』의 휘보란을 보면 오쿠라미술관의 설비가 완성되어 개관을 했다는 소식과 함께 "동양 명기의 해외 유출을 방지하기 위해 관주 기하치로喜八郎 씨가 20여 년의 오랜 기간 수집한 것"[35]이라고 하고 있어 1880년경부터 수집을 시작했다는 것을 알 수 있다.

그간 모아온 수집품을 중심으로 1917년 8월에 문부성의 허가를 받아 재단법인 오쿠라슈코칸을 설립하여 이마이즈미 유사쿠今泉雄作를 관장으로 하고 1918

35 考古學會, 『考古界』 3-2, 1903년 7월, p.28.

불타버린 자선당 건물(『동아일보』 1999년 6월 29일자)

년 5월 1일에 개관을 하였다.[36] 이는 일본 최초의 사설미술관이다.

오쿠라슈코칸은 제1, 제2, 제3진열관과 경복궁에서 옮겨간 조선관(자선당)으로 구분되어 있었는데 진열관 내에는 한국에서 반출해간 막대한 양의 고려자기와 세키노가 한국에서 반출해 간 전塼 그 외 고미술품을 진열하였다. 이 진열실에 있던 고려자기는 『조선고적도보』에도 상당수가 실려 있어 그가 얼마나 많은 양의 고려자기를 수집하였는지를 짐작케 하고 있다. 이들 고려자기는 모두 최우수품으로 모두 왕릉급의 고분에서 나온 것으로 추정되는데, 안타깝게도 관동대지진 때 모두 소실되었다.

야외에는 평안남도 대동군 율리면에 있던 팔각석탑[37]을 반출하여 옮겨다 놓았다. 오쿠라는 이것만으로도 성에 차지 않았는지 1918년에는 평양 정차장 앞에 있던 7층석탑[38]에 눈독을 드려 이를 양수하고자 조선총독부에 요청해 왔

36 仙人掌生, 「大倉集古館」, 『中央史壇』 제9권 3호, 國史講習會, 1924년 9월.
『釜山日報』 1917년 9월 24일자 '大倉博物館 新設'이란 기사에는, 재단법인 대창집고관은 신청한 재단법인이 1917년 9월 15일 설립등기를 완료하고 1918년 1월에 공개키로 결정했다고 한다.

37 『朝鮮古蹟圖譜』 제6책에 도판번호 2948로 실려 있다.

38 關野貞의 『朝鮮美術史』에는 "평양7중석탑은 평양 대동공원 내에 있는 6각7층석탑으로

다. 당시 '고적조사위원회' 에서는 한국인의 반감을 우려하여 허락하지 않았다. 하지만 일본의 거물 오쿠라의 부탁을 외면할 수 없어 곤란한 입장에 처하자, 1915년 시정공진회 때 이천 향교 근처에서 경복궁으로 옮겨온 석탑에 대해 반출허가 하였다. 이를 현재까지 오쿠라슈코칸 정원에 두고 있는 것이다.

그러나 1923년 관동대지진으로 제1호관 본관의 서화부를 남기고 자선당을 비롯한 진열관은 모두 소실되고 불에 타지 않은 석조물만 남았다.[39] 오쿠라슈코칸의 소실은 돈으로 환산할 수 없는 막대한 한국 고미술품의 희생이 따랐다.

1949년 7월에 우리 정부는 맥아더사령부를 통하여 오쿠라슈코칸 정원에 남아 있는 5층석탑에 대한 반환을 요구하였으나 실패하고 말았다.[40]

자선당 건물의 유구는 1993년 김정동 교수가 오쿠라호텔 경내에서 발견하고 유구가 반환될 수 있도록 여론을 모으고 백방으로 노력한 끝에 1996년 고국에 돌아오게 되었다.

元廣寺라 부르는 寺의 폐지에서 보존을 위하여 지난해 정거장 앞에 옮겨 놓았다가 그 후에 다시 지금의 곳(連光亭공원)으로 옮겨 놓았다"라고 하는데 그 후에 다시 평양박물관으로 옮겼다고 한다.

39 藤懸靜也, 「大正大地震に於ける美術品の喪失」, 『中央史壇』 제11권 3호, 國史講習會, 1925년 9월.

40 『東光新聞』 1949년 3월 25일자; 『東亞日報』 1949년 7월 22일자.

『조선고적도보』에 실린 오쿠라슈코칸의 명품들

靑瓷陰刻蓮花文瓶	8권: 3438	고려	 1923년 9월 1일 대지진시 燒燬
靑瓷陰刻蓮唐草文淨瓶	8권: 3440	고려	 상동

靑瓷陽刻瓢形水柱	8권: 3448	고려	상동
靑瓷陽刻蛟龍波濤文瓢形水柱	8권: 3451	고려	상동
白瓷陽刻飛鴻草花文合子	8권: 3546	고려	상동

靑瓷象嵌菊牧丹唐草文瓢形水柱	8권: 3603	고려	 상동
靑瓷象嵌菊花文水柱	8권: 3620	고려	 상동
靑瓷象嵌菊花文甁	8권: 3630	고려	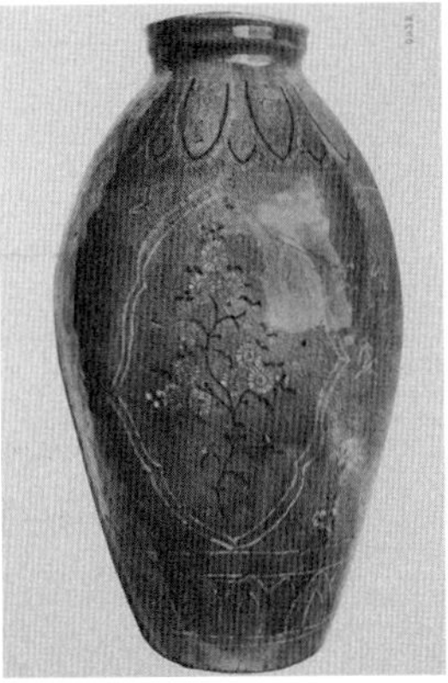 상동

青瓷象嵌牧丹文瓶	8권: 3631	고려	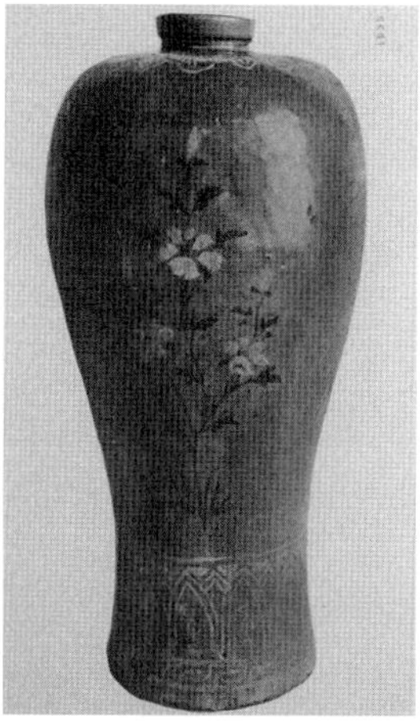 상동
青瓷象嵌七寶菊花文合子	8권: 3654	고려	 상동
青瓷象嵌陽刻蓮花文油壺	8권: 3674	고려	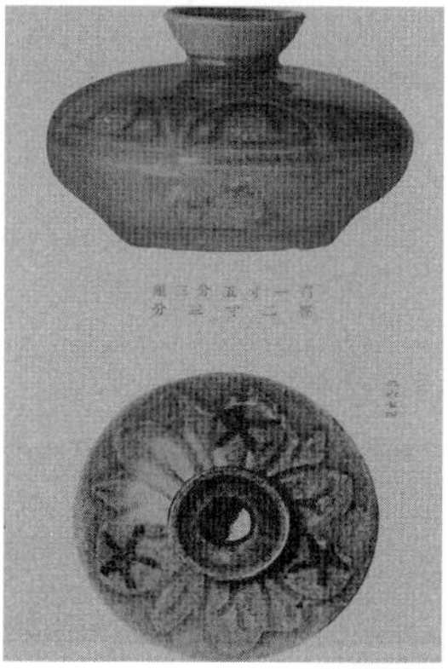 상동

靑瓷象嵌菊花雲鶴文蓋盌	8권: 3676	고려	 상동
灰黃釉下繪草花文甁	8권: 3698	고려	 상동
灰黃釉下繪草花文水注	8권: 3705	고려	 상동

花鳥圖(筆者不詳)	14권: 5894	조선	
阿彌陀如來會圖(筆者不詳)	14권: 6060	조선	

1918년 5월 5일

홍성 광경사지에서 불상 발견

1918년 5월 13일 홍성경찰서장이 조선총독에게 보고한 '청동불 발굴 계출의 건 보고'[41]에 의하면, 1918년 5월 5일 충청남도 홍성군 홍주면 오관리 3번지 밭에서 청동불상 2구를 발견했다.

이 사지는 광경사廣景寺라는 거찰이 있었으나 약 5백 년 전에 대화재를 입어 소실되었다는 전설이 전한다고 한다. 전하는 유물로는 고 1장7척의 석주 2본(당간지주), 석불 1체 및 5층탑 1기가 전해졌다고 하나 석불과 5층석탑은 어떤 곳으로 반출되었다고 한다.

홍성 원元 광경사적廣景寺跡 발굴 불佛 모사模寫

41 「大正7년도 충청남도 홍성군 발견 매장물 청동불상」, 국립중앙박물관 소장 조선총독부 박물관공문서, 목록번호 : 97-발견06.

『매일신보』1918년 5월 23일자에는 다음과 같은 기사가 있다.

홍성에서도 발견

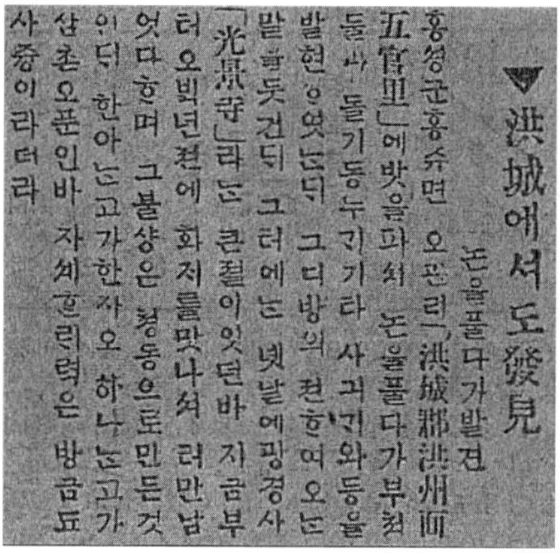
▼洪城에서도發見

논을풀다가발견

홍셩군홍쥬면 오관리「洪城郡洪州面五官里」에밧을파셔 논을풀다가부쳐둘과 돌기둥두기기타 사긔기와등을발현ᄒᆞ엿는ᄃᆡ 그디방의 젼ᄒᆞ여오는말을듯건ᄃᆡ 그터에는 녯날에광경사「光景寺」라는 큰졀이잇던바 지금부터오ᄇᆡᆨ년젼에 화재를맛나셔 터만남엇다ᄒᆞ며 그불상은 청동으로만든것인ᄃᆡ 한아는고가한자오 하나는고가삼촌오푼인바 자셰ᄒᆞᆫ릭력은 방금됴사중이라더라

홍성군 홍주면 오관리에 밭을 파서 논을 풀다가 부처 둘과 돌기둥 두 개 기타 사기, 기와 등을 발현하였다는데 그 지방의 전하여 오는 말을 듣건대 그 터에는 옛날에 광경사라는 큰 절이 있었던바 지금부터 5백년 전에 화재를 만나서 터만 남았다 하며 그 불상은 청동으로 만든 것인데 하나는 고가 한 자요. 하나는 고가 3촌5분인바 자세한 내력은 방금 조사 중이라더라.

1925년에 간행한『홍성군지』고적고물 조에 의하면 광경사지에 대해 다음과 같이 기록하고 있다.

홍주읍 동 약 8정되는 곳의 답중沓中에 광경사적廣景寺蹟이 있다. 수화로 멸망하고 석간石竿 2본이 남아 있다. 그 동남 답중沓中에 석불이 서있고 부근 밭에 발굴한 석등롱은 현재 옮겨져 읍인 야마토시 사후로山利三郎 가에 있다. 1918년 유지遺址 부근에서 지주가 개간할 때 금불 2체를 기와와 초석이 섞여 있

는 곳에서 발굴했다. 또 고려소 40매의 파편에서 고사지임을 알게 함.[42]

1918년 5월 13일 홍성경찰서장이 조선총독에게 보고한 '청동불 발굴 계출의 건 보고'와 『홍성군지』를 종합해 보면 광경사지의 유물은 당간지주 2본, 석불 1체, 5층석탑 1기, 석등롱 1기, 그리고 금불 2구가 발견되었다.

이 중 금불 2구는 총독부박물관으로 옮겨가고, 석불과 석탑은 어딘가로 반출되고, 석등롱은 일본인가로 반출되고, 당간지주만 현지에 남아 있었다고 볼 수 있다.

후일 밝혀진 것은 이 사지에서 외부로 반출되었다는 석불좌상은 어느 때인가 오관리 191의 모씨의 집 뒤뜰에 안치되었다가 1975년 4월 홍성읍 내법리 용주사 경내로 옮겼다고 한다.[43]

원래 광경사 터의 당간지주 옆에 있던 5층석탑(현재 3층까지만 남아 있음)은 일본인이 자기 집 정원으로 옮긴 것을 1959년에 다시 홍성군 홍성여중 정원으로 옮겼다. 1984년 5월 17일 충청남도 문화재자료 제159호로 지정하였다.

그러나 일본인이 반출해간 석등롱의 행방은 아직 알 수 없다.

1918년 5월 10일

봉은사 말사 경기도 양주군 시둔면 낙가암洛伽庵을 폐지하다.

---

42 李敏寧 編, 『洪城郡誌』, 洪城郡廳, 1925.
43 문화재자료 제161호(충남) 광경사지석불좌상(廣景寺址石佛座像).

김룡사 말사 경상북도 상주군 청리면 서산사西山寺, 상주군 중동면 청룡사靑龍寺, 경상북도 상주군 화서면 청계사淸溪寺를 폐지하다.[44]

1918년 5월 13일

법주사 말사 충청북도 제천군 금수면 옥천암玉泉庵과 한수면의 보덕사普德寺를 폐지하다.[45]

1918년 5월

아유카이 후사노신(鮎貝房之進)의 조선서화관(朝鮮書畵觀)

한일합방 이후 일본인들이 인식하고 있는 한국 미술사관은 어떠했을까.

당시 일본인들 사이에 한국 고미술에 대해 가장 감식안이 뛰어났다고 하는 아유카이 후사노신鮎貝房之進이 인식하고 있는 한국 미술사관을 들어다 볼 필요가 있을 것 같다.

아유카이는 『매일신보』에 1918년 5월 14일부터 5월 26일까지 9회에 걸쳐 「조

44 『朝鮮總督府官報』 1918년 5월 10일자.
45 『朝鮮總督府官報』 1918년 5월 13일자.

선의 서화」란 글을 게재하였다.

그는 첫 글에서, "조선은 단순히 서화 뿐 아니라 기타 예술에 대하여도 그 특종特種의 물物을 제하고는 그 재료가 심히 빈약하여 거의 연구할 것이 없는 모양이나, 그러나 일본의 고미술의 연원이라고도 칭하고 또 이미 일본의 영토로 된 이상은 조만간 구체적인 연구를 하지 아니하면 아니 될 줄로 생각한다. 일체 조선인은 서화 같은데 대해서는 심히 냉담한 경향이 있으므로 고래古來로 이에 관한 기록이라 할 것은 진실로 근소하도다" 라고 하면서 처음부터 한국서화에 대하여 연구할 가치가 별로 없는 것으로 규정하고 있다. 그러면서 "한국이 일본의 영토가 된 이상 구체적인 연구를 해야 하는 것은 식민지 본국인으로서 사명"이라고 하고 있다. 그는 "조선의 고대미술에 대해서는 차라리 조선보다도 내지(일본)측에 각종 기록 및 재료 등이 보존된 것"이 많고 또한 수년 동안 수집 조사한 것이 있어 "우선 그 큰 흐름만을 정리하여 쓴다"고 하고 있다.

그의 글은 삼국시대부터 조선시대에 이르기까지 한국회화의 흐름을 대략적

朝鮮의書畵 九
鮎貝房之進氏談
次에最近에在ᄒᆞ야朝鮮書畵界에持筆치
안이치못ᄒᆞᆯ것은阮堂金正喜라一時朝
野의學者는안이라一般의人이라ᄒᆞ는
것은진실로識見의狹ᄒᆞᆫ것이其通弊라
그럼뎌異常히金正喜는古今未曾見의
高邁ᄒᆞᆫ識見을有ᄒᆞᆫ人이니그는그리ᄒᆞᆷ
터이라少時에北京에遊ᄒᆞ야當時의大
家阮々의게敎를乞ᄒᆞ고次에는翁方綱
의게就ᄒᆞ야學ᄒᆞᆫ바ㅣ有ᄒᆞ얏는ᄃᆡ此等
諸大家가死ᄒᆞ기ᄭᆞ지金正喜와交通을
不絶ᄒᆞ얏더인즉勿論識見이高ᄒᆞ얏슴은
無違라其例證으로는彼는自國人의識
見이甚低ᄒᆞᆫ것을慨嘆ᄒᆞ얏슴으로規ᄒᆞᆯ
야도可知오一般朝鮮人의儒者는自國
보다他에良國은업고自己보다優勝ᄒᆞᆫ
者는업다ᄂᆞᆫ思想을有ᄒᆞ얏스나單히金
正喜氏는此等보다超越ᄒᆞ고다시그러
ᄒᆞᆫ思想이無ᄒᆞᆫ인이라自國이甚히陋
劣ᄒᆞᆷ을覺悟ᄒᆞ얏고金은行書를翁方綱
의게私淑ᄒᆞ고隸書는漢碑를硏究ᄒᆞ야
一種의秋史體라ᄒᆞᆯ것을書出ᄒᆞ얏더라

『매일신보』1918년 5월 26일자 기사

으로 기술하고 있는데, 철저하게 한국미술의 독자성을 부정하고 있다.

> 조선에서 일본에 건너와 우리 문예학술의 연원을 형작形作한 사람이라는 것은 과연 반도인인지 아닌지 또 조선에 지금 현존한 고미술金石刻畵이라 하는 것도 실제 반도인의 소작인지 아닌지 물론 한민족으로도 조선의 토지에 이주한 이상은 조선인이라 하여도 무방할 것임인지, 다소 시효를 요하는 터임으로 적어도 그 자손에 이르러 일종의 조선 기질을 현출한 것— 아닌 이상은 조선미술이라 함을 득得치 못할 일이므로 이에 의문이 생기는 것이라, 고로 나는 일본 조선에 있는 고미술 중에는 직접 한민족의 손으로 만든 것에 대한 의문을 년래年來로 있었으니 이것은 단순히 나의 사론私論일 뿐 아니라 현재 내지에서도 사도斯道의 사람들이 비슷한 설을 부르짖는 모양이라.....운운.

하며 식민주의에 입각하여 서술하고 있다. 즉 일본미술의 연원이 한국에서 건너간 것임은 부정할 수 없으니까 이를 전해 준 한국인이 진정 한국인인지에 대해 의문을 제기하고 부정하려 하고 있다.

신라의 솔거에 대해서는 "화성 솔거라 하는 자에 대하여는 제1로 그 시대에 의문이 유有하고, 제2로 반도인인지 당인唐人인지도 의문이 생기는 자이다" 라고 하며 한국인이 아닌 당인으로 몰아가려 하고 있다.

고구려 담징에 대해서는 "그 시대에 과연 일본 문명의 연원이 될 고미술을 반도국이 가지고 있었는지 아닌지 하는 것도 하나의 의문이니 따라서 경징輕徵에 부附한 것은 못되는 터이라"라 하며, 한 걸음 더 나아가 당시의 한국미술 수준을 부정하고 한국인으로부터 미술을 전수받아 일본고대 미술의 발전을 가져왔다는 사실을 억지로 부정하려 하고 있다.

고려시대 서화에 있어서도 모두 중국의 영향을 받은 것으로 간주하여 독자적 한국미술을 부정하고 있다. 조선시대 후기의 추사 김정희의 학문과 글씨에 대해서는 "조선의 학자 뿐 아니라 일반인이라 하는 것은 진실로 식견이 좁은 것이 그 통폐通弊라, 그런데 이상하게도 김정희는 고금미증견古今未曾見의 고매高邁한 식견을 가진 사람" 이라고 높이 평가하고 있으면서, 그 이유를 일찍부터 북경을 왕래하면서 중국학자들로부터 배움을 가진 연유라고 하고 있다. 또한 그림에 있어서 "정선, 심사정, 강세황의 화畵한 것은 다 원元의 4대가의 화풍을 모방하였다 함에 불과한 것이다" 라고 하면서 끝까지 한국화화의 독자적 화풍을 부정하고 있다.

신문에 게재한 그의 기술은 당시 대부분의 일본인들이 인식하고 있는 한국미술관이라 할 수 있다. 이미 정해진 자기네들의 역사관을 합리화 시키는 종속물로서 한국미술사를 정립하고자 하였던 것이다.

이는 일본인 학자로서 초기 한국미술사 연구를 주도하였던 세키노의 한국미술사관과 별반 차이가 없다. 세키노가 "일면으로는 중국으로부터 받은 문화를 일본에 수출하였고, 또한 다소 일본의 감화感化도 입었다. 이와 같이 조선은 예부터 중국 문화의 은혜를 입었고 역대로 그 침략을 받아서 항상 그에 복속하기에 이르렀던 것이다. 또한 때때로 일본의 공격을 받기도 했다. 어떻든 국가로서는 영토가 협소하고 인민이 적어 중국이나 일본에 대항하여 완전히 독립국을 형성할 실력이 없으므로 자연 사대주의와 퇴영退嬰 고식주의姑息主義에 빠져 국민의 원기도 차츰 닳아 없어지기에 이르렀다" 라는 억지주장을 그대로 따르고 있다. 이들은 우리나라 미술을 사대주의로 격하시키고 이를 식민주의에 끼워 맞추고 있다. 즉 한국 서화를 통하여 한민족의 독자성을 부정하고 한국 침략과 지배를 역사적으로

억지 정당화하여 식민 지배를 합리화하려는 의도가 숨어 있었던 것이다.[46]

교토대학 구입 도서

교토대학에서는 1918년 5월에 조선사 연구의 자료로 새로 모 전문가 수집의 고서, 고문서를 구입하였는데, 이 수장서는 약 700부 4000책으로 조선의 역사 및 제도에 관한 고판 등을 망라하고 있다. 고문서 약 300통 이상으로 임란 이후 조선의 중요한 기록으로, 이마니시 류今西龍 교수의 담당으로 정리에 착수했다.[47]

이 도서는 가와이 히로다미河合弘民의 구장본으로 교토대학 가와이문고河合文庫로 이름하고 있다.

1918년 6월 7일

영천 금호면 신월동3층석탑(보물 제465호)의 도괴

이 석탑은 경북 영천군 금호면 신월동에 소재하는 것으로 창건 당시 사명이나 사찰 규묘를 알 수 있는 유구가 전혀 보이지 않고 있다. 탑이 있는 자리에 현재 신

46 정규홍, 『유랑의 문화재』, 학연문화사.
47 「京都帝國大學の朝鮮史學硏究資料購入」, 『歷史地理』 제32권 제1호, 1918년 6월. p.65.

흥사라는 작은 사찰이 들어서 있다. 입구에는 그리 크지 않은 저수지가 있는데 탑골못이라 부르고 있어 석탑이 소재한 이 지역을 탑골이라 불렀음을 짐작케 한다.

신월동3층석탑

본 석탑은 이중기단 위에 3층의 탑신을 올린 전형적인 신라석탑의 양식을 지닌 탑이다.

1902년에 한국고건축조사를 위해 처음 한국에 건너온 세키노는 8월 22일에 영천에 도착하여 영남루 근처의 여관에 투숙하고 이튿날 8월 23일에 구암사3층석탑(신월동탑)을 조사하고 황혼에 대구로 간 것으로 나타나 있다.

세키노 타다시의『한국건축조사보고』(1904)에는 이 사진이 실려 있는데 세키노는 당시 이곳의 절터 이름을 '구암사' 라고 적고 있다. 세키노는 "폐구암사는 경상도 영천군 거여면 신흥동에 있다. 사는 이미 폐하고 고탑 1기가 남아 있다"고 기록하고 있으며 도판 52로 게재하고 있다. 이 사진은 다시 고적도보에도 싣고 있다.

『조선고적도보』 제4책에는 탑의 노반 이상을 제외한 완전한 모습의 사진이 실려 있고 탑 부근에서 수습하여 동경 공과대학으로 반출한 와편이 실려 있다.

1916년경에 조사한『조선보물고적조사자료』에는 "고 1장3척 대석 폭 9척 3층탑, 영천읍 서남 약 1리 되는 곳에 있다. 기단석의 사면에는 미륵의 조각이 있다. 부근 사람들은 신라탑이라 한다" 라고 하여 완전한 상태로 기록하고 있다.

그러나 1918년 심한 비로 6월 7일 돌연 도괴되어 이 복구에 대해 지역주민의 힘으로는 불가능하여 석재는 모두 대석 옆에 쌓아 두고 당국에 도움을 요청한 기록이 보이는데, 경상북도장관이 조선총독에게 보낸 '석탑도괴에 관한 건'(1918년 9월 28일)[48]은 다음과 같다.

도괴되기 전의 모습(『조선고적도보』)

> 관내 영천군 신월동 소재 6단석탑은 본년 4,5월 이래 심한 강우降雨로 자연 지반에 완緩이 생겨 6월 7일 돌연 도괴하였던 바 이의 복구에 대하여서는 촌민의 노력만으로는 불가능하기에 석재는 전부 대석 옆에 적중積重하여 산일하지 않게 보존방법을 세워놓았사옵기 이에 보고하나이다.

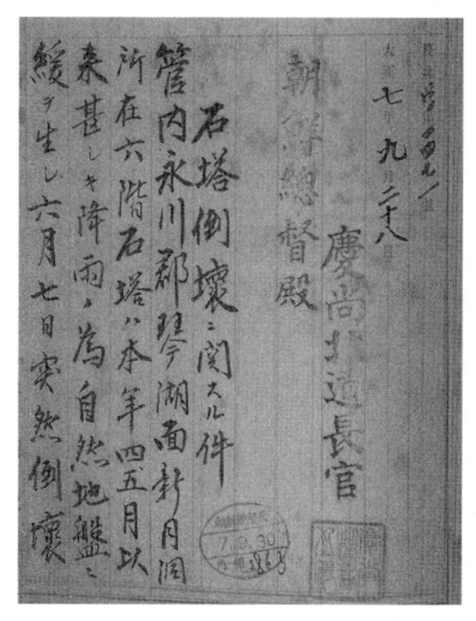

七 九 二十八
慶尚北道長官
朝鮮總督殿
石塔倒壞ニ関スル件
管内永川郡琴湖面新月洞
所在六階石塔ハ本年四五月以
來甚しき降雨ノ為自然地盤ニ
緩ヲ生シ六月七日突然倒壞

경상북도장관이 조선총독에게 보낸 '석탑도괴에 관한 건'

그 후 당국에서 수리를 완료했음인지 1925년에 간행한 『(지나만주조선안내)아동지요(支那滿洲朝鮮案內)亞東指要』에 의하면, 수리를 하고 목책木柵을 설치한 것으로 나타나 있다.[49] 뿐만 아니라 1922년에 조선총독부에서 편찬

48 『국립중앙박물관 소장 조선총독부 공문서』 목록번호 : 96-108.
49 山根倬三, 『(支那滿洲朝鮮案內)亞東指要』, 亞東指要刊行會, 1925, p.133.

석탑 붕괴 상태(국립중앙박물관 소장 유리건판)

1933년 3월의 모습(『조선건축사론』)

한 『최근 조선사정요람最近 朝鮮事情要覽』에도 "수리를 하고 목책을 설치"[50]라고 기록하고 있어 1918년에 도괴된 것을 1920년대 초에 수리를 완료한 것으로 볼 수 있다.

그런데 1933년에 후지시마 가이지로藤島亥治郎가 이 석탑을 조사할 때에는 하성기단 일부만 원위치에 남아 있고 나머지 탑석재는 도괴되어 산란하였다. 도괴 원인에 대해서는 밝히지 않고 있는데 이는 1920년대 초에 수리를 한 이후에 또 다시 일어난 도괴로, 사진상에 나타난 모습으로 볼 때 자연적인 도괴가 아니라 인위적인 악행이 있었던 것으로 보인다.

『광복이전 박물관자료 목록집』에 수록하고 있는 영천 신월동 석탑 관련 건을 보면 다음과 같은 목록이 있다.

1. 영천 신월동 3층석탑 개건공사에 관한 건(1943년 1월 22일-1944년 1월 25일) 3건

50 朝鮮總督府 編纂, 『最近 朝鮮事情要覽)』, 1922, p.508.

2. 준공증명서(杉山信三, 1943년 3월 31일)

3. 영천 신월동 3층석탑 개건공사 설계서

위 목록으로 보아 2차 도괴가 있은 다음에 바로 재건을 하지 못하고 있다가 1943년에 와서야 복원이 이루어진 것으로 보인다.[51] 상층기단上層基壇 중석中石에 손상이 많고 상륜부는 잃어버렸다. 처음 상륜부는 새로 조성했다가 현재는 다시 제거하였다.

상륜부를 보완했을 때의 모습
(출처: 문화재청)

1918년 6월 12일

구로이타 가쓰미(黑板勝美) 고적 조사

고적조사위원 구로이타 가쓰미黑板勝美가 1918년 6월 12일부터 7월 29일까지 만주 집안현 통구 호태왕비好太王碑, 통구 일대 고분군 및 산성지, 마선구 고분군, 함경남도 함흥군 지천면 진흥리 소재 신라 진흥왕순수비, 함흥군 북주동면 소재 정화릉定和陵, 귀주사歸州寺, 경상남도 양산군 양산성梁山城, 동래군 구포

51 杉山의 기록에도 "도괴되어 있던 것을 1943년 3월에 재건했다"라고 하고 있다(杉山信三, 『朝鮮の石塔』, 彰國社, 1944, p.151).

성, 부산 부산진성釜山鎭城, 동래군 기장성機張城, 임랑성, 울산군 서생포성西生浦城 및 울산성蔚山城, 경주 내동면 보문리 고분 등의 고적을 조사했다.

조사 경과를 보면 대략 다음과 같다.[52]

특별조사를 맡은 구로이타는 사진사 1명을 동반하여 1918년 6월 12일에 경성을 출발하여 만주로 향했다. 구로이타가 만주로 향하기 전에 매일신보 기자가 여관에 묵고 있는 구로이타를 찾았는데 그의 계획을 다음과 같이 전하였다.

> 금번은 압록강 상류지역으로부터 함경도 강원도 등지의 사적을 연구할 예정으로 12일에 의주로 향하여 출발하여 압록강안을 거슬러 올라가 통구에 있는 호태왕의 유적을 연구하고 고산진高山鎭으로 남하하여 장진長津을 경유하여 될 수 있으면 지나의 영향을 받지 아니한 화전민의 원시적 생활을 시찰하고자 하노라. 장진군과 함흥군 간 경계의 황초령의 준험峻險을 넘어야 있는 진흥왕의 탁경비拓境碑도 기어코 연구하여야겠으나 사정에 의하여는 함흥의 유적을 탐探한 후 청진 회령방면으로 돌아 강원도를 거쳐 약 5주간 후에 귀경하려

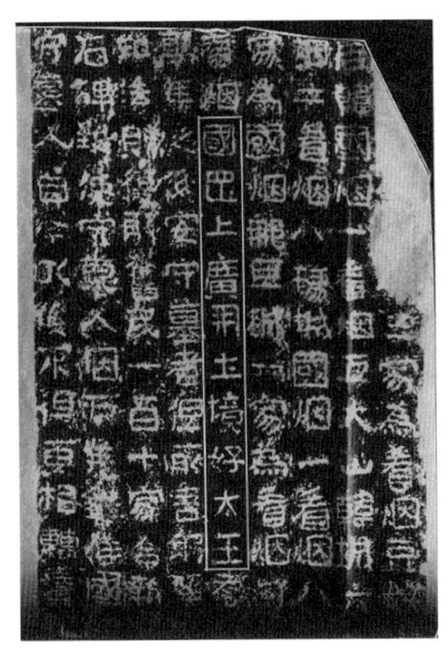

광개토왕릉비 탁본(탑본)黑板勝美 촬영, 국립중앙박물관 소장 유리건판)

52 「大正7年度古蹟調査成績」, 『朝鮮彙報』, 朝鮮總督府, 1919년 8월.

하노라.[53]

만주 집안현에 도착한 구로이타는 6월 13일부터 광개토대왕비를 조사하고 비면에 칠해진 석회를 제거하고 문자를 조사하고 비의 하부를 발굴하여 초석을 조사했다.[54] 기타 통구 일대에 존재하는 장군총을 비롯한 고분, 궁전지 및 산성자산성 등을 조사하여 고구려시대에 속하는 고와를 습득하고 6월 28일 통구를 출발했다.

이 지역은 항일독립군의 본거지로 일본인들은 들어갈 수 없는 지역이기도 했으며,[55] 1918년에 고구려 유적을 조사하기 위해 집안현에 들어간 구로이타와 그 수행원들이 비적으로부터 위협을 받기도 했다.[56]

6월 28일에 통구를 출발하여 도중에 마선구에 산재하는 고분을 답사하고 30일에 초산에 도착했다.

7월 1일에는 초산을 출발 연담 및 신도장에서의 고분군을 답사하고 유수림자가榆樹林子街에 도달하여 두도구 방면의 고분을 답사했다.

7월 3일에는 유수림자가를 출발하여 고력묘자高力墓子에서 고분 및 위원군 서모면 신천리의 고분을 답사하고 초산에 도착했다.

7월 4일에는 초산을 출발, 위원, 강계를 경유하여 함경남도에 들어가 고적을 답사했다.

---

53 『每日申報』 1918년 6월 13일자.

54 <大正7年度 古蹟調查 蒐集品 引繼目錄(黑坂勝美, 1918년 4월 24일)>(『1918년도 유물수입명령서』, 국립박물관)에 의하면, 조사 후 광개토대왕비 사진과 광개토대왕비초석 사진을 제출했다.

55 李弘植, 『한 史家의 流動』, 通文館, 1972, p.146.

56 藤田亮策, 「朝鮮金石瑣談」, 『考古學論考』, 藤田先生記念事業會刊, 1963, p.68.

7월 9일에는 장진을 출발, 11일 함흥군 하기천면 진흥리 소재 진흥왕순수비를 조사하고 동일 함흥에 도착했다.

7월 12일에는 함흥군 북주동면 소재 정화릉定和陵, 귀주사를 조사하고, 13일 함흥을 출발 경성에 도착했다.

구로이타는 계속하여 일반조사로 7월 20일에 측량원 1명, 사진사 1명과 함께 경성을 출발하여 경상남도를 향했다. 7월 22일에는 부산진성지를 조사하고, 23일에는 양산성지, 구룡포성지를 조사했다.

7월 24일에는 부산항구 조도의 봉수지, 기장면 기장성지 및 임랑성지를 조사했다. 계속해서 울산군 생포성지, 울산성지를 조사했다.

7월 25일에는 경상북도로 들어와 하라다와 함께 경주 내동면 보문리 고분 발굴에 착수했다. 계속해서 인접해 있는 사천왕사지, 임해전지, 안압지 등을 조사했다. 하라다原田 위원은 조사사무를 계속하고, 구로이타는 7월 29일에는 경주를 출발하여 도쿄로 돌아갔다.

구로이타의 이번 조사는 임진왜란 때 일본 측 축성을 조사하는데 주안점을 두고 각 성지를 정밀하게 조사하여 실측도를 작성하고 동시에 종래 불명이던 성지를 명확하게 하고자 했다.[57]

57 「大正7年度古蹟調査成績」, 『朝鮮彙報』, 朝鮮總督府, 1919년 8월.

1918년 7월 3일

황해도 봉산군, 경기도 개성군, 장단군 고적조사

고적조사위원 촉탁 야쓰이 세이이치谷井濟一, 조선총독부 촉탁 오가와 게이키치小川敬吉, 노모리 겐野守健 등은 1918년 7월 3일부터 16일까지 봉산, 개성, 장단 지역의 고적조사를 하고 조사 개요, 관련 사진 및 도면 등이 첨부하여 같은 해 8월에 복명서를 제출했다.

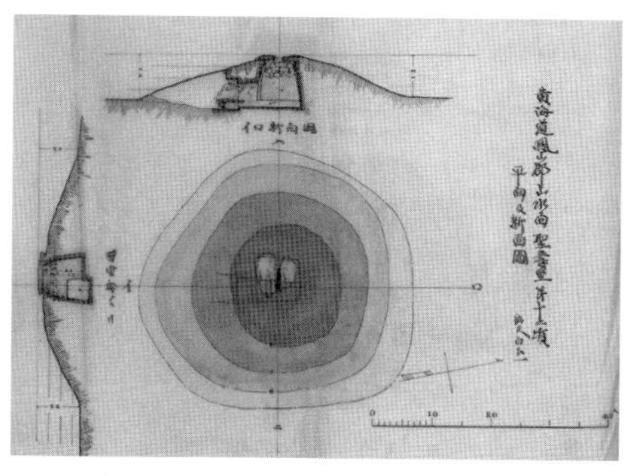

황해도 봉산군 산수동 성수리 제12분 평면 및 단면도

황해도 봉산군에서는 산수면 성수리 고분군 중에서 비교적 완전하게 보이는 제12호분과 제17호분을 조사하고 그 외 봉산군 토성면 토싱지 조사, 봉산군 토성면 나산리 노출석곽, 토성면 비정리 전 출토지, 봉산군 토성면 창촌리 월하동 불상을 조사했다.

경기도 장단군과 개성에서는 고려시대의 능묘와 폐사지에 유존하는 유물을 조사하였다.

장단군 불일동 불일사지에는 초석, 5층석탑, 당강지주, 사리탑이 존하고, 사리탑은 도괴되어 석재가 부근에 잔존하였다.[58]

---

58 「봉산군, 개성군, 장단군 고적조사 복명서(谷井 위원)」, 국립중앙박물관 소장 조선총독부

1918년 7월 4일

성불사 말사 황해도 황주군 황주면 흥복사興福寺를 폐지하다.[59]

1918년 7월 5일

第9회 고적조사위원회

第9회 고적조사위원회를 생략하고 '고적 임시조사' 의안을 회람하여 1918년 7월 5일 결의하였다. 황해도 봉산군 산수면 용현리 고분의 임시조사가 필요한 이유와 고적조사위원들에게 조사 시행 여부에 대해 의견을 묻는 내용이다.

조사의 이유는 1918년 5월 27일자 황해도경찰부장이 경무총장에게 보낸 온 '고적발굴에 관한 건'에 대한 내용으로, 황해도 봉산군 산수면 용현리에는 고분 23기가 소재하는데 이 중에서 2기를 일본인 미와가와宮川福一(경성부 서소문정 116번지)와 미쓰이光井香(경성부 태평통 2정목) 외 경성 거주 씨명 불상 2명이 1918년 4월 23일 오전 9시부터 오후 5시까지 무단 발굴(도굴)한 사건이 발생하여 이에 대한 후속 조치의 내용이다. 이 의안은 임시조사를 하는 것으로 결의했다.[60]

박물관 공문서, 목록번호 : 96-131.

59 『朝鮮總督府官報』 1918년 7월 4일자.

60 「제9회 고적조사위원회(대정7년 7월 5월)」, 국립중앙박물관 소장 조선총독부박물관 공문서, 목록번호 : 96-107.

1918년 7월 15일

성불사 말사 황해도 황주군 천주면 칠봉암七峰庵을 폐지하다.[61]

1918년 7월 25일

경주 보문리고분 발굴조사 및 사천왕사지 조사

고적조사위원 하라다 요시토原田淑人는 1918년 7월 25일부터 8월 29일까지 경상도 소재 고분 및 유물을 조사하고 돌아와 1918년 10월에 복명서를 제출했다.

조사 개요에는 1918년 7월 25일부터 8월 17일까지 경주군에서 내동면 보문리 고분의 발굴 조사, 사천왕사지四天王寺址 발굴 조사, 기타 경주 소재 사지 및 능묘 답사하고, 8월 17일부터 대구 달성지達城址, 동래군 범어사梵魚寺, 양산군 통도사通度寺 조사하고, 8월 24일부터 26일까지 청도군 운문사雲門寺 석탑, 석등, 원응국사비圓應國師碑, 불령사佛靈寺 천불탑千佛塔을 조사하고, 27일부터 29일까지 경산군 고분군, 사벌왕릉沙伐王陵 등을 조사하고 8월 29일 경성에 돌아왔다는 내용이 기재되어 있다.[62]

---

61 『朝鮮總督府官報』 1918년 7월 15일자.

62 原田淑人, 「경상북도 경주군 내동면 보문리고분 및 경산군, 청도군, 김천군, 상주군, 경상남도 양산군, 동래군, 제유적조사보고서」, 『大正7年度古蹟調査報告書』, 朝鮮總督府, 1921; 「大正7年度古蹟調査成績」, 『朝鮮彙報』, 朝鮮總督府, 1919년 8월; 「하라다(原田) 고적조사

보문리 고분 발굴 장면

그 일정은, 1918년 7월 25일부터 8월 17일까지 경주군에 체재하면서 내동면 보문리에서 고분을 발굴 조사했다.

경주의 서악리西岳里와 보문리普門里의 고분은 일찍부터 학자들에 의해 발굴이 되면서 도굴꾼의 주목의 대상이 되어 1916년 이전에 이미 상당수가 도굴되었다. 『조선보물고적조사자료朝鮮寶物古蹟調査資料』에 의하면, 보문리 고분은 "직경 6, 7칸 고분이 20여 기가 있으며 작은 고분은 무수히 있다. 과반過半이 발굴되었다. 경주읍의 동쪽 1리 명활산 기슭에 있다" 하고 있다. 명활산 서북 산록에 걸쳐 대소고분군이 있어 전에 세키노, 야쓰이 등이 발굴한 부부총, 금환총 같은 경우도 이에 속하고, 하라다 요시토가 조사하고자 하는 것은 서록의 한 원분으로 1915년에 구로이타黑板가 봉토 일부를 발굴했던 소위 적석총이다.

하라다는 7월 27일부터 발굴에 착수하여 최초 3일간은 구로이타黑板와 함께

위원 복명서」, 국립중앙박물관 소장 조선총독부박물관공문서, 목록번호 : 96-131.

공동조사를 하고, 8월 3일에 이르러 처음 적석의 정상에 달했다. 8월 6일에 이르러 적석 전부를 노출시켰다. 8일부터 4일간은 폭우와 강풍으로 발굴을 중지, 12일에 날이 개어 재계, 13일에 동완과 도기를 발견, 14일에 이르러 발굴을 정사하여 마구, 이식, 옥류, 대금구 등을 출토, 17일에 조사를 완료했다.

조사일수는 전후 10일 정도 인부 연인원 520명이었다. 이 고분에서 발굴한 유물은, 동원銅鋺, 도기(장경호 3개, 단경호 6개, 埦 1개, 蓋 1개), 철부, 마구, 철제교구 1개, 금동제교구 2개, 철지은장교구 2개, 순금제이식 1대, 은제금장동천銀製金張銅釧 1쌍, 금제지륜 2대, 은제지륜 2대, 순금영락純金瓔珞 12매, 각종 옥류 다수, 대금구, 창신, 금사 등을 발굴했다.[63] 발견된 것 중에는 경 2촌의 비취구옥은 미발견의 진품이라고 한다.[64]

보문리 고분 발굴 장면

『부산일보』 1918년 9월 4일자에는 다음과 같은 기사가 있다.

명활산의 고분발굴, 신라고분 중 최초의 분묘. 총독부에서 고적조사 지난 28일 이래 조선총독부 고적조사원 문학사 원전숙인 씨 일행이 발굴조사 중이던 고적조사가 점차 종료됨에 따라 그 개항을 보도. 금회 발굴한 고분은 읍내 내동면 보문리 진평

63 原田淑人, 「慶尙北道 慶州郡 遺蹟調査報告書」 '內東面 普門里古墳發掘調査' 條, 『大正7年度古蹟調査報告』, 朝鮮總督府, 1921.; 關野貞, 『朝鮮の建築と藝術』, 岩波書店, 1941, p.58.

64 日本歷史地理會, 「彙報」, 『歷史地理』 제32권 6호(통권 제229호), 1918년 12월, p.69. 『歷史地理』 제32권 6호에서는 목록에 '純金の冠'이 나타나 있다.

오릉 후방 명활산 남록에 있는 대형고분 4개 중 하나로 대정4년 6월 흑판 박사가 발굴을 시도하던 중 일정관계상 발굴을 중지한 고분이다. 본 년도에 동 학사가 남선지방 고적조사 중 재조사를 하게 되었다. 내부에서 1편의 인골을 발견하고, 사체의 두부에 해당하는 곳에서 순금제이식 1대, 순금관, 수십 개의 유리옥, 비취곡옥 1개, 금은지륜, 감, 고배, 청동제개부감을 발견했다.

사천왕사지 귀부

안압지 부근 발견 전
(小野政太郎 소장, 조선고적도보)

하라다는 보문리 고분을 발굴하는 동안 계속하여 사천왕사지, 불국사, 석굴암, 괘릉, 성덕왕릉, 백률사, 분황사, 황룡사지, 반월성지, 임해전지, 안압지, 포석정, 계림, 무열왕릉, 첨성대 등을 조사했다.

배반리 소재 사천왕사지의 일부를 관통하는 경편철도의 경지를 발굴 조사하여 사천왕상전파편 3개, 당초문전파편 3개, 철기 1개, 사천왕사 중수 문자와 파편 3개를 수집했다. 기타 경주군에 산재한 능묘, 사지 등의 유적을 답사하고 내동면 보문리에서 '普門寺' 문자입와 파편 1개를 수집했다.

안압지는 『신증동국여지승람』 경

주부 조에, "천주사 북쪽에 있다. 문무왕이 궁궐 안에 못을 파고 돌을 쌓아 산을 만들었으니 무산12봉巫山12峰을 본떴으며, 화초를 심고 진귀한 새를 길렀다. 그 서쪽에 임해전의 터가 있는데 주추와 섬돌이 밭이랑 사이에 남아 있다"는 것으로 보아 일찍부터 황폐화되어 경작지화 되었음을 알 수 있다. 하라다는 1918년에 이곳 안압지 북변 소위 임해전지 등을 조사하여 많은 유물을 획득하였다.[65] 안압지 부근의 출토 와전은 개인의 손에 들어간 것도 다수 있으며, 도쿄국립박물관이나 도쿄대학으로 반출된 것도 상당수 있다.

1918년 7월

불복(佛腹)에서 고경(古經) 발견

영주 부석사 무량수전의 수선 공사를 하던 중 무량수전에 봉안한 석가여래좌상 3체의 배에서 고경古經을 발견했다.

공사 감독 키고木子는 강진해 주지의 입회하에 조사한즉 불복佛腹에서 불경 48책이 발견되었는데, 묘법연화경 제1, 2 합본 1권이 발견되고 기타 47책 중에는 판에서 찍은 그대로 장책하지 않은 것이 다수였다.[66]

65 原田淑人, 「慶尙北道 慶州郡 遺蹟調査報告書」, 『大正7년도 조사보고』 第2册, 朝鮮總督府, 1921.

66 『每日申報』 1918년 8월 2일자.

전남 영광군 영광면 남천리 조양중은 자기 소유의 전답 중에서 고려시대 철불 1구를 발견했다.[67]

매일신보사 전 사장 아베 미쓰이에阿部充家가 도쿄로 떠나자 경성조선인유지들은 순은제화병 한 쌍을 만들어 보냈는데, 그 화병은 금과 오동으로 한 개에는 모란을 한 개에는 솔을 새기어 매우 화려하게 했는데, 뒤편에는 '贈呈, 阿部無佛先生歸東, 大正7年 7月日 京城朝鮮人側有志, 拜手' 라는 글자를 새겼다고 한다. 이 기념품은 조중응, 조진태, 백완혁, 한상룡, 예종석, 김규환 등의 연명으로 보냈다.[68]

1918년 8월 5일

제10회 고적조사위원회

제10회 고적조사위원회를 생략하고 동래읍성과 관련된 의안 2건을 회람하였다. '고적등록'에는 동래읍성지의 소재지(경남 동래군 동래면) 및 형태(석축장 약 3천칸) 등이 기재되어 있으며, "문록역(임진왜란)의 전적지로 현상을 보존할 필요가 있음" 이라고 보존의 이유를 밝히고 있다. '동래읍성 국유 임야 매

67 『每日申報』 1918년 7월 7일자.
68 『每日申報』 1918년 7월 28일자.

각의 건' 에서는 국유 임야를 학교림으로 사립동래고등보통학교에 매도하되, 고적보존회에서 성벽을 파괴하지 않는 조건을 붙여 허가하였다.[69]

1918년 8월 14일

영천군 발견 한식경(漢式鏡) 외 20점

1918년 8월 28일자 영천경찰서장이 조선총독에게 보낸 '매장물 발견의 건'에 의하면, 영천 금호면 영천동 구원출 외 3명은 영천군 금호면 어은동 염신각 송림

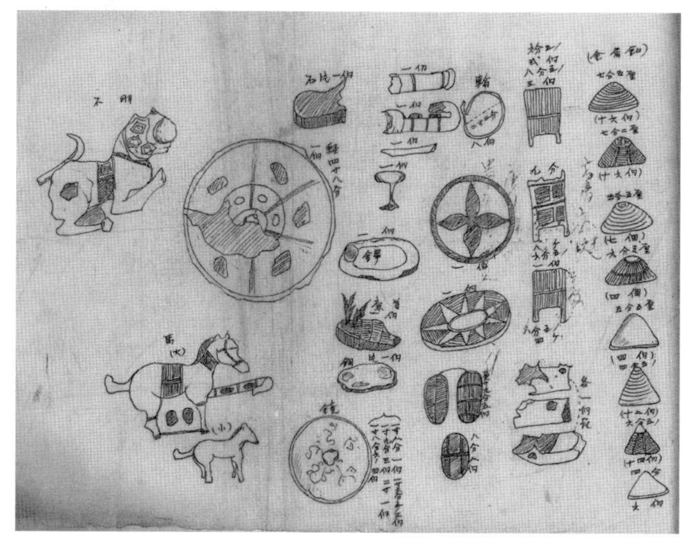

한식경(漢式鏡) 외 발견물

69 「제10회 고적조사위원회」, 국립중앙박물관 소장 조선총독부박물관 공문서, 목록번호 : 96-107.

중에 토사가 자연 붕괴되어 일부 유물이 노출된 것을 발견하여 8월 14일 신고하였다. 발견된 유물은 금속제경 12개 외 파편 14개, 동제마형 2개, 기타이다.[70]

1918년 8월 15일

제11회 고적조사위원회

제11회 고적조사위원회는 회의는 생략하고 석탑 양도에 대한 의안을 회람하여 고적조사위원들에게 석탑 양도 허가 시기에 대한 의견을 구하였다. 그 외에 오쿠라슈코칸大倉集古館 이사 사카다니 요시로阪谷芳郎가 평양정거장 앞 칠층석탑과 고려시대 오층석탑의 양도를 청원하는 문서, 사진, 편지 등이 포함되어 있다.

'석탑 양도' 의안을 수정한 문서와 허가에 대한 감사 편지, 전보 등이다. 평양정거장 앞 칠층석탑은 이전하기 어렵기 때문에 대신 본부本府 박물관에 있는 석탑을 선정하여 허가할 것이라는 내용이 적혀 있다. 이와 함께 석탑사진 1장을 동봉하였다고 기재되어 있으나 실제로 사진이 남아 있지는 않다.[71]

70 「大正 8~9년도 매장물 관계」, 국립중앙박물관 소장 조선총독부박물관 공문서, 목록번호 : 97-발견06.

71 「제11회 고적조사위원회」, 국립중앙박물관 소장 조선총독부박물관 공문서, 목록번호 : 96-107.

1918년 8월 24일

하라다 요시토(原田淑人)의 경상북도 청도군 석탑 조사

운문사 석탑

고적조사위원 하라다 요시토原田淑人는 8월 24일부터 8월 26일까지 경북 청도군의 석조물 일부를 조사했다.[72]

8월 24일에는 청도군 운문면 소재 운문사의 석탑, 석등 각 2기 및 원응국사비를 조사하고 국사비를 탁본했다.

장연사지 당간지주

25일에서 26일까지 금천면 박곡동 소재 폐사지의 석불, 석탑을 조사하고, 장연동석탑과 당간지주를 조사했다. 장연동 구릉지에 있는 2기의 3층석탑 중 1기는 본년 2월 도적이 붕괴하여 전답에 전도되어 있는데 탑내에 보기가 매장되어 있을 것으로 예상하고 저질은 행위이다. 하라다는 전답에서 고와 수편을 습득했다.

72 原田淑人, 「경상북도 경주군 내동면 보문리고분 및 경산군, 청도군, 김천군, 상주군, 경상남도 양산군, 동래군, 제유적조사보고서」, 『大正7年度蹟調查報告書』, 朝鮮總督府, 1921; 「大正7年度古蹟調查成績」, 『朝鮮彙報』, 朝鮮總督府, 1919년 8월; 「하라다(原田) 고적조사위원 복명서」, 국립중앙박물관 소장 조선총독부박물관공문서, 목록 번호: 96-131.

매전면 용산동 불영사전탑잔결을 조사했다. 불영사는 용산동 산간에 작은 사찰로 사원의 상방 수십 보 되는 곳에 기백의 전이 중적重積되어 있었다.

이 전탑은 1968년에 흩어져 있던 전을 주워 모으고 새로 제작한 전으로 조성했으나 원 모습은 알 길 없다.

* 장연사지 석탑

장연사지는 경북 청도군 매전면 장연동에 소재한다. 지명 유래를 보면, 이곳 일대를 장수곡長水谷, 장수곡長壽谷, 장연長淵이라 불렀다. 계곡이 깊고 길다는데서 유래되어 장수곡長水谷이 되었고 이 골 안에 거주하는 주민들이 장수하므로 장수곡長壽谷 또는 절이 있었다고 절골이라고 한다. 장연長淵은 동창천이 마을 모퉁이인 산밑을 감아 돌면서 생긴 소沼가 깊고 넓어 못 같다하여 장연이라고 이름을 붙였다하나 확실치는 않다.

사의 창건연대에 대한 기록이 나타난 것이 없으나 나대에 속하는 고와가 수습收拾된 점으로[73] 보아 통일신라기에 창건된 사찰로 추정되고 있다. 이 사지에 대해서는 『오산지鰲山誌』[74]불우佛宇 조에, "장연사폐기재상남면금위촌거長淵寺廢基在上南面今爲村居" 이라고 기록하고 있으며, 동서同書 석탑 조에는 "대석탑이좌

---

73 原田淑人, 「錦川面 長淵洞石塔과 幢竿支柱」, 『大正7年度 古蹟調查報告』, 朝鮮總督府, 1921년 3월.

74 淸道邑誌이다. 仁祖5년(1627)에 邑民 李重慶이 編纂을 시작하였으나 완성치 못하고 徐文重에 의해 肅宗3년(1677)에 刊行된다. 그 후 英祖13년(1737)徐宗壁이 이 邑誌를 또 다시 續修 刊行하였다.

재상남면장연사폐기大石塔二坐在上南面長淵寺廢基" 라고 기록한 점으로 보아 이곳 사지가 장연사지長淵寺址임을 알 수 있다.

양 탑은 『조선보물고적조사자료』에 "고 7척의 3층석탑 2기, 장연부락의 동방 밭에 있음" 이라 하여 1916년까지는 아무런 손상이 없이 유존되어 있었다. 그런데 1918년 하라다 요시토原田淑人의 조사 기록에 의하면 1918년 2월에 도적이 보탑내의 유물을 훔치기 위해 서탑을 붕괴하여 전중畑中에 전도顚倒시켰다.[75] 내부에 보기寶器가 매장되어 있을 것으로 예상하여 이렇게 한 것이다. 당시 조사보고서에 나타난 사진에는 서탑은 기단까지 완전히 허물어 내부를 수색했음이 추정된다.

그리고 동탑에는 작은 석불 1구가 올려져 있다. 하지만 이 석불좌상은 어느 때 외지로 반출되고 현재 사지에서는 찾을 수가 없다.[76]

장연사지 동탑, 뒤쪽으로 도괴된 서탑이 보인다
(대정7년도고적조사보고)

1969년 5월 신라삼산학술조사단

75 原田淑人, 「錦川面 長淵洞石塔と幢竿支柱」, 『大正7年度 古蹟調査報告』, 朝鮮總督府, 1921년 3월

76 매전초등학교 정원에 파손된 석불상 1구가 있다고 들었으나 아직 확인하지 못했다.

의 조사 시에 이곳 사지는 경작지화 되어 주변에는 와편이 산재하고 석등재石燈材 일부가 잔존하였으며 3층 동서 쌍탑이 원 위치에 유존하여 당대의 가람을 추정케 했다. 동탑은 완전하였으나 서탑은 도괴되어 있었다.[77]

오랫동안 도괴되어 있던 서탑은 1970년대에 들어와 또 다시 외지로 반출하려다 중지당한 일이 있었다.[78]

장연사동3층탑과 석불

동3층탑 사리장치

1980년 2월에 현재와 같이 복원하였으며, 옥신과 옥개석 곳곳에 손상이 있었으며 하층 기단 대부분은 석재를 보충하였다. 동탑은 1984년에 해체 보수하였는데 초층 옥신에서 사리장치가 발견되었다. 유리로 만든 녹색사리병을 장치한 사리합은 목재로 만들어진 특이한 것이다.

현재 탑지를 제외한 사지 일원은 모두 과수원으로 변해 있다.

* 청도군 금천면 박곡동 석불, 석탑

지명유래를 보면, 금천면 박곡동은

77 鄭永鎬,「新羅三山 第3次調査略報」,『考古美術』102호, 韓國美術史學會, 1969년 6월.
78 慶尙北道,『石造遺跡調査報告書』, 1978.

백곡百谷, 박실 등으로 불렀다. 박실이란 마을의 형상이 박 같아서 박실이라고 부르고, 또한 원광법사가 대비사를 창건하고 이곳을 둘러보니 계곡이 100여개나 되었기에 백곡이라 불렀다 하는데 일제의 행정구역 조정시에 박곡珀谷으로 개명 표기되었다는 것이다.

박곡동 석탑

현재 금천면 박곡리 653번지에 보호각을 건립하여 석불상을 모셔놓고 있는데, 1928년 큰 불이 나서 광배와 대좌 불신까지 손상을 입었다고 한다. 불상의 높이는 276cm로 화재와 인위적 파손을 당해 원래의 모습을 많이 잃었다.

석불상이 모셔진 보호각 앞의 3층석탑은 하라다 요시토가 조사할 때는 상륜

박곡동 석조여래좌상과 석탑

부 일부가 남아 있었으나 현재는 그나마도 잃어버리고 기단부와 몸돌 1개, 옥개석 2개로 구성하고 있다.

1918년 8월 27일

하라다 요시토(原田淑人)의 경산군, 상주군, 김천군 조사

고적조사위원 하라다 요시토原田淑人는 8월 27일부터 29일까지 경산군 압량면 대동 소재 고분군, 상주군 읍내 소재 고탑의 일부, 사벌면 화달리 소재 사벌왕릉 및 3층석탑, 김천군 개령면 서부동 소재 장릉이라 부르는 분묘 및 轎岩이라 부르는 고탑의 붕괴된 것을 조사하고 장릉 부근에서 와파편 3개와 토기 파편 1개를 수집했다.[79]

8월 27일에는 경산군 압량면 대동, 조수동의 고분군 조사했다.

경산읍성의 동북 압량면 대동의 촌락에 접해있는 구릉지에 약 12기의 고분이 군재해 있는데 많은 것은 봉토가 붕괴되어 경사면에 광의 석재가 노출된 것들이 있었다. 촌민들이 부근 전지에서 발견하여 보관하고 있는 여러 점의 도기를 확인하기도 했다.

---

79 原田淑人,「경상북도 경주군 내동면 보문리고분 및 경산군, 청도군, 김천군, 상주군, 경상남도 양산군, 동래군, 제유적조사보고서」,『大正7年度蹟調査報告書』, 朝鮮總督府, 1921;「大正7年度古蹟調査成績」,『朝鮮彙報』, 朝鮮總督府, 1919년 8월;「하라다(原田) 고적조사위원 복명서」, 국립중앙박물관 소장 조선총독부박물관공문서, 목록번호 : 96-131.

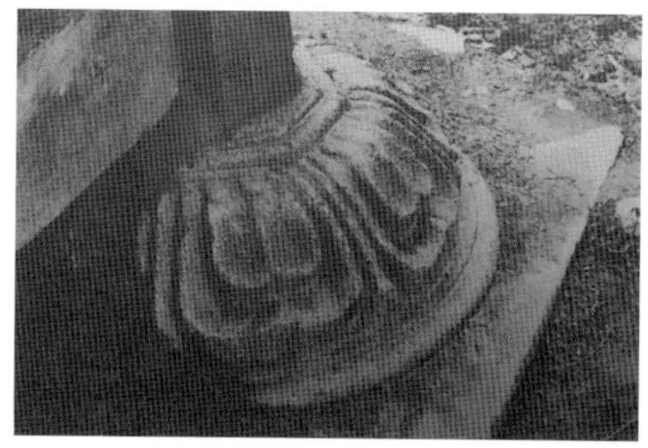

상주읍내 석탑재

8월 28일에는 상주군 사벌면 화달리의 사벌왕릉 및 부근 석탑을 조사했다.

상주군 남정리 민가 정원에 있는 석탑재를 조사, 사벌면 달천리 사벌왕릉 및 부근 석탑을 조사했다.

8월 29일에는 김천 개령면 서부동 장릉 조사했다. 김천역의 북선로의 서방 산릉에 대소 고분이 군재郡在하는데 일부는 이미 도굴을 당하였다. 개령면 서부동 장릉獐陵은 봉토는 반이나 붕괴되어 광의 석재가 노출 전도되어 있었으며,

김천 서부동 석탑

부근 구릉에 도기편이 산란했다. 장릉 가까이에 석탑재가 붕괴되어 있는데, 개 석탑 제1층, 제2층 및 기단석재 1매가 도괴되어 있었다.

8월 29일 김천 장릉을 조사하고 동일 경성에 도착했다. 복명서에는 사진목록과 실측도 목록 그리고 '대정7년도 고적조사 발굴품 및 수집품 목록'을 첨부하고 있다.

1918년 8월 28일

석조불상 발견

1918년 9월 17일부 영천경찰서장이 조선총독에게 보낸 '유물발견에 관한 건'에 의하면, 경북 영천군 대창면 대창동 최우현 외 2명은 1918년 8월 28일 영천군 대창면 대창동천에서 석조불상 1구를 발견했다.[80]

석조불상 약도

80 「大正 8~9년도 매장물 관계」, 국립중앙박물관 소장 조선총독부박물관 공문서, 목록번호 : 97-발견06.

1918년 9월 2일

하기노 요시유키(萩野由之)의 조선 시찰

도쿄제국대학 교수 하기노 요시유키萩野由之는 일본 관계사에 필요한 사료 수집하기 위하여 1918년 9월 2일부터 10월 2일까지 조선을 시찰했다. 이때 다나카田中와 와다和田 박사가 동행했다.

하기노가 부산에 도착한 것은 9월 2일로, 이때부터 부산성지를 조사하고 동래를 경유하여 범어사, 다시 부산으로 돌아와 대구를 경유하여 경주에 도착하여 월성, 진열소 등을 돌아보았다.

이후 군산, 논산을 경유하여 부여에 도착하여 백제왕릉, 유인원의 비를 돌아보고, 공주로 가 고적지를 돌아보고, 조치원을 거쳐 9월 14일 경성에 도착했다.

9월 15일부터 경성의 궁궐, 박물관, 규장각 등을 순람했다.

또 미쓰이三井물산회사지점에서 구입한 고 아사미 린타로淺見倫太郎 수집의 조선관계서류 약 6, 7천여 책, 조선의 탁법첩류拓法帖類 약 2백여 점의 목록을 확인했다. 또 총독부 총무과장 구도 쇼헤이工藤壯平의 집에서 많은 조선의 고문서 및 명가名家의 필적筆跡을 보았다.

오다 쇼고小田省吾의 안내로 벽제관碧蹄館을 답사했다. 이후 개성, 수원, 원산 등을 돌아보고, 9월 26일에는 경성에서 평양으로 가 평양 일대의 유적지를 답사하고 10월 2일 평양을 떠나 봉천으로 향했다.[81]

---

81 「雜錄」, 『史學雜誌』 제30편 제6호, 1919년 6월.

1918년 9월 18일

황해도 황주군 겸이포 조사

동겸이포리 고분군 현상

조선총독부 고적조사위원 촉탁 야쓰이 세이이치谷井濟一와 조선총독부 촉탁 노모리 겐野守健이 1918년 9월 18일부터 9월 20일까지 박물관 진열품 수집을 목적으로 황해도 황주군 송림면 동東겸이포리 소재 고분군을 조사했다.[82]

1918년 9월 25일

경상남북도 각지 고적조사

하마다 고우사쿠濱田耕作, 조선총독부 촉탁 우메하라 스에지梅原末治, 기수 임한소林漢韶는 9월 25일에 경성을 출발하여 경북 성주군 성주면에 들어가 성주

82 「황해도 황주군 겸이포 고적조사 복명서」, 국립중앙박물관 소장 조선총독부박물관 공문서, 목록번호 : 96-131.

군 성산동의 유적 유물을 조사하고 청파면 법수사지, 해인사 석조물을 조사했다. 다시 고령군으로 들어가 고령군 주산성지를 조사하고, 지산동 고분군을 조사하고 그 중 3기를 발굴했다. 그 후 성산면 고려요지를 조사하고, 경남 창녕군에 들어가 수일 동안 창녕면 수마산성지, 석조물 등을 조사하고 교동 및 송현동의 고분을 발굴하고 경북으로 들어가 경주 유적을 조사하고 충남 부여유적을 조사하고 10월 27일 경성으로 돌아 왔다.[83]

경상북도 성주군 일대의 고분군은 1916년경에 식산국 산림과에서 조사한 바에 의하면 월항면, 성주면, 성암면, 대가면의 고분을 조사하였는데 이 고분들은 모두 '을종요존예정임야乙種要存豫定林野'로 분류해 놓고 있으며, 월항면 수죽동의 양지산 1, 2, 3, 4지구의 조사된 고분의 수는 총 63기로 과반수 이상이 도굴된 것으로 기록하고 있으며, 수죽동 초지산 일대는 25기가 조사되었는데 그 중 20기가 도굴되었다. 대가면 옥화동의 사창곡산과 대가면 도남동의 층암산 일대의 고분도 상당수가 도굴되었다.[84]

하마다 일행은 낙동강 유역에서 가야지방 유적조사를 목적으로 1918년 9월 25일 경북 성주군 성주에 도착하여 16일간 체재하면서 주로 성산동에서 고분을 조사하여 대소 3기의 고분을 발굴하고 함께 그간에 성주면의 석탑, 빙고지, 성현星峴에서 고분 등을 실사했다.

그 발굴과정의 일면을 보면 대략 다음과 같다.

83 「大正7年度古蹟調査成績」, 『朝鮮彙報』, 朝鮮總督府, 1919년 8월.
84 『朝鮮寶物古蹟調査資料』, 朝鮮總督府, 1942, pp.284~286.

성산 제1호분[85]

조사원들은 경찰관원의 안내를 받아 성산동의 고분군을 답사하고 조사 고분을 설정하고 1918년 9월 27일 오전 10시에 인부 13명을 투여하여 발굴 개시했다.

오전 11시에 6척六尺을 파 장방형長方形 석실상변石室上邊 일단一端을 확인하고, 12시 반에 석실내부에 진입(이때 작업 중 상부上部 적석積石의 일부가 실내로 전락轉落하여 토기 하나가 파괴)

오후에 유물 배열 상태를 기록했다.

9월 28일 인부 2명을 사용하여 다시 석실 저부低部에 침전沈澱된 점토층을 검사하여 금속 장식품 다수를 획득했다.

29일 조수 2명과 함께 석실 실측했다.

복구공사는 제2호 고분 발굴 경과 중 실시했다.

성산동 제1호분(조사보고서)

85 濱田耕作, 梅原末治, 「慶尙北道 慶尙南道 古蹟調査報告書」, 『大正7年度 古蹟調査報告 第1冊』, 朝鮮總督府, 1921, pp.2~13.

성산 제2호분[86]

9월 27일 오후에 작업에 착수했다.

9월 30일 오전 10시에 발굴구역 서남우西南隅 지하 약 8척에 석적石積 일단一端에 도달到達

10월 1일 소석실 조사를 마치고 다시 발굴구역을 확대 제1 소석실 하부 일대에서 주석실 확인

10월 3일 인부를 증가 20명이 작업

10월 4, 5일 비가 와서 작업 중단

10월 7일 주실 천정부에 도달

10월 8일 인부를 감하여 8인으로 3구역으로 나누어 조사

10월 9일 조사완료, 바로 복구공사 착수

본 고분 발굴에 소비된 일수는 전후 11일, 사용 인부 연인원延人員 116인

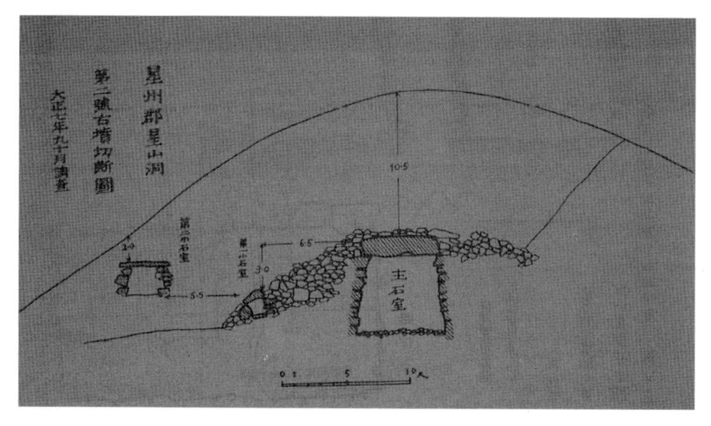

성산동 제2호분 단면도(조사보고서)

86 濱田耕作, 梅原末治 앞 報告書, pp.14~22.

성산동 제6호분(발굴 종료 후)

성산동 제 6호분[87]

본 고분은 제 2호분 조사 계속 중 인부 일부를 활부 받아 발굴 작업에 착수

10월 3일 오전 10시에 작업에 착수, 인부 8명이 봉토 중앙부를 파기 시작

오후 2시가 지나 중앙부 지하 약3척에서 석적石積 확인, 측벽 일부에 사람이 들어갈 정도의 구멍을 뚫음

10월 4일 인골 유존 확인, 내부조사를 행함

10월 7일 복구공사 완료

10월 11일에 성주를 출발하여 성주군 청파면 법수사지를 방문하여 석탑 2기, 당간지주 등을 조사하고, 경남 합천군으로 들어가 가야산 해인사에서 석탑, 수조 등을 보고 10월 13일에 경북 고령군으로 들어가 고령군 주산성지의 실측 및

87 濱田耕作, 梅原末治 앞 報告書, pp.23~27.

읍내에서 석불, 석탑, 당간지주, 지산동 고분군을 조사하고 그 중에서 3기를 발굴했다. 그 발굴 과정은 대략 다음과 같다.

지산동 제1호분(도굴분)[88]

10월 14일 인부 10명을 투여 발굴개시, 먼저 봉토 서반부의 위쪽을 파헤쳐 석실 위치 확인, 일찍이 도굴을 당한 형적이 있는 석실에서 약간의 유물을 채집하고 석실 실측조사를 행하고, 복구공사는 동일 오후 5시까지 완료

지산동 제2호분(도굴미수분盜掘未遂墳)[89]

10월 14일 제 1호분 발굴에 종사한 인부 8명이 발굴에 종사, 오전 10시 반에 봉토 중앙부를 개굴開掘하기 시작하여 2시간이 지나 석실의 천정석에 도달, 우메하라梅原 촉탁이 공사를 독려하여 점차 동북방 저부를 조사하여 토기 등을 채집.

10월 15일 인부 5명으로 발굴을 계속하여 창신槍身, 도자刀子, 토기土器등을 채집하고 오후 5시까지 조사완료, 오후 5시에 복구 완료했다.

지산동 제3호분[90]

10월 14일 오후 2시경 도로 공사 중 구릉 일단一端을 자르면서 석실을 발견하

88 濱田耕作, 梅原末治 앞 報告書, pp.28~30.
89 濱田耕作, 梅原末治 앞 報告書, pp.31~38.
90 濱田耕作, 梅原末治 앞 報告書, pp.39~42.

지산동 제3호분

여 앞의 2호분 발굴조사 중 우메하라梅原가 듣고 직접 현장에 가 공사를 중지시키고, 하마다濱田가 유물 채집 후 바로 도괴시킴.

1916년경의 조사기록에는 지산동 갈미봉葛尾峰에 무려 200여 기의 고분이 분포되어 있었는데 그 중 직경 10칸間 이상이 5기, 5칸間 이상이 10기로 "약완전略完全"이라 기록하고 있으며, 타의 것은 "대반 발굴大半發掘"로 기록하고 있다.[91] 그 후 1918년에는 우메하라梅原 등에 의해 지산동池山洞 고분이 발굴되었는데 이미 모두 도굴 당하여 귀중 유물은 발견치 못하고 그 잔편殘片들만 수집하였다.[92]

10월 16일 경남 창녕군에 들어가 창녕면 목마산성지, 석탑 2기, 석불, 신라왕탁경비 등을 조사하고, 교동 고분을 발굴했다. 발굴 과정은 대략 다음과 같다.

창녕군 교동 제21호분(도굴분)[93]

10월 18일 오전 9시에 발굴에 착수하여 한 시간이 지나 석실 일단一端에

91 朝鮮總督府, 『朝鮮寶物古蹟調査資料』, 1942.
92 梅原, 濱田, 「慶尙北道 慶尙南道 古蹟調査報告」, 『大正7年度 古蹟調査報告』, 朝鮮總督府, 1921, pp.29~38.
93 濱田耕作, 梅原末治 앞 報告書, pp.43~45.

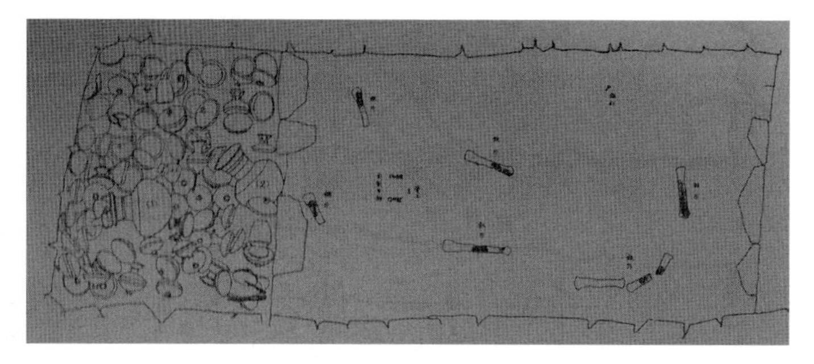

창령 교동 제31호분 유물 배치도

도달하여 천정부를 뚫고 내부에 도달, 인골 파편이 토사 중에 산란함을 확인, 약간의 유물을 채집하고 동일 오전 중에 복구공사 완료.

교동 제31호분[94]

10월 19일 오후 4시에 인부 20명을 투여하여 발굴에 착수, 봉토 북복北腹 중앙부에 구멍을 뚫어감.

10월 20일 오전 10시에 석실 일부에 도달하여 구멍을 뚫고, 오후 3시에 목적지에 도달하여 내부조사 개시하여 토기 66개를 비롯한 금제이식金製耳飾, 관옥管玉, 소옥小玉, 그 외 상당한 유물을 채집.

10월 22일 오전 9시 조사완료하고 복구공사는 보통학교장 하시모토 료소橋本良藏에게 위탁.

창녕읍 동방과 북방의 수마산록 낮은 구릉 내지 높은 지역에도 많은 고분이 분포되어 있다. 1918년 우메하라梅原와 하마다濱田에 의해 이 지역의 고분이 발굴되었는데, "본원本員 등은 창령읍 동북방에서 2, 3의 고분을 실사하여 겨우 그

94 濱田耕作, 梅原末治 앞 報告書, pp.45~52.

교동 제31호분 출토 금제이식

하나에서 처녀석실을 만날 수 있었다."[95] 하는 것으로 보아 그 대부분이 파괴되어 완전한 분을 발굴하기 위해 수색하였을 정도로 파괴되었음을 알 수 있다.

1918년 우메하라梅原 등이 발굴한 창령 교동의 고분 2기 중에서 처녀분인 31호분에서는 토기 66점, 금제이식 그 외 부장품 29점을 발굴하였다. 그러나 교동 21호분은 일찍이 도굴로 인하여 석실 내부에 토사가 유입되어 인골 파편과 토사가 엉켜있었다.[96]

우메하라梅原는,

> 다수의 창녕 고분군은 야쓰이谷井의 발굴 후 계속적으로 지방 인사들의 도굴이 성하여 지금은 거의가 내용물을 잃었다고 할 정도이다. 그간 2, 3회 정도 조사를 총독부 관원에 의해 행하였으나 부장품은 이미 산실되어 대구의 이치다 지로市田次郎, 오구라小倉 등의 소장으로 돌아갔다. 그 중 귀중한 것은 아국我國(일본) 국보나 중요 미술품으로 지정된 귀중품도 있다.[97]

---

95 濱田, 梅原, 「慶尙北道 慶尙南道 古墳調査報告」, 『大正7年度 古蹟調査報告』, 朝鮮總督府 1921, p.42.

96 濱田, 梅原, 「慶尙北道 慶尙南道 古墳調査報告」, 『大正7年度 古蹟調査報告』, 朝鮮總督府, 1921, p.482. 圖版151, 152.

97 梅原末治, 『朝鮮 古代 墓制』, 國書刊行會, 1972, p.108.

라고 하고 있다. 오구라 다케노스케小倉武之助의 소장품 중에는 현재 「오구라컬랙션 소장품 목록」에 '금동제투각관모金銅製透刻冠帽', '금동제조익형관식金銅製鳥翼形冠飾'을 비롯한 여러 점이 창녕 출토 유물로 기록하고 있다.

하마다 일행은 10월 21일 창녕에서 경북으로 들어가 경주 유적을 답사하고, 다음으로 충북 부여의 유적을 조사하고, 10월 27일 경성에 귀착했다.

발굴 유물을 정리를 하면 대략 다음과 같다.

경북 성주군	梅原, 濱田耕作	성산동 제1호고분	토기 15개, 銅環 10개, 銀製冠飾 1개, 刀劍 3구, 槍身 4개, 不明金具 3개, 金環 2개, 金製耳飾 1개 銀製帶金具 1조(34개), 刀子 3구, 斧頭 3개, 鐵器殘缺 3개	출처276
경북 성주군	梅原, 濱田耕作	성산동 제2호분	土器 15개, 刀身 1개, 環頭 1개, 槍身 7개분, 斧頭 1개, 인골편	출처277
경북 성주군	梅原末治, 濱田耕作	성산동 제6호분	土器 6점, 刀子 6구, 鐵釘 19개, 木片 수개, 인골편	출처278

98 梅原末治, 濱田耕作, 「慶尙北道慶尙南道古蹟調査報告」, 『大正7年度蹟調査報告書』, 朝鮮總督府, 1921; 「大正7年度古蹟調査成績」, 『朝鮮彙報』, 朝鮮總督府, 1919년 8월.

99 梅原末治, 濱田耕作, 「慶尙北道慶尙南道古蹟調査報告」, 『大正7年度蹟調査報告書』, 朝鮮總督府, 1921; 濱田靑陵, 「朝鮮の考古學調査に關する私の最初の思出」, 『考古學』 제7권 제6호, 東京考古學會, 1936년 6월; 「大正7年度古蹟調査成績」, 『朝鮮彙報』, 朝鮮總督府, 1919년 8월.

100 梅原末治, 濱田耕作, 「慶尙北道慶尙南道古蹟調査報告」, 『大正7年度蹟調査報告書』, 朝鮮總督府, 1921.; 「大正7年度古蹟調査成績」, 『朝鮮彙報』, 朝鮮總督府, 1919년 8월; 濱田靑陵, 「朝鮮の考古學調査に關する私の最初の思出」, 『考古學』 제7권 제6호, 東京考古學會, 1936년 6월.

101 梅原末治, 濱田耕作, 「慶尙北道慶尙南道古蹟調査報告」, 『大正7年度蹟調査報告書』, 朝鮮總督府, 1921; 「大正7年度古蹟調査成績」, 『朝鮮彙報』, 朝鮮總督府, 1919년 8월; 濱田靑陵, 「朝鮮の考古學調査に關する私の最初の思出」, 『考古學』 제7권 제6호, 東京考古學會, 1936년 6월.

경북 고령군	梅原末治, 濱田耕作	지산동 제1호분	철정 1개, 토기파편	출처[279]
경북 고령군	梅原末治, 濱田耕作	지산동 제2호분	長頸壺 1개, 臺 1개, 蓋付壺 5개, 蓋付高杯 8개, 合子形土器 2개, 槍身 1개, 刀子 2개, 鐵器 2개, 環形金具 3개, 斧形金具 9개, 鎌形鐵器 수개	출처[280]
경북 고령군	梅原末治, 濱田耕作	지산동 제3호분	장경호 5개, 호 1개, 개부호 1개, 대 1개, 고배 2개, 개 1개, 호 2개, 철기 1개,	출처[281]
경남 창령군	梅原末治, 濱田耕作	교동 제21호분	토기편	출처[282]
경남 창령군	梅原末治, 濱田耕作	교동 제31호분	토기 66개, 금제이식 1대, 環狀金具 4개, 관옥 1개, 소옥 7개, 철기 2개, 도자 7구, 철제금구 7개, 철정 1개	출처[283]
창령군	濱田耕作	송현동의 고분을 발굴		출처[284]

하마다는 보고서에서,

낙동강 유역에서의 가야지방의 고적에 관해서는 전년 이마니시今西 위원의 조사를 거쳐 대체적인 조사를 했고, 본원은 주로 이 지역에서 고분의

102 梅原末治, 濱田耕作,「慶尙北道慶尙南道古蹟調査報告」,『大正7年度蹟調査報告書』, 朝鮮總督府, 1921; 梅原末治,『朝鮮古代の墓制』, 國書刊行會, 1972.

103 梅原末治, 濱田耕作,「慶尙北道慶尙南道古蹟調査報告」,『大正7年度蹟調査報告書』, 朝鮮總督府, 1921.

104 濱田, 梅原,「慶尙北道 慶尙南道 古墳調査報告」,『大正7年度 古蹟調査報告』, 朝鮮總督府, 1921, p.482, 圖版151, 152.

105 濱田耕作, 梅原末治,「慶尙北道 慶尙南道 古蹟調査報告書」,『大正7年度 古蹟調査報告 第1册』, 朝鮮總督府, 1921.

106「大正7年度古蹟調査成績」,『朝鮮彙報』, 朝鮮總督府, 1919년 8월.

> 발굴조사에 종사하여 상대의 문화상태에 대하여 자료 수집을 기했다. 그 결과 성주 성산동 고분에서 방형의 석실을 가진 원분으로 제1호분에서 다수의 토기류와 함께 환두철도 2개, 은제투조대금구 1련, 금제이식 1개, 금환 1대 기타를 발견하고 제2호 대고분에서는 다수의 토기, 환두철도 등을 발굴, 제6호분에서는 토기 기타를 발견했다.
> 창녕의 고분은 많은 것이 발굴된 형적이 있었으며 그 중 한 고분의 장방형 석실에서 백여 개의 토기와 함께 황금제이식 1대, 은제환 1대, 관옥 1개, 소옥 등을 발견했다.

이라 하고 있다.

이상의 발굴일면發掘一面을 보면 도굴분은 예외로 치더라도 완전한 분을 발굴하면서도 겨우 2~3일에 걸쳐 조사 완료하는 것을 볼 수 있다. 또 교동 제31호분의 경우에는 "본원 등이 창녕을 출발 후 복구공사를 행하였는데 그때 점토粘土중에서 소옥小玉 및 동환銅環을 발견發見" 했다고 하고 있다. 이것은 그들이 얼마나 유물채집에만 혈안이 되었는가를 알 수 있다. 이러한 예는 그나마 보고서 발간의 중요성을 강조하고 발굴에 신중을 기했다고 하는 하마다濱田와 우메하라梅原에 의해 이루어 졌다고 하는 것은 당시 얼마나 마구잡이식으로 발굴하였는지를 보여주는 단면이라 할 수 있다.

발굴품 중에서도 일부는 일본으로 반출되었는데 특히 교동 제31호분에서 출토된 일괄유물 97점은 1938년에 일본으로 반출되었다. 『도쿄국립박물관 수장품목록』에는 '조선총독부 기증' 으로 유물번호 34162~34239로 게재되어 있다

가, 1958년 제4차 한일회담 때 반환 받았다.[107]

1918년 9월 28일

야쓰이 세이이치(谷井濟一)의 경기도 일대 조사

야쓰이 세이이치谷井濟一는 측량원 2명과 함께 1918년 9월 28일부터 10월 4일까지 경기도 고양군 독도면 있는 고분군을 조사하고, 아차산성지 조사했다.

고양군 독도면에서는 양주군 구리면에 이른 토성 및 석축 등을 조사, 독도면 중곡리에 200여 기의 고분이 산재하는데 그 중 완전한 2기를 발굴하여 인골, 긱부감, 각부원, 베, 병 등을 발굴했다.[108]

107 『동경국립박물관 수장품 목록』에는 '조선총독부 기증' 으로 게재, 유물번호 34162~34239. 제4차회담 진행 중에 일본 측은 어부 송환을 촉진하기 위해 창령고분 출토 106점을 반환했었다.

108 「大正7年度古蹟調査成績」, 『朝鮮彙報』, 朝鮮總督府, 1919년 8월.

1918년 9월

다나카(田中)가 본 아사미 린타로(淺見倫太郎)의 수집 도서

1918년 도쿄대학 하기노萩野 박사와 함께 동행 했던 다나카田中의 복명서에는 다음과 같은 기록이 있다.

> 사료조사를 위해 1918년 9월 1일 부산에 도착하여 부산, 동래, 경주 유적을 탐방하고 부여, 조치원을 거쳐 9월 14일에 경성에 들어왔다. 경성에 들어와 경복궁, 창덕궁, 총독부박물관 등을 순람하고, 또 삼정물산회사지점에 가서 그곳에서 고故 아사미 린타로淺見倫太郎 씨 수집의 조선관계서류 약 6천여 책, 조선의 묵탁법첩류墨拓法帖類 약 3백여 점의 목록을 일람했다. 총독부 총무과장 구도 소헤이工藤壯平 씨 댁에서 조선의 고문서 및 조선명가朝鮮名家의 필적을 보았다.[109]

아사미 린타로淺見倫太郎는 1906년에 한국에 건너와 고적조사원으로 활동하면서 한국 고미술품을 많이 수집하였다. 아사미 수집품으로는『대정원년 약보고』에 1911년 촬영했다는「조선고적사진목록」도판 25~29가 아사미의 소장으로 나타나 있다. 인조, 정조의 어필을 비롯하여 안평대군, 이퇴계, 한석봉, 허목, 이광사, 양사언, 정약용, 김정희 등의 역대명가서화를 1918년에 총독부박물관에 넘기기도 하였다.

109「雜錄」,『史學雜誌』제30編 제5호, 대정8년 5월.

특히 한국서적을 많이 수집하였는데, 자기의 문고 1,084부 5,771책을 미쓰이문고三井文庫로 넘겼다. 아사미가 편찬한 『조선수집 도서목록』(1916)의 내용에는 당본목록 2,700책, 조선본 추가목록 293책, 금석비판류 200종 합계 3,193책이 수록되어 있다.[110] 이것은 나중에 미국의 켈리포니아대학으로 옮겨졌다.

다나카田中의 복명서에 보이는 구도 소헤이工藤壯平는 1910년부터 총독부 사무관, 회계국 영선과장으로 한국에 관계했으며, 1915년 공진회에는 선조대왕의 묵적을 출품 진열하기도 했다.[111]

1918년 10월 3일

이천향교방 5층석탑 일본 반출 허가

경기도 이천 읍내면의 5층석탑의 반출은 조선총독부에서 일본 도쿄 오쿠라슈코칸大倉集古館에 양도한 건으로, 오쿠라슈코칸大倉集古館은 한국에서 반출해 간 막대한 고려자기 등을 진열하고 있었다. 또한 경복궁 안의 자선당을 이건하고 자선당 옆에 이 건물과 잘 어울리는 조선의 석탑을 반출하고자 물색하던 중 평양정차장 앞의 7층석탑에 눈독을 드려 이를 양수하고자 하였다.

110 書物同好會, 「淺見 博士 蒐集 朝鮮本」, 『書物同好會會報』 제6호, 1939.
111 『每日申報』 1915년 10월 8일자.

1918년에 오쿠라슈코칸의 이사 사카와 요시로阪谷芳郎는 평양정차장 앞의 7층석탑에 대해 양도해줄 것을 희망하는 문서를 총독부에 보내왔다.

오쿠라슈코칸 이사 사카와 요시로阪谷芳郎가 조선 총독에게 보내온 서한의 내용은 다음과 같다.[112]

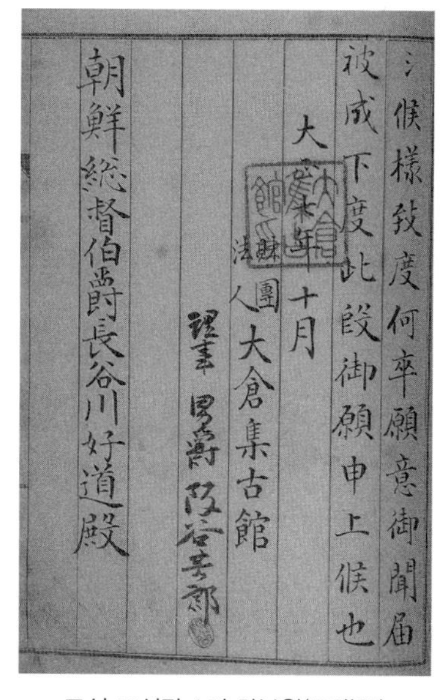

〻候様致度何卒願意御聞届
被成下度此段御願申上候也
大正七年十月
財團法人 大倉集古館
理事 男爵 阪谷芳郎
朝鮮総督伯爵長谷川好道殿

조선 고석탑 1기 하부원(下附願)
(「제11회 고적조사위원회」 문서)

<전략> 오쿠라大倉 남작의 의뢰로 오쿠라슈코칸大倉集古館 부지내敷地內에 건설할 목적으로 조선에서 역사 있는 우 석탑 1기를 어양수御讓受하고 싶은 뜻을 내원內願하였던바 그 후 오쿠라 남작에 어내시御內示한 일도 있어 그 선정을 위하여 전문의 모 대학교수에 의뢰하였던바 선년 슈코칸 부지내에 이설移設한 경복 내 건물 자선당資善堂 옆에 상응相應되는 것은 평양정차장 전에 있습니다. 6각7층석탑이 최적당할 것이라 함에 곧 경성 하라 가쓰이치原勝一로부터 총독부의 계원되시는 분께 직접 원출하도록 시켰사오니 아무쪼록 잘 보살펴 주시기를 어원하나이다. 다행히 청허聽許하여 주신다면 전기 건물과 함께 동도東都에 있어서 조선의 고건축물을 연구하는 일단一端으로도 될 것이며 학술상 많은 비익裨益을 줌이 적지 않을 것으로 사료됩니다.

112 金禧庚 編, 「韓國塔婆硏究資料」, 『考古美術資料』 第20輯, 考古美術同人會, 1969.

대정7년 7월 21일 사카와 요시로阪谷芳郎

이에 대해 1918년 10월 3일자 '제11회 고적조사위원회 의안'의 '석탑 양도의 건'[113]을 보면 다음과 같다.

석탑 양도의 건

도쿄 오쿠라슈코칸大倉集古館 자선당(경복궁에서 옮김)의 옆에 건립하여 고고의 자료에 공共할 목적으로 평양정차장 전의 7층석탑을 양수하고져 하여 별지와 같이 동관同館 이사 사카와 요시로阪谷芳郎로부터 원출願出이 있었으나 우 석탑은 1906년 정차장 설치 시로부터 지금 장소에 있어서 세인의 숙지熟知함이 되었음으로 이를 타에 옮김은 적당하지 못하다. 따라서 이에 대代할만한 석탑을 전색詮索하였던 바 연대 및 제작이 상당相當되는 것은 모두 역사 및 공예의 참고로 조선에 보존할 필요가 있는 것이다. 보존할 필요가 없는 것에 있어서는 어느 것이나 형상形狀이 왜소하여 제작 또한 열등劣等하다. 그런데 먼저 시정5주년기념공진회 시 경기도 이천군 읍내면에서 이전하여 지금 박물관 본관 전前의 공지에 있는 별지 사진의 5층석탑은 고 18척 7촌, 기경 7척 제작이 중등中等하여 고려말기에 속하며 대강 원출의 취지에 맞는 것이라 할 수 있을 것이다. 그리하여 일방一方에서 이를 생각하면 그의 원 소재지는 이천향교전의 전중畑中으로서 폐사지임은 의심할 바 아니로되 사명寺名이 미상未詳이다. 하등 역사상의 고증을

113 金禧庚 編, 「韓國塔婆研究資料」, 『考古美術資料』 第20輯, 考古美術同人會, 1969.

할 만하지 못하다. 또 탑의 형상은 보통 보이는 방형오층으로서 제작상 특이한 점이 없을 뿐 아니라 또한 정상의 장식을 잃고 특히 기단 및 제1층의 고가 매우 연장延長하여 옥개屋蓋의 광 또한 전체의 고에 대하여 권형權衡을 얻지 못하였다. 이를 평한다면 타의 내력이 있고 또한 우수한 석탑이 많은 조선에 있어서는 특히 박물관에 보존하여 진열품의 하나로 헤아림은 오히려 적당하지 못한 감이 있다. 공진회 시에는 다만 각지에 있는 많은 석탑 중에 이전에 편한 것 수 기를 택하여 조선에 연대가 오래된 석탑의 많음을 보이고 겸하여 회장을 장식하였음에 불과하였다. 고로 금회에 이르러 박물관의 진열물건으로서 그의 가치가 적음은 또한 부득이한 일이다.

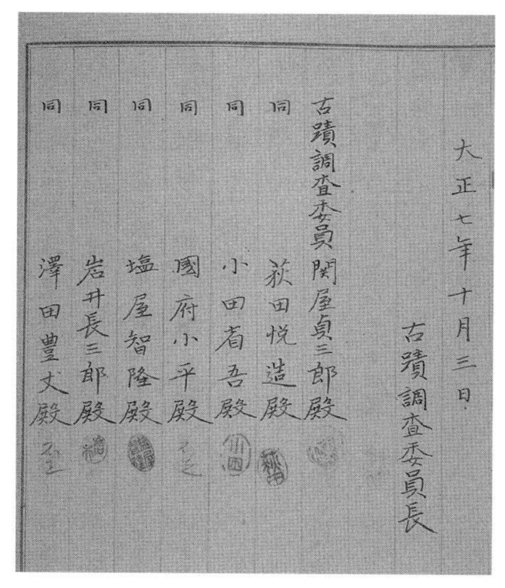

大正七年十月三日

古蹟調査委員長

古蹟調査委員 関屋貞三郎殿

同 荻田悦造殿

同 小田省吾殿

同 國府小平殿

同 塩屋智隆殿

同 岩井長三郎殿

同 澤田豊丈殿

석탑 양여안 가결, 석탑 양도를 허가한 의안 확인
(「제11회 고적조사위원회」 문서)

이상과 같은 사정으로 오쿠라슈코칸大倉集古館에 대하여 그 목적물을 변경하여 다시 원출시킨 뒤에 우 5층석탑의 양도를 허가함이 기의機宜의 처치라고 사료됨.

우에 대한 어의견御意見 승지承知하시기 바랍니다.

대정7년 10월 3일

고적조사위원회장

평양정차장 앞의 7층석탑은 이미 많은 사람들이 알고 있기 때문에 반출시 한국인의 반감을 우려하여 이를 허락하지 않았다. 그러나 일본의 거물 오쿠라의 부탁을 외면할 수 없어 대신에 많은 사람들에게 알려져 있지 않는 다른 석탑을 주기로 결정했다. 이에 시정5주년기념공진회 때 이천에서 총독부박물관으로 옮겨온 5층석탑을 지목하여 오쿠라슈코칸에서 양수해 갈 것을 추천하였던 것이다.

형식적으로는 '고적조사위원회 의안'을 거친 것으로 하고 있으나 이는 억지절차를 거쳤다는 이유로 민족 문화재를 일본으로 강탈해 간 것이다. 결국 합방이 되면서 한국의 문화재는 곧 일본의 것으로 하고 그들 마음대로 처분하였던 것이다.

「제11회 고적조사위원회(대정7년 10월 3일)」[114]의 문서에는 이천향교방 5층석탑 사진이 2점 실려 있다. 하나는 배경으로 보아 경복궁에 있을 때의 모습이 확실하나, 다른 하나의 사진은 일본으로 반출한 후의 모습으로 추정된다.

오쿠라 기하치로大倉喜八郎는 일본 굴지의 실업가로서 명치유신을 전후하여 총포점을 운영하여 막대한 부를 축적하였으며, 러일전쟁 즈음에는 이미 한국에 농장을 운영하고 토목, 광업, 은행 등에 손을 뻗친 일본 경제계의 거물이다. 그는 일찍부터 고미술에 관심이 많아 60여 년간 동서양의 고고미술품을 수집해 오던 중 1917년 8월 문부성의 허가를 받아 재단법인 오쿠라집고관을 설립하여 1918년 5월 1일에 개관을 하였다. 하지만 1923년 관동대지진으로 자선당을 비롯한 진열관은 모두 소실되고 불에 타지 않는 석조물들만 남았었다.

---

114 「제11회 고적조사위원회(대정7년 10월 3일)」, 국립중앙박물관 소장 조선총독부박물관 공문서, 목록번호 : 96-107.

이천향교방 5층석탑

해방 이후 정부는 대일현물배상의 요구로 1차목록을 1949년 3월에 맥아더 사령부에 제출하였는데 이 속에는 '동경 오쿠라집고관 소장 5층공양탑' 이라 하여 반환목록에 포함시켰다. 국내의 여론은 배상의 성질이 아니고 부정한 수단에 의하여 강탈당한 우리 재산에 대한 반환 요구인 만큼 배상문제와 분리시켜 시급히 찾아와야 한다는 것이었다. 당시 외무장관은 "이것들은 배상문제와 분리시켜 시급히 찾아오도록 조처하고 있는데 그 시기에 대해서는 예언할 수 없으나 반드시 찾아오겠다"고 하였다. 또한 문교당국에서도 "간악한 일본인들이 어느 정도 에누리해 나올른지 모를 일이고 무엇보다도 양산부부총이나 신라5층석탑을 비롯한 100여 점의 극히 귀중한 물건들은 비법적으로 건너간 것들이기 때문에 그것들은 우리 문화인들이 일본에 가서 쉽게 찾아올 자신이 있다" 했으나 반환할 의사가 전혀 없는 그들에게는 백방의 노력도 허사였다.

오쿠라슈코칸大倉集古館에는 평안남도 대동군 율리면에 있던 8각석탑까지 반출

폐율리사 8각석탑(『朝鮮古蹟圖譜 6』)

하여 정원에 이건하였다. 폐율리사8각석탑은 『조선고적도보』 6책 도판 2948에 의하면, 원래 평안남도 대동군 율리면에 있었던 것인데, 도쿄 오쿠라슈코칸으로 반출한 것으로 나타나 있다. 반출 시기는 명확하지 않으나 이천향교전 석탑을 반출한 이후가 아닌가 생각된다.[115]

* 오쿠라 슈코칸으로 반출될 뻔한 평양정거장 앞 7층석탑

세키노 타다시關野貞는 『조선미술사』 에서, "평양육각칠중석탑平壤六角七重石塔은 평양대동공원 내에 있는 육각칠층석탑으로 원광사元廣寺라 칭하는 사寺의 폐지廢址에 있던 것을 보존하기 위하여 지난 해 정거장 앞에 옮겨 놓았다가 그 후에 다시 지금의 곳에 옮겨 놓았다"고 기록하고 있다. 여기서 '지금의 곳' 이라는 것은 연광정공원을 지목하는 것으로 보인다.

사이토 이와조齋藤岩藏가 1930년경에 평양을 방문한 기록에는, "명치39년

115 이 점에 대해서 정영호 교수는 다음과 같은 견해를 피력하고 있다.
"필자의 생각으로는 평양 역전의 6각7층석탑은 세간의 눈이 무서워 반출하지 못하고 대신에 이천 5층석탑을 옮겨갔으나 이 석탑이 그리 만족치않아 산간 폐사지에 서 있던 율리사지의 8각 5층석탑을 그후에 약탈해간 것이 아닌가 한다. 처음부터 그네들이 노린 것은 평양 역전의 석탑이 평면 6각의 특수탑이었기 때문에 이천탑과 같은 일반형 석탑은 당연히 만족치 않았을 것이며 그러므로 특수탑의 하나인 율리사지의 평면 8각의 5층석탑을 감쪽같이 반출해간 것으로 생각하는 바이다."(정영호, 「문화재 약탈」, 『한민족독립운동사』 5, 국사편찬위원회, 1989)

(1906)에 평양정차장 부근으로 옮겼다가 대정15년(1926)에 다시 연광정練光亭의 공원 내로 옮겨 지금에 이르고 있다”[116]라고 하고 있다.

그리고 세키노의 『조선의 건축과 예술』(1942, 岩波書店, p.566)에서는 [편자주編者註]에 “현재는 평양박물관 내에 있다” 라고 하고 있다.

『매일신보』 1935년 6월 28일자에는 ‘7층석탑과 낙랑토성 고적보호에 편입, 석탑은 원광사元廣寺에 있던 것’ 이라는 기사에 평양정차장 앞 7층석탑에 대해 다음과 같이 설명하고 있다.

> 평천리 석일昔日의 원광사폐지元廣寺廢址에 남아 있던 것을 명치39년(1906) 평양역전에 옮기었다가 다시 대동문 연광공원練光公園을 거치어, 소화8년(1933)에 현재의 위치인 평양대안平壤對岸에 있는 낙랑군치지의 낙랑토성이 동 지정물로 금번 동 규칙에 의한 보호를 受하게 되었으므로 이에 의하여 평양박물관에는 지정보물이 3개로 된 셈이라는 바 운운.

고적도보 제6책 도판2950

이 설명에는 대동문 연광공원에 옮긴 것 까지는 알 수 있으나, 이 석탑의 현 위치가 어디인지 명확하지 않다. 그러나 “평양박물관 지정보물 3개” 라고 하는 것으

116 齋藤岩藏, 「平南の名所舊蹟を訪ねて」, 『朝鮮』, 1930년 9월, 朝鮮總督府, p.89.

로 보아 평양박물관에 이 석탑을 옮긴 것인지는 명확하지 않으나, 1933년에 평양박물관이 개관되면서 자연적으로 박물관에 편입되었던 것이 아닌가 생각된다.

1918년 10월 7일

용주사 말사 경기도 시흥군 수암면 원당사元堂寺를 폐지하다.[117]

1918년 10월 14일

야쓰이 세이이치(谷井濟一)의 나주 반남면 고분 조사

야쓰이 세이이치谷井濟一는 10월 14일에 측량원 3명(野守健, 小場恒吉, 小川敬吉)과 함께 경성을 출발하여 전라남도 나주군으로 들어가 심향사 및 일대의 석조물을 조사하고, 반남면에 들어가 10월 16일에서 11월 5일까지 체재하면서 대안리 제6호분 및 7호분을 발굴했다.

대안리 제6호분에서 병렬한 도관陶棺 9개, 구옥, 금환, 소옥, 감, 철족 등을 발굴하고, 대안리 제7호분에서 도관 4개, 배, 소옥, 등을 발굴했다.

대안리 제9호분는 동서 39m, 남북 31m의 장방형평면대형에 고 5.1m이다.

117 『朝鮮總督府官報』 1918년 10월 7일자.

정상가까이 9기의 옹관이 있었다. 이곳에서 금동판금구 2개, 구옥 3개가 나왔다. 금동판은 중앙이 원형이고 좌우가 장방형인데 교구처럼 정공釘孔이 있고 주연에 파상렬점문이 타출되어 있다. 계속해서 덕산리 제1호분을 발굴하고 제3호분 및 신촌리 제6호분의 외형 조사를 했다.[118]

정리하면 대략 다음과 같다.

시기	지역	조사자	내용	출토 유물	
1918년 10월	전남 나주군 반남면	谷井濟一, 野守健, 小場恒吉, 小川敬吉	대안리 제6호분	병렬한 陶棺 9개, 勾玉, 金環, 小玉, 坩, 鐵鏃 등	출처[297]
1918년 10월	전남 나주군 반남면	谷井濟一, 野守健, 小場恒吉, 小川敬吉	대안리 제7호분	陶棺 4개, 杯, 소옥	출처[298]
1918년 10월	전남 나주군 반남면	谷井濟一, 野守健, 小場恒吉, 小川敬吉	대안리 제8호분	옹관 수개, 耳飾, 기타 다수	출처[299]
1918년 10월	나주군 반남면	谷井濟一, 野守健, 小場恒吉, 小川敬吉	대안리 제9호분	옹관, 금환, 관옥, 은제 장식, 철부, 고배, 대도, 백자호 그 외 다수	출처[300]

118 「大正7年度古蹟調査成績」, 『朝鮮彙報』, 朝鮮總督府, 1919년 8월; 穴澤和光, 馬目順一, 「昌寧校洞古墳群 -「梅原考古資料」を中心とした谷井濟一氏發掘資料の研究-」, 『考古學雜誌』 제61권 제4호, 日本考古學會, 1975년 3월.

119 「大正7年度古蹟調査成績」, 『朝鮮彙報』, 朝鮮總督府, 1919년 8월.

120 「大正7年度古蹟調査成績」, 『朝鮮彙報』, 朝鮮總督府, 1919년 8월.

121 梅原末治, 『朝鮮古代の墓制』, 國書刊行會, 1972, pp.119-120; 國立中央博物館, 『유리원판목록집』 1, 1997, 원판번호 230398~230421.

122 梅原末治, 『朝鮮古代の墓制』, 國書刊行會, 1972, pp.119-120; 國立中央博物館, 『유리원판목록집 I』, 1997, 원판번호 230329~230397.

시기	지역	조사자	내용	출토 유물	
1918년 10월	나주군 반남면	谷井濟一, 野守健, 小場恒吉, 小川敬吉	덕산리 제1호분, 덕산리 제3호분		출처[301]
1918년 10월	나주군 반남면	谷井濟一, 野守健, 小場恒吉, 小川敬吉	덕산리 제4호분	小玉, 金環, 刀子, 鐵釘, 曲玉	출처[302]
1918년 10월	나주군 반남면	谷井濟一, 野守健, 小場恒吉, 小川敬吉	신촌리 제6호분	옹관편, 토기편	출처[303]

1918년 10월 18일

일본역사지리학회(日本歷史地理學會) 예회(例會)기사

일본역사지리학회 제109회례회가 10월 18일 도쿄제국대학 회의소에서 개최되었다.

두 번째 등장한 구로이타黑板 박사는 금번 여름에 마적의 위험을 무릅쓰고 압록강 상류 연안의 사적조사 차 호태왕비를 조사했는데, 사진, 탁본, 고전古磚 등을

123 早乙女雅博, 「新羅の考古學調査 100年の研究」, 『朝鮮史研究會論文集』 39, 朝鮮史研究會, 2001년 10월, p.67; 「大正7年度古蹟調査成績」, 『朝鮮彙報』, 朝鮮總督府, 1919년 8월.

124 國立中央博物館, 『유리원판목록집 I』, 1997, 원판번호 230318~230327.

125 早乙女雅博, 「新羅の考古學調査 100年の研究」, 『朝鮮史研究會論文集』 39, 朝鮮史研究會, 2001년 10월, p.67; 「大正7年度古蹟調査成績」, 『朝鮮彙報』, 朝鮮總督府, 1919년 8월; 國立中央博物館, 『유리원판목록집 I』, 1997, 원판번호 230421~230423.

진열해 놓고 호태왕비의 상태에 대해 강연을 했다. 호태왕비의 앞에는 민가가 있고 이 민가의 노인은 팔기 위해 탁본을 했으며, 탁본을 선명하게 하기 위해 칠식漆喰했다는 이야기를 했다. 이어 황초령 진흥왕순수비에 대한 이야기도 곁들였다.

마지막으로 등장한 퇴역 육군 중장 오시아게 신조押上森藏는 호태왕비의 발견자로 고 포병대위 사코 가게아키酒匂景明의 이름을 거론하고, 또 오시아게가 현역시절에 호태왕비의 운반을 기획했으나, 너무 커서 운반이 곤란하고 또 자면字面의 손상이 두려워 중지했다고 발설을 했다.[126]

1918년 10월

불국사 수리공사 계획

불국사 수리공사는 조선총독부에서 1918년 10월부터 1925년 9월까지 8년에 걸쳐 4만 6천원의 경비를 들여 공사를 하기로 했다.

이 공사에서 주요한 것은 다음 11건을 들 수 있다.[127]

1) 현존의 당우 즉 대웅전과 함께 극락전의 정면 및 측면에 기와로 석담 적치

2) 자하문의 해체 및 재건과 함께 문외의 청운교, 백운교의 대수리

126 「本會第百九回例會記事」, 『歷史地理』 第32卷 第5號, 1918년 11월, pp.79-80.
127 中村健太郎, 「佛國寺より石窟庵まで」, 『朝鮮及滿洲』 제217호, 1925년 12월.

3) 범종각 일명 범영루의 해체 및 재건
4) 안양문 외의 칠보교, 연화교의 대수리
5) 석교 대수리
6) 대웅전 및 극락전 사이의 고대 교통설비로 생각되는 석계단의 발견 및 그 정리
7) 극락전의 영구보존계획으로 근년 설비한 온돌을 철거하고 내부의 복구 시설
8) 다보탑 대수리
9) 석가탑 및 팔방금강좌대의 수리 및 그 위치 제정制正
10) 찰간刹竿의 복설復設
11) 기타 경내의 풍승風勝을 보호할 필요가 있는 잡공사

일본인으로서 불국사를 탐방한 학자는 1902년 세키노 타다시關野貞가 처음이다. 세키노가 본 당시의 불국사 건물의 상태는 어떠했을까.

불국사 배치 "지금 당우의 배치를 보건데 세 번째 그림과 같이 대웅전은 중앙에 있어 남면南面하고 그 전면에 석등이 있다. 대웅전의 전방 동서편에 석탑이 있다. 동쪽의 것을 다보탑이라 칭하고 서쪽의 것을 무영탑이라고 한다. 다시 남쪽 정면에 단층문이 있고 이것을 자하문이라고 한다. 문의 서쪽에는 보랑步廊이 있고 그 남쪽 끝에 두접斗接하여 루가 된다. 이것을 범영루라 칭한다. 자하문의 밖에는 석계가 두곳에 있어 더욱 기교를 더한다. 이것을 청운교라 칭한다. 다시 대웅전의 뒤편에 무설전이 있고 서쪽에

수리 직전의 불국사 대웅전(유리건판)

위축전爲祝殿이 있다. 전의 전면 좌우에는 승방이 있고 정면에 가소문假小門이 있다. 그밖에 석계가 있고 이를 백운교라 칭한다. 또 무설전의 뒤에는 서로 나란히 사전寺傳 칠성각지七星閣址 및 나한청지羅漢廳址가 있다. 그 앞에 각 하나의 석등이 서있다."[128]

여기서 세키노는 불국사의 배치 및 양식에 대해서, "나는 여기서 신라조 사원의 평면은 일본의 나라조의 것과 큰 차이가 없는 것으로 믿어마지 않는다. 대개 나라조 사원의 규묘는 당의 사원과 태반이 그대로 모방한 것으로서 신라도 역시 그랬던 것은 말할 필요가 없다" 라고 하며 신라의 독자성을 부정하고 있다.

당시 그가 남긴 사진이 현재로서는 가장 최초의 사진이라 할 수 있다. 그가 촬영한 사진에 나타난 불국사는 무척 황폐하여 대석단 위의 자하문과 범영루가 있

128 『한국건축조사보고』, 1904.

었고 대웅전 뒤에는 무설전이 있었으며 다보탑과 석가탑 그리고 비로전지에는 사리탑이 세워져 있었다. 그리고 경내는 옛 건축지의 초석이 방치되어 있었으며 와전 등이 상당히 교란되어 있어 당시의 상황을 어느 정도 짐작할 수 있게 한다.

후의 기록이지만『불국사와 석굴암』에서는 다음과 같이 기술하고 있다.

> 절터에 비해서 약간 과대하게 소실된 것 같지만 지금 불국사에 남아 있는 당탑堂塔은 옛날의 10분의 1에 지나지 않지만 기교를 부린 다보탑을 비롯하여 석가탑.... <중략> 모두 신라의 예술을 볼 수 있는 창건 당시의 유물이라는 것은 우리들로서 지극히 다행이라고 할 수 있다. <중략> 조선 반도는 사적史蹟의 수가 많지만 경주에 있는 신라의 사적만큼 우리들의 감흥을 불러일으키는 뚜렷한 것은 없다. 또한 경주의 사적 중에서도 불국사와 석굴암 같이 미술적 가치가 뛰어난 것은 없다.

임란 이후 대부분의 건축물이 소실되어 복원하지 못한 상태이나 남아 있는 당대의 유물에 대한 경탄은 숨길 수가 없었다. 그들은 불국사와 석굴암이 비록 황폐하게 비쳐지기는 했지만 신라인의 가장 뛰어난 예술로 평가하였으며 가장 중요한 수리보존 대상으로 지목하였다.

1918년 10월 31일

《경상북도물산공진회의 미술품전람회》

1918년 10월 31일부터 11월 29일까지 대구부에서 '경상북도물산공진회'를 열었다.

경북공진회 회기 중에 협찬회사업의 일부분으로 경북도청 구내에 있는 뢰경관에서 《미술품전람회》를 개최하였다. 이때 진열품은 계하에는 고대의 불상 10체 신라토기 및 고려자기, 곡옥, 석봉, 석족 등과 신진조각가의 조각품을 진열하였다. 계상에는 조선, 중국, 일본의 회화와 신진화가들의 수채화 등을 진열했다.

慶北共進會

附協贊會彙報

共進會彙報

▲美術品展覽會

『매일신보』 1918년 10월 11일자

미술품을 진열한 뢰경관

특히 이왕가박물관에서도 이 전람회를 협찬하여 많은 진열품을 출품했다. 안견 필 설천도雪天圖, 윤덕희 필 묵화운용도墨畵雲龍圖, 이인문 필 산수도山水圖, 신윤복 필 부인보행도夫人步行圖, 어몽룡 필 묵화매화도墨畵梅花圖, 심사정 필 산수도, 남계우 필 군접도群蝶圖를 비롯한 고서화 20여 점을 비롯하여 신라시대 아미타불상, 고려시대의 청자화병, 향로, 수주, 조선시대의 공예품 등을 진열했다.

『부산일보』 1918년 11월 7일자에는 다음과 같은 기사가 있다.

> 뢰경관 미술전람회. 초일 이래 인기 왕성, 대구협찬회의 주최로 미술품전람회를 공진회 개최와 함께 대구 뢰경관에서 개최하였다. 걸작 일품이 산같이 쌓여 특히 이왕가 비장의 고기물, 고서화는 본회의 인기의 중심에 있다. 초일 이래 매일 7, 8백 명의 입장자가 끊이지 않고 관람을 하고 있다. 이왕가박물관 출품 외 나가노中野 부윤, 야마나카 비씨히로山中通博 씨 소장의 이토伊藤 공의 글씨, 오오츠카 겐지大塚健次 소장의 대원군 글씨, 문명기 씨 소장의 소동파 글씨 등 운운

1918년 11월 4일

석왕사 말사 황경남도 문천군 운흥사雲興寺와 함경남도 고흥군 대승사大乘寺를 폐지하다.[129]

129 『朝鮮總督府官報』 1918년 11월 4일자.

1918년 11월 9일

귀주사 말사 중 함경북도 부령군 석막면 흥복사興福寺, 청운사靑雲寺, 청룡사靑龍寺를 폐지하고, 동군 서상면 백운사白雲寺를 폐지하다.[130]

야쓰이 세이이치(谷井濟一)의 전남, 경남 지역 조사

야쓰이 세이이치谷井濟一는 측량원 3명(野守健, 小場恒吉, 小川敬吉)과 함께 11월 9일부터 10일까지 순천군 송광면 송광사를 조사하고, 11일에는 선암사를 조사했다. 11월 14일에는 여수군 여수면 좌수영의 황산대첩비 및 타루비를 조사하고, 17일에는 경남으로 들어가 사천군 읍남면의 유적을 조사했다.

11월 19일에는 진주군 집현면 봉항리의 고분 4기를 조사하고, 21일에는 진주면 옥봉리의 고분 및 평거면 신안리의 고분을 조사했다.

11월 23일에는 고성군에 들어가 고성면 기월리의 고분군 및 삼산면 산성을 조사하고, 24일에는 통영군으로 들어가 충렬사를 조사했다.

11월 25일에는 한산면의 이충무공비 조사하고, 27일에는 거제면 동상리의 산성 및 일연면의 읍성을 조사했다.

11월 28일에는 사등면의 왜성을 조사하고 30일에는 창원군으로 들어가 상남면 봉림사지를 조사했다.

130 『朝鮮總督府官報』 1918년 11월 9일자.

12월 3일에는 함안군으로 나아가 10일간 머물면서 가야면 가야성지 및 고분군을 조사하고 도정리의 고분을 발굴하고 감坩, 도刀 등을 발굴했다. 12월 6일 경성으로 돌아왔다.[131]

1918년 12월 4일

서화전람회 입찰(入札)

매일신문사 주최로 1918년 12월 7일부터 8일까지 매일신문사 래청관에서 개인 모가 소장한 고서화를 입찰에 붙였는데 작품명은 밝히지 않고 있다.[132]

1918년 12월 7일

《신고서화대전람회》

1918년 12월 7일부터 12월 9일까지 《신고서화대전람회》가 부산상공회의소에서

131 「大正7年度古蹟調査成績」, 『朝鮮彙報』, 朝鮮總督府, 1919년 8월; 梅原末治, 『朝鮮古代の墓制』, 國書刊行會, 1972, pp.112-113.

132 『每日申報』 1918년 12월 8일자.

개최되었다. 이 전람회는 부산재주의 거물 오이케 타다스케大池忠助, 하자마 후사타로迫間房太郎, 가시이 겐타로香椎源太郎가 주동이 되어 도쿄의 모 명사의 수집품과 부산재주의 유지자, 부윤 와카마츠若松를 비롯한 9명의 찬조를 받아 부산일보의 후원으로 개최되었다.

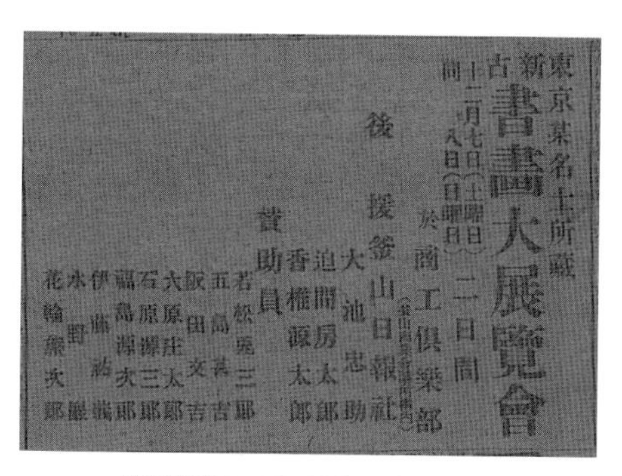

東京某名士所藏
新古書畫大展覽會
十二月七日(土曜日)八日(日曜日)二日間
於商工俱樂部
後援 釜山日報社
贊助員
大池忠助
迫間房太郎
香椎源太郎
若松兎三郎
五島甚吉
阪田文吉
大原庄太郎
石原源三郎

『부산일보』 1918년 12월 7일자

가시이 겐타로香椎源太郎는 1894년에 한국을 시찰한 후 러일전쟁을 계기로 한국에 건너와 쓰루하라鶴原 총감부장관을 설득하여 이토 히로부미伊藤博文을 만나 거제도 가덕도 등의 어장권을 얻어 수산업을 시작, 이왕가 소유의 어구 중에 20여 개소의 어구를 대하貸下받아 수산업을 하여 수산왕이라는 별칭까지 붙었다. 가시이는 부산상공회의소 대표, 총독부산업조사회회원, 조선수산협회장을 역임하였다. 가시이는 막강한 재력을 이용하여 많은 고미술품을 수집하였다. 1934년에는 동경미술구락부에서 상당히 만은 량의 서화골동을 경매에 붙여 팔기도 했다.[133]

新古書畫大入札
九日午後六時より商工俱樂部にて
七、八兩日間會議所内商工俱樂部に於て普く一般の觀覽に供したる新古書畫數千點の内賣約濟の殘品數百點を九日(月曜日)午後六時より商工俱樂部に於て入札に附す買受希望者の御來場を乞ふ
後援 釜山日報社
札元 吉田梅香堂

『부산일보』 1918년 12월 9일자

1923년 『개벽』지에 게재된 「조선문화의 기본조사」에, "경남의 조선인 상업계도 일인을 중심 삼아 운전된다. 그들은 마치 망과 망같고 의복의 령領과 같다. 예를 들

133 東京美術俱樂部, 『釜山香椎家藏入札』, 1934.

면 부산 거주의 가시이 겐타로香椎源太郎, 오이케 타다스케大池忠助, 하자마 후사타로迫間房太郎와 같은 사람은 모두 백만의 장자로서 그들의 소유한 경제력은 경남 일원에 팽배한 것뿐이 아니다"라 할 정도로 경남 일대를 좌지우지하는 거부들이다.

당시 진열된 서화의 수는 수천점이라 하나 어떤 작품이 출품되었는지는 알 수 없으며, 부산의 골동상 요시다吉田(梅香堂 주)가 주선하여 대입찰회를 가졌다. 입찰 방식은 정찰제로 하여 12월 7일과 8일은 즉매를 하였고, 12월 9일에는 경매 방식을 택했다. 즉 정찰제로 하여 1차 판매를 하고 1차에서 판매되지 않은 것을 2차로 경매에 붙이는 방법으로 매매의 효율성을 극대화 하고 있다. 12월 9일 경매에는 2백여 명이 참가하여 백 수십 점이 낙찰되었다고 한다.[134]

이 같은 경매회는 경성미술구락부의 경매회 이전의 일로서 경성미술구락부 탄생에 상당한 자극을 주었을 것으로 보인다.

1918년 12월 14일

야쓰이 세이이치(谷井濟一)의 창녕 일대의 고분 조사

야쓰이 세이이치谷井濟一는 측량원 3명(野守健, 小場恒吉, 小川敬吉)과 함께 12월 14일부터 24일까지 창령군에 머물면서 창녕면 교동의 제5호분~제8호분을 발굴했다. 제5호분에서는 도기파편, 도자, 이환 등을 발굴하고, 제6호분에서 비

134 『釜山日報』 1918년 12월 6일~10일자.

轡, 등鐙 1대, 족, 금제이환, 도자, 부斧, 마구, 토기 수종을 발굴했다. 제7호분에서 금은동 각종 천釧, 금제이환, 금제영락金製瓔珞, 구옥, 관옥, 은옥, 절자옥, 소옥, 족, 등, 기타 마구, 동제분銅製盆, 천釧, 부斧, 모鉾, 금동관金銅冠, 토기 각종을 발굴하고, 제8호분에서는 토기 수종 발굴했다. 제89호분을 발굴하던 중 귀경했다.[135]

이를 정리하면 대략 다음과 같다.

지역	조사자	내용	출토 유물	
경남 창녕	谷井濟一, 野守健, 小場恒吉, 小川敬吉	교동 제5호분	토기파편, 귀걸이, 刀子	출처[314]
경남 창녕	谷井濟一, 野守健, 小場恒吉	교동 제6호분	말재갈, 발걸이, 활촉, 금제이식, 토기, 刀子, 斧, 마구	출처[315]
경남 창녕	谷井濟一, 野守健, 小場恒吉	교동 제7호분	은제허리띠, 창, 금은동 각종 釧(가락지), 금제이환, 金製瓔珞, 勾玉, 관옥, 은옥, 切子玉, 소옥, 족, 등, 기타 마구, 銅製盆, 釧, 斧, 鉾, 金銅冠, 토기 각종	출처[316]

135 「大正7年度古蹟調査成績」, 『朝鮮彙報』, 朝鮮總督府, 1919년 8월; 早乙女雅博, 「新羅の考古學調査 100年の研究」, 『朝鮮史研究會論文集』 39, 朝鮮史研究會, 2001년 10월; 穴澤和光, 馬目順一, 「昌寧校洞古墳群 -「梅原考古資料」を中心とした谷井濟一氏發掘資料の研究-」, 『考古學雜誌』 제61권 제4호, 日本考古學會, 1975년 3월.

136 金洸扈, 「昌寧校洞 古墳群 및 桂城 古墳群 出土遺物과 其他」, 『慶南鄕土史論叢 Ⅵ』, 慶南鄕土史研究協議會, 1997; 「大正7年度古蹟調査成績」, 『朝鮮彙報』, 朝鮮總督府, 1919년 8월; 穴澤和光, 馬目順一, 「昌寧校洞古墳群 -「梅原考古資料」を中心とした谷井濟一氏發掘資料の研究-」, 『考古學雜誌』 제61권 제4호, 日本考古學會, 1975년 3월.

137 金洸扈, 「昌寧校洞 古墳群 및 桂城 古墳群 出土遺物과 其他」, 『慶南鄕土史論叢 Ⅵ』, 慶南鄕土史研究協議會, 1997; 「大正7年度古蹟調査成績」, 『朝鮮彙報』, 朝鮮總督府, 1919년 8월; 穴澤和光, 馬目順一, 「昌寧校洞古墳群 -「梅原考古資料」を中心とした谷井濟一氏發掘資料の研究-」, 『考古學雜誌』 제61권 제4호, 日本考古學會, 1975년 3월.

지역	조사자	내용	출토 유물	
경남 창녕	谷井濟一, 野守健, 小場恒吉	교동 제87호분	금제이식, 기타	출처317

1918년 12월 20일

지림사 말사 경상북도 영일군 창주면 해봉사海峰寺를 폐지하다.[140]

1918년 12월 28일

고운사 말사 경상북도 안동군 도산면 운곡리에 있는 용수사龍壽寺, 남수암南水庵을 폐지하다.[141]

138 金洸匡, 「昌寧校洞 古墳群 및 桂城 古墳群 出土遺物과 其他」, 『慶南鄕土史論叢 Ⅵ』, 慶南鄕土史硏究協議會, 1997; 「大正7年度古蹟調査成績」, 『朝鮮彙報』, 朝鮮總督府, 1919년 8월; 穴澤和光, 馬目順一, 「昌寧校洞古墳群 -「梅原考古資料」を中心とした谷井濟一氏發掘資料の研究-」, 『考古學雜誌』 제61권 제4호, 日本考古學會, 1975년 3월.

139 國立中央博物館, 『유리원판목록집 Ⅰ』, 1997, 원판번호 180297.

140 『朝鮮總督府官報』 1918년 12월 20일자.

141 『朝鮮總督府官報』 1918년 12월 28일자.

같은 해

박물관 진열품

1918년의 총독부박물관은 고적조사 진행에 따라 출품의 수가 점차 증가하여 구입품 역시 증가하였으므로 진열실 증설의 필요가 있어 1918년 중 근정, 사정, 만춘, 천추의 4전을 택하여 고적조사에 의하여 수집한 물품을 진열하고 동시에 각 진열실의 진열품을 교체하였다.

증설실의 진열은 한, 고구려, 백제, 신라, 가야, 고려, 유사전으로 구분하였다. 만춘, 천추의 2전에는 유사선의 유물을 진열하고, 사정전에 한 대의 유물을 진열하고, 기타는 모두 근정전에 진열하였으며 대체로 지방 순에 따라 진열하고 동일 장소에서 나온 것은 한 곳에 집합하여 출토지의 지도, 실측도, 사진 등을 게재하였다. 또 석비 기타의 탁본, 고분벽화의 모사본을 진열하였다.

고구려 고분벽화의 모사도는 평안남도 순천군 북창면의 고분 및 대동군 시족면의 고분을 모사하여 진열하였다. 또 경기도 개성군 청교면에 있는 통칭 양릉의 벽화를 모사하여 진열하였다.

금석물의 수집은 경상북도 영주군 영주면에 있는 백월서운탑비 및 충청남도 서산군 해미면에 있는 석가철불과 원 경기도 개성군 관덕면에 있었던 경천사탑을 반이 완료하였다.[142]

---

142 「대정7년의 조선, 박물관」, 『每日申報』 1919년 2월 4일자.

경주 고적의 파괴

1918년 당시 철도공사와 신시가지공사 및 건물신축공사를 하면서 공사현장 가까이에 유존遺存한 고탑이나 성벽을 헐어서 사용한 예가 비일비재非一非再하였던 바, 아래의 신문기사「경주에 재在한 석물 보존의 요要」는 이 당시의 실상을 그대로 전하고 있다.

<전략> 석물 파괴의 이유를 들면, 첫째, 가로의 신축이라 하나니 경주의 시가는 지금 남북 종회으로 조금씩 정비하려 하며 그 도로의 축석築石은 모두 천년풍우를 경과한 고석물을 부수어 이용한 것이라 경주읍 도로의 우측을 살펴보면 창고한 태흔苔痕이 점착한 고석재와 혹은 탑석, 조편彫片 기타 허다의 역사물이 여하한 희생이 되고 말았는가 멸서리전반(묘포장 남편)에 도괴되었던 탑석도 이 때문에 파괴되었으며 지금까지 파편의 일부는 원지에 잔존하고 노동리 어느 도로가 가옥 모퉁이에 있던 등롱조燈籠彫와 같은 것도 이 때문에 파쇄破碎되었나니 이는 오인의 목격에 불과한 것이오 이외 발견치 못한 중에 많은 탑석 등롱 혹이 이상 귀중한 것이 파괴망진破壞亡盡되엇을까는 족히 상도想到할만 하도다.

찬연燦然한 문물文物은 지금에 황량한 전와殿瓦란 초礎로 원야봉고原野逢藁의 간間에 위몰委沒하였을 뿐 아니라 그렇듯 풍마우세風磨雨洗하고 병화兵火 참혹한 중에도 이 석물石物은 경겁열화經劫閱禍한 경해잔해硬骸殘骸로 금일까지 유존遺存하여 온 우리들의 정신적 생명에 가장 귀중한 영혼이어늘 임해전臨海殿 유재遺材와 흥륜사興輪寺 석조石槽는 표면적 전변轉變에 불과한 것이

로되 낭산하 구갑석상具甲石像의 신수이처身首異處한 참상과 (?)릉전陵前 석란화표石欄華表의 넘어져 파괴된 이유를 생각하면 오인吾人의 우악愚惡이 실로 놀랄 만 하였도다. 그러나 기왕은 여하如何하얏든지 금일에 이르렀어는 당국의 용의와 보존회의 기획이 주도하니 이러한 석물의 역사적 미술적으로 귀중한 가치가 있는 것은 <중략>

경주의 시가는 금에 남북종횡하야 차차 정비하려하며 그 가로의 축석築石은 거개擧皆 천년 풍우를 경한 고석물을 파쇄破碎 이용한 것이라 경주읍 가로의 양측을 번시番視하라 그 창고蒼古한 태흔苔痕이 점착黏着한 고석재와 혹은 탑석, 조편彫片 기타 허다許多의 역사물이 여하한 희생이 되고 말았는가 성서리 전반田畔에 전노顚倒하였던 탑석도 이 때문에 파쇄되었으며 지금까지 파편의 일부는 원지에 잔존하고 노동路東의 어느 방가옥우旁街屋隅에 있는 등롱조燈籠彫와 여如한 것도 이 때문에 파쇄되앗나니 이는 오인吾人의 목격에 불과한 것이요 그 외 외견外見치 못한 중에 기다幾多의 탑석 등롱 혹 차이상此以上일 것이다.

가옥건축의 격증激增이라하나 최근 경주는 가옥의 신축이 역亦 불소不少하니 그 축기연초築基研礎에 요용要用되는 석물은 물론 고석물인 것이라 이전은 흔히 원상대로 사용하였으나 지금은 이를 개치開治하야 사용하며 더욱 수축修築에 용用하는 석은 파쇄하야 사용하도다. 설혹 개중에는 역사적 미술적으로 중요한 바 운운云云.[143]

143 『每日申報』 1918년 11월 29일, 30일자.

우리 문화재 수난일지

1919년

1919년 1월 7일

마곡사 말사 중 다음 사찰이 폐지되다.

충청남도 논산군 대승사大乘寺, 정수암淨水菴

충청남도 부여군 덕천사德天寺

경기도 진위군 망월암望月菴

충청남도 아산군 백련암白蓮菴

충청남도 서산군 동전東殿

충청남도 보령군 감도사鑑島寺[144]

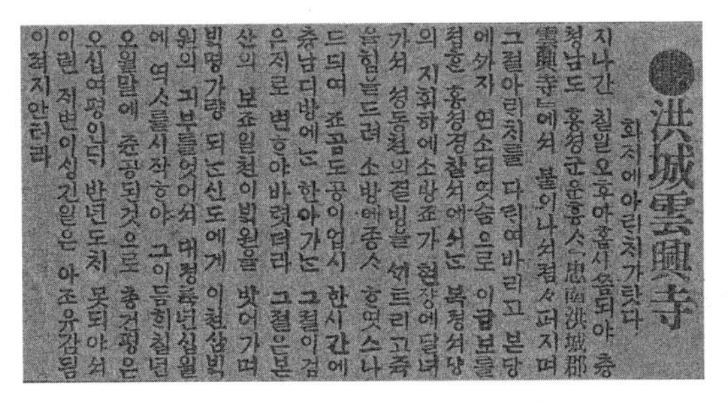
洪城雲興寺

화지에 아리치가 탓다

지나간 칠일오후아홉시쯤되야 츙청남도 홍셩군운흥ᄉᆞ(忠南洪城郡雲興寺)에셔 불이나셔졈졈퍼지며 그절아리치를 다티여바리고 본당에ᄭᆞ지 연소되엿슴으로 이급보를 졉ᄒᆞᆫ 홍셩경찰셔에셔는 복청셔댱의 지휘하에소방죠가현장에달녀가셔 셩동쳔의결빙을 ᄭᅢ트리고쥭을힘을드려 소방에죵ᄉᆞᄒᆞ엿스나 드듸여 죠곰도공이업시 한시간에 츙남디방에는 한아가는 그졀이검은지로 변ᄒᆞ야바렷더라 그졀은본산의 보죠일쳔이ᄇᆡᆨ원을 밧어가며 ᄇᆡᆨ명가량되는신도에게 이쳔삼ᄇᆡᆨ원의 긔부를엇어셔 대졍륙년십월에 역ᄉᆞ를시작ᄒᆞ야 그이듬ᄒᆡ칠년오월말에 쥰공된것으로 총건평은 오십여평인ᄃᆡ 반년도치 못되야셔 이런 ᄌᆡ변이싱긴일은 아조유감됨이적지안터라

『매일신보』 1919년 1월 17일자 기사

홍성 운흥사가 화재로 소실되다.

7일 오후 9시에 충남 홍성군 운흥사雲興寺에서 불이 나서 아랫채를 다 태우고 본당까지 연소되었다. 이 사찰은 1918년 5월에 준공한 신설 사찰로 반년도 못되어 소실된 것이다.

144 『朝鮮總督府官報』 1919년 1월 7일자.

1919년 1월 10일

제12회 고적조사위원회 의안 결의

제12회 고적조사위원회는 회의는 생략하고 1918년 12월 5일 기안한 '국유 대부지貸付地 고적 처리'를 회람하였다. 유적 및 유물이 존재하는 대부 국유지 처리 방법과 대부를 지속하는 조건이 기재되어 있으며, 총 30개소의 대부 국유 임야를 조사한 표가 첨부되어 있다. 또한 의안문서와 동일한 내용으로 '국유 대부지貸付地 고적 처리'를 수정한 문서도 포함되어 있다.

이 같은 의안 내용인 '국유임야내 고적보존 건'이 원안原案과 거의 동일한 내용으로 1919년 1월 10일 결의되었다. 문서에 첨부된 대부 국유임야 조사표에는 경기도, 충청남북도, 전라남도, 경상남북도, 평안남도의 총 30개소에 대한 정보가 적혀 있다.[145]

제13회 고적조사위원회

제13회 고적조사위원회는 회의를 생략하고 1919년 1월 10일 석탑 및 고분 소재지 보존과 관련된 의안을 회람하였다.

---

145 「제12회 고적조사위원회 의안 결의」, 국립중앙박물관 소장 조선총독부박물관 공문서, 목록번호 : 96-107.

건명은 '석탑 및 고분 소재지 보존의 건'으로 별지 안건은 위원회를 생략하고 의안을 회람하여 의견을 물어 가결하는 것으로 했다.

그 내용은 '경북 의성군 산운면 탑리동의 석탑, 소문면 대리동 고분 소재지'에 관한 것으로, 이유는 의성군 산운면 탑리동의 석탑은 5층석탑으로 1성기단 위에 세운 탑으로 제1층에 감실을 가지고 있으며 노반이상을 잃어버리고 나머지는 완전, 현재 고 31척, 통일신라시대의 작이다. 의성군 소문면 대리동 소재 고분은 미조사에 속하는 것으로 이 지역은 통일신라 이전의 소문국의 유적으로 부근에는 궁기宮基라 하는 장소 및 삼국시대에 속하는 산성지 등으로 보아 현재 남아 있는 고분은 소문국의 중요한 유적으로 추측되어, 이상의 사정으로 석탑의 기지 및 고분 소재지를 보존해야 한다는 내용이다.[146]

1919년 1월 13일

야쓰이 세이이치(谷井濟一)의 창녕 교동 고분 조사

야쓰이 세이이치谷井濟一은 1919년 1월13일부터 다시 창녕으로 내려가 1918년에 시작한 창녕 제89호분의 발굴을 계속하여 고배, 감, 창, 도검, 토기, 마구, 구옥, 은제장신구, 소옥, 철족, 철부, 금환 등을 발굴했다.

146 「제13회 고적조사위원회 의안 결의」, 국립중앙박물관 소장 조선총독부박물관 공문서, 목록번호 : 96-289.

12호분에서 감, 행엽杏葉, 비轡, 철부, 금은제장신구, 금천金釧, 은제지륜, 소옥 등을 발굴했다. 계속하여 제91호분에서 금환, 감 등을 발굴했다.

제10호분에서 철도, 철족, 금환, 토기 수백 개를 발굴하고, 제11호분에서 옥류, 천釧, 대금구, 철창, 이환, 도검, 장신구, 등鐙, 마구, 철부, 동령銅鈴, 토기 100여 개를 발굴했다.[147]

정리하면 대략 다음과 같다.[148]

시기	지역	조사자	내용	출토 유물
1918년	경남 창녕군	谷井濟一, 野守健, 小場恒吉	교동 제89호분	은제조익형관식편, 금제이식, 유리구슬, 곡옥, 은제과대장식, 황두대도, 철족, 마탁, 처제교구, 고배, 기타
1919년 1월	경남 창녕군	谷井濟一, 野守健, 小場恒吉	교동 제8호분, 제9호분	창, 마구, 곡옥, 은제장신구, 철촉, 쇠도끼, 갑옷투구, 금환, 토기, 기타
1919년 1월	경남 창녕군	谷井濟一, 野守健, 小場恒吉	교동 제12호분	鐵斧, 금은제장신구, 금팔찌, 坩, 杏葉, 비轡, 철부, 金釧, 은제지륜, 소옥
1919년 1월	경남 창녕군	谷井濟一, 野守健, 小場恒吉	교동 제10호분	鐵刀, 철족, 금환, 토기 수 백개
1919년 1월	경남 창녕군	谷井濟一, 野守健, 小場恒吉	교동 제11호분	옥류, 釧, 대금구, 철창, 이환, 도검, 장신구, 鐙, 마구, 철부, 銅鈴, 토기 100여 개
1919년 1월	경남 창녕군	谷井濟一, 野守健, 小場恒吉	교동 제91호분	금환, 토기

147 「大正7年度古蹟調査成績」, 『朝鮮彙報』, 朝鮮總督府, 1919년 8월.

148 金洸扆, 「昌寧校洞 古墳群 및 桂城 古墳群 出土遺物과 其他」, 『慶南鄕土史論叢 Ⅵ』, 慶南鄕土史研究協議會, 1997; 「大正7年度古蹟調査成績」, 『朝鮮彙報』, 朝鮮總督府, 1919년 8월; 穴澤和光, 馬目順一, 「昌寧校洞古墳群 -「梅原考古資料」を中心とした谷井濟一氏發掘資料の研究-」, 『考古學雜誌』 제61권 제4호, 日本考古學會, 1975년 3월; 國立中央博物館, 『유리원판목록집 Ⅰ』, 1997. 원판번호 180227~180295,.

야쓰이 세이이치의 창령 교동고분의 대발굴은 1918년부터 1919년까지 행한 것으로 이에 대한 현존 유일의 기사로 생각하는 것으로, 조선총독부 발행의 『조선휘보』(1919년 8월호)에 게재한 필자 불명의 「대정7년도 고적조사성적」이 있다. 여기에는 야쓰이가 1918년 10월 14일에 측량원 오바 쓰네키치小場恒吉, 노모리 겐野守健, 오가와 게이키치小川敬吉와 함께 경성을 출발하여 전라남도의 나주, 경상남도 함안을 시작으로 각지의 고분을 포함한 유적을 발굴 조사하고, 12월에 창령군에 들어가 14일부터 24일까지 일대의 고분을 조사한 기록과 1919년 1월에 조사한 기록이 일부 남아 있을 뿐이다.

발굴조사의 사후처리는 발굴 담당 책임자인 야쓰이가 1921년 부친의 병세로 인해 박물관위원직을 사퇴하고 귀국하게 되어 이후 창녕 고분에 대한 어떤 발표도 하지 않았다. 1950년 세상을 뜨기까지 『조선휘보』의 기사를 제하면 창녕 발굴에 대한 것은 정식보고서는 물론이고 간단한 개요마저도 발표되지 않았다.[149] 당시 야쓰이와 함께 참여하였던 오바 쓰네키치, 노모리 겐, 오가와 게이키치들마저도 그 내용을 발표하지 않아 그 당시의 상세한 사정을 알 도리가 없다.

야쓰이 일행이 1918년부터 1919년에 창령 일대에서 발굴한 각종 토기, 각종 무기류, 각종 장신구 등은 가장 중요한 유물로[150] 그 수는 엄청난 것이다. 당시 발굴품은 우메하라에 의하면 "마차 20대, 화차 2냥"을 채울 만한 양이라고 하고 있다.

야쓰이 일행의 대발굴 이후 창령의 미발굴 고분은 도굴로 인하여 급속히 황

149 穴澤和光, 馬目順一, 「昌寧校洞古墳群 -「梅原考古資料」を中心とした谷井濟一氏發掘資料の研究-」, 『考古學雜誌』 제61권 제4호, 日本考古學會, 1975년 3월, p.25.
150 藤田亮策, 「朝鮮に於ける古蹟の調査及び保存の沿革」, 『朝鮮』, 1931년 12월.

폐해졌다. 1930년에 창령 일대의 고분이 도굴되었다는 현지의 통보를 받고 그 이듬해 2월에 총독부박물관 기수 다나카 쥬조田中十藏가 창령 일대의 고분을 조사한 결과 1917, 1918년에 총독부에서 조사한 것을 제하면 거의 전부 도굴되어 내부의 유물을 훔쳐갔다고 한다.[151]

『매일신보』 1919년 2월 19일자에는 언제 누가 발굴한 것인지 밝히지 않고 '발굴된 고대의 유물'이라 하여 사진이 한 장 실려 있다. 사진 설명에는 "(위)는 전남 나주군 제남면(반남면의 오기로 보인다)의 고분에서 출토된 금관과 신발, (아래)는 경주 보문리에서 출토된 비취순금장식의 구옥과 순금귀고리"이라고만 설명하고 있다. 『조선휘보』 1919년 1월호에도 같은 사진이 실려 있다. 경주 보문리의 것은 1918년에 하라다原田가 발굴한 것으로 추정되며, 전남 나주에서 발굴한 것은 1918년 야쓰이谷井 일행에 의해 발굴된 것으로 추정되나 다른 보고서 등에는 나타나 있지 않다.

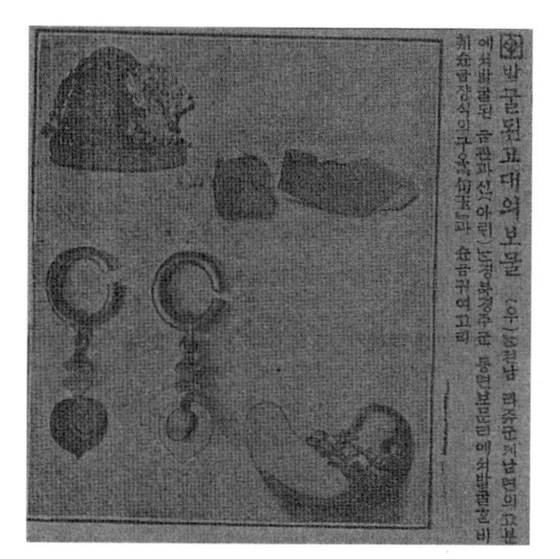

『매일신보』 1919년 2월 19일자

151 宮澤和光, 馬目順一, 「昌寧校洞古墳群 「梅原考古資料」を中心とした谷井濟一氏發掘資料の研究-」, 『考古學雜誌』 제61권 제4호, 日本考古學會, 1975년 3월, p.26.

1919년 1월 21일

고종 황제 승하

1919년 1월 21일 새벽, 고종 황제가 승하했다. 하루 전까지 건강한 모습이던 고종의 승하는 많은 의문점을 낳게 했다. 고종 승하의 비보는『매일신보』에서 연일 보도를 했다. 고종 승하의 취재는 이상협 기자가 하고 편집은 편집과에 근무한 민태원 기자가 맡았는데, 당시의 상황을 민태원 기자가 잡지『삼천리』에 게재한 글의 일부는 다음과 같다.

> 1919(大正8)년 1월 21일 이엇다. 이 날은 조선의 상하를 진해震駭한 애끗난 눈물의 날로 덕수궁 이태왕께서 영원히 이 세상을 떠나버리시옵던 날이다. 새벽 2시 구중심궁九重深宮 함녕전咸寧殿에서 도라가시자 우리들은 그날 일은 아침에야 알앗다. 그리하야 이상협군이 출입기자로서 곳 덕수궁에 들어갓다. <중략>
> 돌연한 비보와 당야當夜의 광경
> 세상에서 모다 놀낸 모양으로 우리들 기자들도 이태왕께서 이렇게 돌연이 훙거薨去하심에는 몹시 놀래엇다. 돌아가옵시던 당야當夜의 광경을 아침 그때 이왕직사무관으로 잇던(그 뒤 朝鮮新聞副社長에 就任한 일까지 잇는) 권등사랑개權藤四郎介 씨가 기록한 것을 보건대
> 「실로 양삼년래의 현안이든 왕세자전하現 李王殿下께서와 이본궁梨本宮 방자녀왕전하方子女王殿下께서의 어 록담綠談이 전년 가을에 성립되야 이왕가의 내외

는 희색에 찻고 더욱 이태왕전하께서는 어말자御末子이신 최애最愛의 은垠 전하께서 어 경사慶事를 거행하신다기 매우 기뻐하셨다. 이리하야 제반의 준비가 다되어 1월 28일 동경 마포麻布의 왕세자저에서 어御 경전慶典을 거행하기로 되어 서울에서는 이왕전하 및 비전하의 어사로서 윤찬 시장 태왕전하의 어사로서 김찬 시장을 위시하야 민 장관, 국분國分 차관 이하 직원과 어관척을 대표하야 윤택영 후, 조동윤 남 귀족을 대표하야 이완용 후, 송병준 백, 민영찬 씨 등이 참렬의 광영에 욕浴코저 1월 20일 모다 경성 출발하야 동상東上의 길에 올랐다. 그 전일 이태왕 전하께서는 희열만면喜悅滿面으로 이 여러 참렬원을 함녕전에 소召하여 알謁을 사賜하고 왕세자에 대하야 자애와 온정에 찬 전언을 탁托하섯다. 엇지 아럿스랴 이것이 최후의 말씀이실 줄을 인생의 운명같이 난측難測한 것은 없다. 그러고 전하께서는 그날 밤은 어 식후 궁녀들을 모아놓고 여러 가지 이야기로 지내시다가 취침하신지 한 시간도 못하여 돌연 어 뇌에 급격한 일혈溢血의 병상을 정하야 거의 순식간에 위독危篤에 몰沒하시었다. 그리하야 이왕 전하를 비롯하야 이재각 후, 이지용 자, 민영휘 자, 조중응 자 등의 근친 귀족들이 급변에 접하여 참입叅入하여 별실에 있고 총독부의원의 삼안森安 박사 전의 안상호도 수연히 침두에 시侍하고 잇서 전내는 숙숙肅肅하여 애수에 차고 일어一語들 발함이 없는데 오직 궁녀들의 느껴 우는 소리 궁안 이곳저곳에 흐르고 있었다. 그러자 창덕궁 전하께서는 열차列次를 돌아보실 사이 없이 경우 2, 3명의 찬시무관贊侍武官을 수隨하시고 참전叅殿하시어 곳 어 병실에 들어갔으나 온안溫顔 살아계신 듯한 자애 깊으신 부군전하父君殿下는 벌서 거룩한 영혼이 되어 있음으로 지순지효至純至孝한 왕전하께서는 그 자리에서 오래오래 통곡하시었다.

한참 만에 왕전하께서는 근시近侍에 부축받으시어 겨우 별실에 입하시었다. 그 존안을 배拜하옵건대 슬픔에 잠기시어 눈물을 씻으시며 낭하廊下를 걸어가시는 어자御姿는 힘이 없으시어 누구나 우러러 뵈옵는 이 없었다. 그런 뒤 일동에도 최후의 배알拜謁이 없어 사후자伺候者는 순차로 침실에 진입하였다.」[152]

그런데 『매일신보』 1919년 1월 22일자 기사에는

이태왕 전하 중환
이태왕 전하께서는 금조今朝 6시 35분에 뇌일혈腦溢血 어중환御重患에 함陷하옵셨더라(昨朝 號外再錄).
이태왕 전하께서는 21일 오전 1시 45분 어발병하사와 즉시 신강神岡, 안상호 양 촉탁의의 배진拜診에 의하여 응급치료를 받으시고 동 9시 30분 삼안森安 박사 및 방하芳賀 의원장이 상차래궁相次來宮 배진한 결과 뇌일혈 병으로 진단하고 계속하여 어 치료 중이옵시나 어 경과는 불량하옵고.

라고 하며 고종의 중환만 알리고 승하의 보도가 없다. 고종 승하의 보도는 『매일신보』 1919년 1월 23일자에서 전하고 있는데, 사설의 앞 문장은 다음과 같이 시작하고 있다.

152 閔泰瑗, 「名記者의 그 詩節 回想(1), 李太王 國葬當時」, 『삼천리』 제6권 제5호, 1934년 5월.

이태왕 전하 훙거薨去

21일 아침에 이왕직에서 발표한바 덕수궁 이태왕 전하께서 어중환御重患에 함陷하압신 보報는 합성闔城의 시청視聽을 경악驚愕케 하얏는데 그 익일 22일 오전 6시에 수遂히 훙거薨去의 비보悲報를 전함에 지至하야는 실로 통석애도痛惜哀悼함을 불승不勝하겠도다.

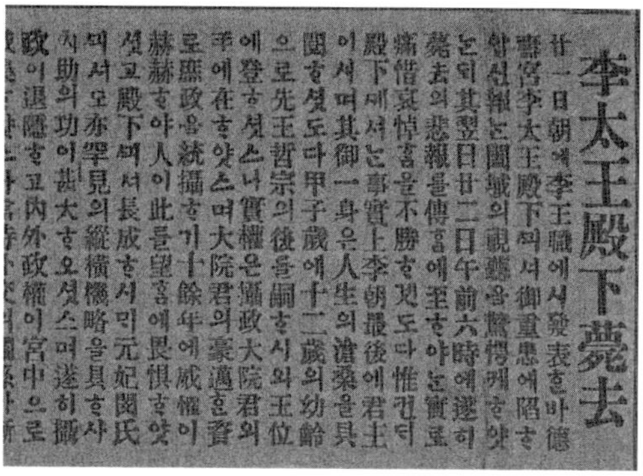
李太王殿下薨去

廿一日朝에李王職에서發表ᄒᆞᆫ바德壽宮李太王殿下ᄭᅴ서御重患에陷ᄒᆞ압신報ᄂᆞᆫ闔城의視聽을驚愕케ᄒᆞ얏ᄂᆞᆫ뒤其翌日廿二日午前六時에遂히薨去의悲報를傳ᄒᆞᆷ에至ᄒᆞ야ᄂᆞᆫ實로痛惜哀悼ᄒᆞᆷ을不勝ᄒᆞ겟도다惟컨ᄃᆡ殿下ᄭᅴ셔ᄂᆞᆫ事實上李朝最後에君主이셔며其御一身은人生의滄桑을具閱ᄒᆞ셧도다甲子歲에十二歲의幼齡으로先王哲宗의後를嗣ᄒᆞ시와王位에登ᄒᆞ셧ᄉᆞ나實權은攝政大院君의手에在ᄒᆞ얏ᄉᆞ며大院君의豪邁ᄒᆞᆫ資로庶政을統攝ᄒᆞ기十餘年에威權이赫赫ᄒᆞ야人이此를望ᄒᆞᆷ에畏惧ᄒᆞ얏셧고殿下ᄭᅴ셔長成ᄒᆞ셔믹元妃閔氏ᄭᅴ셔오亦擧見의縱橫機略을具ᄒᆞ샤치助의功이甚大ᄒᆞ오셧ᄉᆞ며遂히攝政이退隱ᄒᆞ고內外政權이宮中으로 [illegible]

이건 어떻게 된 것인가? 『매일신보』 1919년 1월 23일자에서 전하고 있는 내용은 고종의 승하 시점을 1월 22일 오전 6시로 보도하고 있다. 당시 편집을 맡았던 민태원은 "사실 21일 오전 1시 45분에 훙거薨去하셨으나 동경 관계도 있고 그 발표에 여러 가지 수속手續이 있느니 만치 그 이튿날인 22일 오전 6시 20분에 훙거하신 양으로 22일 오전 8시에 세상에 발표되었다. 이리하야 동경 가던 민 장관 일행이 모두 돌아오고 이왕 전하(당시 세자 전하)께서도 어혼의御婚儀를 연기하시고 돌아오셨으

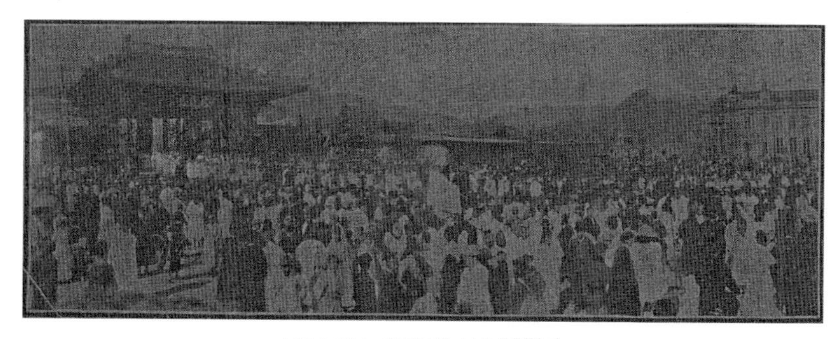

『매일신보』 1919년 1월 28일자

며 이어 반도산하는 수운愁雲에 잠기었다."[153] 라고 회고하고 있다. 여기서 말하고 있는 '여러 가지 수속' 이니, '동경 관계' 라는 것이 구체적으로 어떤 중요한 것인지 민태원도 밝히지 않고 있다. 그러나 고종의 승하 사실을 1월 23일에서야 세상에 알리게 된 것은 당국의 지시에 의한 것이었다. 뿐만 아니라 고종 승하의 시점을 거짓으로 보도했다는 것은 중대한 일로서 사인死因에 많은 의혹을 낳게 했던 것이다.

드디어는 독살설이 번지면서 조선 백성들의 분노를 불러일으켰다.[154] 1907

---

153 閔泰瑗, 「名記者의 그 詩節 回想(1), 李太王 國葬當時」, 『삼천리』 제6권 제5호, 1934년 5월.

154 일본인에 의하여 弑毒되었다는 說이 번지게 되자 이왕직에서 고종의 사인에 대한 解明發表가 있었다. 『매일신보』 1919년 3월 15, 16일자에 보도한 내용은 다음과 같다.
고종께서는 평시에 전의와 촉탁의가 매일 두 차례 아침에는 전의 1명과 촉탁의 1명, 저녁은 전의 2명과 촉탁의 3명이 診候하고 있다. 고종은 작년 8월에 치질을 앓으신 후 원기가 쇠침하신듯 하나 건강에는 별로 이상이 없었다. 붕거하시기 4, 5일 전부터는 口渴의 기운끼가 있어 취침범절이 전과는 못한 듯 하였다. 발환하시던 날 밤은 9시 10분경부터 평소의 거실인 咸寧殿 西溫突에서 內人 김옥기, 최현식, 이상규, 김정완 등을 불러 윷을 놀게 하여 승부를 자미있게 보시고 11시경에는 옆에 모시고 있는 아기씨에게 벌써 열한시가 되었으니 일직이 처소로 가서 자라 하시고 아기씨가 안녕히 침소에 듭시사 하고 인사 드리는 것을 유쾌하신 기색으로 받으신 후 매일밤의 상례대로 食醯를 가져오라 하시어 내인 신희선이 8홉쯤 드는 銀그릇에 담아 궁중의 선례대로 먼저 맛을 보고 올리어 10분의 2쯤 진어하시고 나머지는 내인 양춘가, 이완덕, 최현식, 김옥기, 김정완 등과 그밖에 數人이 나누어 먹었다. 12시경 매일밤의 정례대로 전의가 바치는 한약을 드시고 잠시 후에 실내운동을 겸하여 東溫突까지 가셨다가 西溫突로 돌아오시어 廣化堂內人 이완덕이 홀로 있으니 누구든지 가서 있으라고 분부가 있었다. 0시 40분경 졸음이 온다고 西溫突 구석칸에 있는 安樂의자에 기대어 假寐하셨는데 1시 15분경 돌연히 「어-」 하는 소리를 내시며 右手를 높이 쳐들고 左脚은 의자아래로 떨어뜨리고 의자에는 허리만 걸치게 되었다. 모시고 있던 내인 최현식, 신희선이 놀라 달려들어 머리를 들고자 하였으나 무거워서 못하고 옆방에 대령하고 있든 내인 김옥기를 부르고 동온돌에 있언 광화당(내인)까지 뛰어 나와 네사람이 허리를 들려하였으나 역시 무거워서 못하고 할 수 없이 금침을 갖다 펴고 자리에 모시고 나서 典醫와 숙직 사무관에게 급히 연락하였다. 이때 정신이 돌으신 高宗은 右手를 떠시며 어째서 이러하냐 감기로 생긴 오한인가 혹시 신경통인가 별로 걱정은 되지 아니할까 하시므로 심려하시는 기색을 본 내인들은 「아무일도 없으시외다 복약만 하시면 직시 쾌복 되십니다」 하고 돌려가며 위로하였고 광화당(내인)은 창덕궁과 이강공저에 전화하오리까 하고 여쭌즉 속히 전화하라고 하시었다. 이때 숙직사무관 한상학이 들어와 문안하니 내가 아까 크게 소리를 질렀다는데 혹시 급한 체징이 아니냐 하고 무르시어 그러실듯 합니다 하고 대답드리었다. 또 이때 典醫 김형배가 들어오니 이 병은 동풍이 아니냐고 물으시므로 김형배는 동풍인줄 아나 놀라실까 해서 그렇지않은 것으로 엿줍고 청심환을 드리니 청심환은 동풍에 쓰는 것을 알고 계신 고종은 동풍이로구나 얼른 안상호를 부르라 하시었다. 한상학은 직시 안상호(囑託醫)에 전화를 걸고 신강촉탁의에게는 급히 전인하였다. 2시 30분에 안상호가 들어오니 얼른 맥을 보아라 하시었다. 맥박 110 體溫 36.5로 아주 중태는 아니나 腦溢血이 확실하므로 급히 典醫補 지부의웅을 불러들이어 治療하던 중 風症이 발작하여 回를 거듭 할수록 점차 더 심해갔다. 昌德宮에서 보내온 典醫 徐丙孝가 한약을 드렸으나 목에 넘어가지 못하였다. 4時 53分 신강촉탁의가 들어왔는데 누구냐고 물으시므로 신강이라 여쭈니 잠시 바라보시고 호천촉탁의도 참내하여 함께도와 치료하게 되었는데 좀 자겠다고 말씀하시더니 그후 다시 정신이 혼미하시게 되어 5시 30분에 삼안박사가 배진 치료하였으나 효험이 없었으며 발병 이후 열두번 동풍으로 6시 30분에 전혀 중태에 이르셨다. 이상은 당일의 근시내인 최현식, 신희선, 전의 김형배, 촉탁의 신강일형, 안상호, 호천금자, 전의보 지부의웅 간호부 최효신 숙직사무관 한상학의 진술에 의한 것이라고 한다. 또 某의 使嗾를 받아 食醢에 毒藥을 타 드렸다는 궁녀 2인도 緘口를 위해 毒殺하였다 하나 病死가 확실하다. 그 한 사람은 덕수궁 보기내인 박완기(62세, 高陽郡 恩平面 구구동 21통 7戶 거주)로 內殿의 소제와 온돌에 불 때는 일과 같은 잡역에 종사하고 궁내내인 숙사 12호에 사는 내인 방승기와 동거하였는데 수년전부터 肺結核과 같은 病으로 咳嗽와 血啖이 있어 왔는데 昨年의하여 일일히 먼저 맛을 본 후에 어전에 드리게 되어 있으므로 전기 미천한 궁녀와 같은 것이 어선에 참여할 수도 없는 것인즉 고末부터 더욱 惡化되었으나 家庭事情으로 退職치 못하고 그대로 계속 근무중 고종의 붕거후 더욱 낙담으로 지내다가 지난 2월1일은 종일을 통곡으로 보내고 음식도 들지 않았으며 숙사로 돌아가서도 저녁을 조금 먹고 몸이 거북하다고 누었더니 밤중부터 기침이 심하며 여러번 피를 토하다가 2일 오전 3시경에 사망하였으며 또 다른 한 명은 창덕궁 침방내인 김춘형(79세, 水下洞26거주)으로 안동별궁에서 침선에 종사하였고 10여년래로 소화불량증이 있는데다 근자에는 감기에 걸려 동소문밖 안장사에 있다가 1월 23일에 사거한 바 덕수궁에는 출입한 일 조차 없는 것이다. 이들의 죽은 원유와 당시의 상황은 동거내인들의 증언과 의사의 진단으로 병사가 확실함은 물론이고 궁중에 있는 내인에는 계급이 엄중하여 지밀내인 외는 특별히 명령이 있는 외는 고종의 거소 또는 가까히 오지 못하며 또 어선을 바칠 때는 소주방내인의 손에서 즉시 지밀내인에게 전하여 지밀내인이 궁중례법에 의하여 일일히 먼저 맛을 본 후에 어전에 드리게 되어 있으므로 전기 미천한 궁녀와 같은 것이 어선에 참여할 수도 없는 것인 즉 고종께 진독했다는 것과 치독한 궁녀 2

홍릉 천봉 행렬(『매일신보』 1919년 2월 16일자)

년 헤이그 만국평화회의에 특사를 파견했다는 이유로 고종이 일제에 의해 강제 폐위된 데다 독살설까지 흘러나오니 백성들의 분노는 당연한 것이었다.[155] 이 분노는 3·1 독립운동에 영향을 주기도 했다.

국장 행렬(『매일신보』 1919년 3월 4일자)

인을 입을 막기 위해 독살하였다는 말은 무근한 것이라고 해명하였다.

155 병합의 불법성을 규명해 온 이태진 서울대 명예교수는 고종 황제 독살설에 대한 주장을 내놓는다. 데라우치 마사타케 당시 일본 총리대신이 후배인 조선총독 하세가와 요시미치에게 "1905년 11월의 보호조약이 유효였다는 것을 확인하는 문서를 덕수궁의 이태왕(고종 황제)에게 요구하고 이를 거부할 경우에는 독살하라"는 밀령을 내렸다는 것이다. 이 교수는 이방자 여사의 수기와 일본 궁내청 관리 구라토미 유자부로의 수기를 토대로 이런 주장을 하면서 "이는 용서받기 어려운 문제로 일본인들의 자성으로 치유될 수밖에 없다"고 결론짓는다(『서울신문』 2010년 8월 24일자 기사).

1919년 3월 4일 고종은 경기 남양주시 홍릉洪陵에 안장됐다. 서울 청량리에 있던 명성황후의 시신도 이곳으로 옮겨와 하나의 봉분 속에 합장했다.

* 남양주시 홍릉 선정 유래

홍릉이 남양주로 가게 된 데에는 두 가지설이 있다. 이를 요약하여 옮겨보면 다음과 같다.

> 능침선정陵寢選定의 경로와 이유
>
> 양주군 미금면 금곡리에는 양주 소씨 조말생 산소 이하 여러 대 분묘가 있던 곳이며, 지금 홍릉으로 모신 자리로 말하면 조말생의 구광터라 한다. 그런데 홍릉을 이리로 모시게 된 경로를 살펴보면, 을미년 8월에 명성황후께서 승하하신 뒤에 청량리에 국장을 지내고 능호를 홍릉이라 하였다. 고종황제께서는 언제든지 홍릉을 천봉하려는 생각을 가지고 있었던지 그때 별입시別入侍로 궁중에 드나들던 길영수, 구본순, 제갈형 등 몇 사람이 출세를 굳히기 위하여 어디어디가 능침지로 마땅하다고 아뢰었다. 처음에는 금곡리 맞은편 군장리에 있는 구치홍具致洪의 산소 자리가 제일 좋다하여 필경 그 자리로 확정하고 경자년 산역山役까지 시작하였다. 그러나 이 구치홍의 산소 자리는 중종왕비 문정왕후가 상빈上賓하였을 때에도 그리로 능침을 모시기 위하여 면례緬禮까지 시켰다가 현궁玄宮을 짓는 마당에 돌이 일어서서 구치홍의 산소는 그 자리에 다시 환장還葬한 일이 있었다. 옛적에 있던 돌이 지금이라고 없을 리가 있으랴. 그 까닭으로 홍릉 천봉을 하려고 할 때

도 그런 문제가 없었던 것이 아니다. 좌우 제신 중에 불가하다고 고집하는 사람이 있었기에 마침내 그 자리로 확정하고 능역을 시작하였다가 과연 돌이 깔려 있으므로 지관들이 모두 놀라 어찌할 줄 모르다가 궁여일책窮餘一策으로 조말생 산소 자리가 오히려 낫다고 아뢰어 그리로 결정하였던 것이다. 이와 같이 홍릉 천봉 자리가 확정되어 묘를 파서 옮기게 되었는데, 양주 조씨의 묘가 4백여 장, 능성 구씨의 묘가 4백여 장, 반남 박씨의 묘, 종실의 양군 이하 묘를 옮기었다. 고종황제께서는 홍릉 천봉할 곳을 정했지만, 여러 가지 사정으로 미루어 오다가 뜻을 이루지 못하고 승하하게 되어 이때 청량리의 홍릉을 천봉하고 고종황제의 능침을 합봉하는 동시에 능호는 앞과 같이 홍릉으로 했다(『시대일보』 1926년 5월 5일자).

금곡릉金谷陵, 조말생의 묘지가 능침이 된 유래

고종의 비 명성황후의 능침을 청량리 洪陵으로 하고 장차 고종께 승하하시면 물론 홍릉으로 드실 터인데 홍릉의 산세로 보든지 위치로 보든지 좋지 못하였다. 이에 고종은 팔도의 유명한 지관이란 지관을 모조리 불러 능침자리를 고르라 하였다. 그리하여 지관들은 전력을 다하여 팔도의 산맥과 지리를 살피었으나 만승의 높은 자리에 계신이의 만년지지萬年之地가 될 만한 곳이 도무지 찾을 수 없으므로 고종께서는 여간 심려가 크지 않았다. 그리하여 드디어 광무4년(1900)에 이르러 각지 지관에게 하명하기를 새로운 명당지지가 없으면 이미 산소자리를 쓴 곳이라도 명당지가 있는지 알아보라는 하교를 내리게 되었다. 여러 지관들은 다시 조선 오백년 내려오는 대관과 문벌 있는 집의 산소자리는 모조리 보았더니 과연 있었다. 금곡에 있었다. 지금의 금곡 홍릉, 그곳은 조선 초 정승 조말생趙末生이란 재상의 묘지였으니 다시없는 명당자리였다.

이 말을 들은 고종은 즉시 조말생의 후손을 입시하라 하명한 후 "경의 선조대의 묘지가 가히 명당이라 하니 명성황후의 능침자리로 줌이 어떠한가?" 하고 물었다. 아무리 군명이 지엄하나 오백년 이래 대대로 40여 소의 산소를 쓴 선산을 옮기는 것은 큰 문제이므로 후손은 그 자리에서 대답을 할 수가 없었다. 물러나 종회를 열고 이것만은 할 수 없다하여 대궐문 앞에 거적을 깔고 종척 일동이 복지대명伏地待命을 했다. 이것을 보고 고종께서도 어찌할 수 없어 용서를 하고 돌려보내야만 했다. 그리고 다시 1개월이 그대로 흘렀다. 그러나 고종은 금곡에 능침을 정할 생각은 간절하여 심려만 늘어갔다.

그리고 얼마 후 고종은 다시 조씨 후손을 불러 "경의 선조 묘지가 그토록 훌륭하다 하니 구경이나 가자" 하여 조씨 유력자 몇 사람과 함께 금곡으로 친히 납시어 산세와 지리를 살피다가 "과연 명산이다. 명당이다!" 무수히 감탄을 하다가 용안에 화색을 띄우고 "어디 이렇게 좋으니 혹 무슨 기적이 없는 지 땅을 좀 파보자"고 하여 조씨 후손들이 묘소 부근을 시험적으로 몇 자를 파보았더니 아! 이것이 웬일인가! 흙속으로부터 큰 돌이 한 개 나타났는데, 그 돌에는 「五百年後李朝陵寢之地」라 뚜렷이 새겨져 있는 것이 아닌가. 이것을 본 고종은 "보라! 이것은 하늘의 뜻이로다. 할 수 없다. 이 자리는 짐에게 주고 그 대신 경들의 마음대로 사패지賜牌地를 주리다" 하니, 황명과 천명을 어길 수 없는 조씨 일문은 드디어 40여 처의 묘지를 전부 옮기고 금곡의 명당지지는 고종께서 차지하게 되었던 것이다. 고종이 승하하자 남양주군 금곡에 능침을 모시고, 이때 청량리의 홍릉을 남양주군 금곡으로 천봉하게 된 것이다(『매일신보』 1926년 6월 15일자).

1919년 2월 5일

해인사 말사 경상남도 합천군 삼가면 서운암棲雲庵을 합천군 합천면 연호사烟湖寺에 합병하다.[156]

용주사 말사 경기도 용인군 모현면 은적암隱寂庵과 경기도 용인군 외서면 선주암仙住庵을 폐지하다.[157]

1919년 2월

『고고학잡지』 1919년 2월호에 조선 영천폐사지에서 발견한 고와의 탁본을 게재하다.[158]

156 『朝鮮總督府官報』 1919년 2월 5일자.
157 『朝鮮總督府官報』 1919년 2월 5일자.
158 「古瓦面にあらはれたる幾何學的模樣」, 『考古學雜誌』, 1919년 2월.

1919년 3월 25일

대흥사 말사 중 다음의 사찰을 폐지하다.

전라남도 완도군 관음암觀音菴

전라남도 장흥군 불용사佛湧寺

전라남도 보성군 일림사一林寺[159]

1919년 3월

박물관으로 옮겨진 봉림사지 진경대사보월능공탑(眞鏡大師寶月凌空塔)과 비(碑)

창원 진경대사보월능공탑비眞鏡大師寶月凌空塔碑는 1916년~1917년 사이에 정리한 것으로 추정되는 「고적 및 유물대장등본」에는 이수와 귀부를 모두 갖추고 있으나 비가 절단되어 바닥에 넘어져 있는 것으로 기재하고 있다.[160] 1915년에 발간한 『신세계』(3권 1호)에 실린 '창원 봉림사진경대사보월능공탑비명' 조에 다음과 같이 기술하고 있다.

159 『朝鮮總督府官報』 1919년 3월 25일자.
160 『국립중앙박물관 소장 조선총독부공문서』, 목록번호 : 96-149.

경상남도 창원의 동남2리 봉림리에 재하니 비신은 고 약5척 3촌인데 중앙이 절단되어 지면에 횡도橫倒하였으니 신라 말기 승 진경의 탑비라, 진경 일대의 사적을 기하였는데 <중략>
비고 : 비의 존재는 봉림사지인데 석등, 석탑, 탑기 등이 존하고 지명을 봉림리라 부른다.[161]

진경대사보월능공탑 붕괴 상태
(국립중앙박물관 소장 유리건판)

비가 절단되어 도괴된 것이 언제인지 알 수 없으나 1915년 이전부터 이같이 방치되어 있었던 것이다. 봉림사지에 남아있던 진경대사의 탑과 비를 「고적 및 유물 대장古蹟及遺物臺帳」에 등록하고 조선총독부박물관으로 이치하게 된다.

1916년 8월 18일에 개최된 제3회 고적조사위원회에서는 세 가지의 안건이 상정되었다. 의안 1은 '석비 반입取寄' 으로 "학술상 이를 박물관에 진열 보존할 필요가 있는 동시에 본년도내에 본부에 반입하는 것이 적당할 것으로 인정" 되는 유물을 본년도(1916) 혹은 1917년도에 조선총독부로 반입하는 것으로 5개소의 유물을 제시하고 있는데 그 중에 창원 봉림사지 진경대사보월능공탑비가 포함

161 「金石文에 관한 參考」, '창원 鳳林寺眞鏡大師寶月凌空塔碑銘' 조, 『新世界』 3권 1호, 1915년 1월.

되어 있다.[162]

박물관으로의 반입은 1916년에 결정되었으나 실제로 탑비가 옮겨진 연시에 대해서 『고적급유물대장초록』(조선총독부, 1924)에는 1919년 3월로 기록하고 있다. 당시의 어떤 사정이 있어 지연된 것으로 보인다.

탑비가 옮겨질 당시의 상황은 봉림사지의 후정後庭의 산배山背에 개조 진경대사의 납골탑과 부근에 탑개석, 석고石鼓, 귀부와 타 비편 등이 있었고 당시 귀부는 하등의 이상이 없었으며 그 위에 서 있었을 것으로 사료되는 비신은 절단되어 상중上中 2단이 가까이에 넘어져 있었다. 비신의 하부는 일부 절단된 부분을 잃어 버렸다.

이들은 창원역으로 옮겨 후에 다시 총독부박물관으로 이송하였다. 하단의 비편은 그 후 일대를 수색한 결과 가까운 경작지의 땅속에서 그 일부를 발견하였으며 진경대사보월능공탑과 함께 총독부박물관으로 옮겼다.[163] 탑비는 현재 비신의 최하부 부분의 절단되었던 것을 맞추어 세웠다. 절단

원위치에 있었을 때의 모습으로 추정되는 보월능공탑(『慶南史蹟名勝談叢』에는 '(경주)석등롱'으로 기록하고 있다)

162 「제3회 고적조사위원회」, 『국립중앙박물관 소장 조선총독부공문서』, 문서번호 : 97-107.
163 諏方武骨, 『慶南史蹟名勝談叢』, 諏方武骨遺稿刊行會, 1927, pp.27-28.

된 부분의 각자刻字는 인멸湮滅되어 이 부분을 비신 이면에 보각補刻하였고 결실缺失된 부분의 석재는 원형에 맞추어 신재新材로 보완해 비좌碑座에 감입嵌入하였다.

현재 국립중앙박물관으로 옮겨진 진경대사보월능공탑은 그 조성 시기는 진경대사의 입적한 해인 경명왕7년(923)에 건립된 것으로 보고 있다. 부도의 형식은 비교적 간략하며, 양식적으로 9세기 부도와는 많은 차이가 있음을 볼 수 있다. 즉 옥개석의 기와골과 같은 것은 이미 사라지고 있으며 낙수면에 나타난 귀꽃이나 상륜부에 보이는 앙화와 보주의 형태는 처음 나타나는 형식으로 이후 고려시대 부도의 상륜부에 보이는 보주의 선구가 되고 있다.[164]

봉림사지는 창원군 상남면 봉림리鳳林里부락 뒷산에 소재한다.

신라 말기에 원감圓鑑 현욱玄昱의 제자 진경眞鏡 심희審希가 897년 이후 남계南界의 진예進禮에 이르렀을 때 진례進禮 제군사諸軍事 김율희가 정려精廬를 짓고 머물기를 청하자 이에 따랐다. 심희가 이곳에 머물자 효공왕이 봉림사라 사액하고 장군 김인광이 수축修築을 도와 봉림사를 창건하였다. 심희가 이곳에서 크게 교화 활동을 하게 되어 선문구산禪門九山 중 하나인 봉림산파의 중심도량이 되었다.[165]

진경대사보월능공탑비문

국립 창원문화연구소에서 1995년부터 1998

164 張忠植,「九山禪門의 舍利塔」,『文化史學』11-13合本, 韓國史學會, 1999, pp.428-429.
165 이정 편저,『韓國佛敎寺刹辭典』, 佛敎時代社, 1996.

년까지 4차례에 걸쳐 이 사지에 대한 발굴조사를 한 결과 이곳에서 명문와銘文瓦 등이 출토되었다. 그 중에는 「병인년봉림사와조丙寅年鳳林寺瓦造」라 간지가 새겨진 암기와가 발견되어 사찰의 창건년대가 906년경으로 추정되어 진경대사 생전에 사찰이 번성하였음을 추정케 하고 있다.[166] 그 뒤의 연혁은 자세하지 않으나 이곳에서 「봉림산보제사鳳林山普齊寺」라는 명문와銘文瓦가 출토된[167] 것을 보면 봉림사가 나중에 보제사로 개명改名한 것으로 추정된다.

『신증동국여지승람』 창원도호부 조에는 "봉림산에 있다. 신라 집사시랑 최인연崔仁渷 찬 승진경탑비僧眞鏡塔碑가 있다" 라고 하여 중종25년(1530)까지는 존속하였던 것으로 보인다. 언제 폐사가 되었는지는 자세하지는 않지만, 『교남지』와 『범우고』 에는 "금폐今廢" 라고 기록하고 있다. 『경상도읍지慶尙道邑誌』(1832)창원 불우 조에는, "임란절상불능기壬亂折傷不能記 금무今無"라 하여 임진왜란 때 소실되어 폐사가 된 것으로 여겨진다. 그 후 언제인가 중창이 있었는지 『가람고伽藍考』 에는, "재봉림산부남십오리在鳳林山府南十五里" 라는 기록이 보이며, 18세기 경에 폐사가 되었다는 설[168]도 있다.

---

166 『昌原 鳳林寺址 發掘調査報告書』(국립창원 문화재연구소, 2000)에 의하면, 김인광이 906년 이전의 어느 시점에 禪門에 귀의하여 선종사원의 건립을 후원하다가 몰락과 함께 폐허되었다가 진례성에 머물던 심희가 김율희(907~911년 사이에 활동한 호족으로 소씨에서 김씨로 바꿈) 후원으로 인하여 인근의 봉림산 舊墟에 새로운 사찰을 중창하여 봉림사라 改號하고 駐錫함으로서 드디어 봉림산파라고 하는 독립선문을 개창한 것으로 보여진다고 한다. 또 심희가 입적한 후 곧이어 제3대 종주가 된 찬유대에 와서는 봉림산파의 중심지가 다시 혜목산의 고달사로 옮겨지고 있었는데 그 이유는 분명치 않으나 김율희 세력의 몰락과 관계가 있었던 것으로 보이기 때문에 명문와의 丙寅年을 906년에 맞출 수 있을 것으로 보고 있다.

167 申昌秀, 「봉림사지발굴개보」, 『고고역사학지』 16, 동아대학교박물관, 2000.

168 폐사와 관련된 전설로는 李彦迪(1491~1553)의 후손으로 18세기에 밀양에 살고 있던

진경대사가 경명왕7년 4월 24일에 이곳 봉림사에서 입적하니 절 북쪽에 임시로 안장되었고, 왕이 조문사를 보내어 시호를 진경眞鏡, 탑호은 보월능공탑寶月凌空塔이라 하였다. 비문은 경명왕이 찬하고 전액篆額은 최인연崔仁渷이 서書하고 나머지는 석釋 행기幸期가 서書했다.[169] 건립 연시는 비문에 "용덕사년세차갑신사월일일립龍德四年歲次甲申四月一日立" 이라고 하여 신라 경명왕8년(924)에 건립하였음을 밝히고 있다.[170] 재료는 화강암으로 사용하였으며 비신의 양측면에 운용문雲龍紋을 전면에 가득 조각하였는데 각 면에 용 한 마리씩을 상부에서 하단까지 조각하고 나머지 부분은 운문으로 채웠다. 이처럼 양 측면에 운용문을 조각한 것으로는 현존 비중에 최고最古이며 신라 비로는 유일한 예이다.[171] 뿐만 아니라 비문 중에 '대사휘심희속성신김씨기선임나왕족大師諱審希俗姓新金氏其先任那王族' 이라 하여 '임나任那' 라는 문자가 보임으로서 신라시대까지는 '임나任那'의 칭호가 쓰이고 있었음을 밝혀 주는 귀중한 사료이다. 일제 강점기에는 날조한 소위 임나일본부설任那日本府說의 주장과 이를 설명하는 교과서에서 임나국任那國의 예증例證으로 이 비를 들고 있다.[172]

여주 이씨들이 봉림사가 명당임을 알고 묘를 쓰려 했으나 승려들의 완강한 반대로 뜻을 이루지 못했다. 이에 여주 있들은 선친이 별세하자 시신이 들어 있지 않는 상여 세 개를 만들어서 가로막는 승려들을 유인했고, 그 틈에 시신이 들어있는 상여를 운반하여 묘를 썼다. 그 뒤 절은 폐허화 되었고 여주 이씨의 가문도 역시 망했다고 한다. 절터 인근에는 아직까지 중사골이라는 지명이 전해진다. -『문화유적총람』, 1977, 문화재관리국.

169 『海東金石苑』.

170 『朝鮮金石總覽』 39.

171 姜仁求, 「麗初 碑身側面 雙龍高彫에 대하여」, 『考古美術』 106, 107, 韓國美術史學會, 1970년 9월.

172 朝鮮教育硏究會編纂, 『尋常小學日本歷史補充教材教授參考書』 卷一 '上古의 朝鮮半島' 條, 朝鮮總督府, 1934, p.13.

1919년 4월 13일

《네즈가집보전관根津家什寶展觀》

4월 13일에 《네즈가집보전관根津家什寶展觀》이 개최되었다. 이 진열품 중에는 신라불 1체, 조선고분 발굴품 수십 종이 진열되었다.[173]

1919년 4월 17일

석왕사 백화암 화재

4월 17일 오후 1시 함경남도 안변군 문산면 석왕사釋王寺 백화암白華庵에서 불이 나 소실된 건물은 백화암 1호 5채 건평 66평이었다. 다행히 백화암은 전소되었으나 불상과 귀중품 기타는 화중에 밖으로 구출을 했다.[174]

千年古刹回祿

익산청불암소실

ᄉ월이십오일오후일곱시이십분젼북익산군웅포면고창리청불암(全北益山郡熊浦面古倉里成佛庵)에셔불이나셔십여시에일으러진화되얏는ᄃᆡ 불난ᄭᅡ닭은 ᄃᆡ부불이엽헤솔나무에 옴겨붓흔일이니 이급보를졉ᄒᆞᆫ 웅포소방죠는 직시츌댱ᄒᆞ얏스나 슈리가불편ᄒᆞ야 맛참ᄂᆡ젼소ᄒᆞ얏는ᄃᆡ 그졀은 약일쳔년젼의고찰이라더라

1919년 4월 25일

4월 25일 오후 7시경에 익산군 웅포면 고창

173 「彙報」, 『史學雜誌』 제30편 제5호, 1919년 5월.
174 『每日申報』 1919년 4월 30일자.

리 성불암에서 불이 나서 12시에 진화되었으나 절은 전소되었다. 출화의 원인은 담뱃불에서 시작되었다.[175]

1919년 5월

부여 정림사지탑이 백제탑임을 밝히다.

정림사지탑은 백제의 마지막 도성에 위치하여 망국의 한을 안고 있는 비운의 석탑으로 미륵사지석탑과 함께 백제초기의 석탑 양식을 알게 하는 백제시대를 대표하는 석탑이다. 제1층 탑신 사면에 소정방蘇定方의 기공문紀功文이 각자刻字되어 있어[176] 당 고종高宗 현경5년顯慶五年 소정방이 명을 받아 30만 대군으로 신라를 도와 백제를 공격하여 멸하고 그 지역에 그 공업을 후세에 남기기 위하여 이 탑을 세운 것으로 와전되어 평제탑으로 잘못 속전俗傳되었다.

이익의 『성호사설』 제30권 '동방석각東方石刻' 조에는 "부여현에는 백제를 평정한 탑명塔銘이 있는데 당나라 소정방이 세운 것이요."라고 하고 있으며, 이덕무의 『청장관전서』 제69권 한죽당섭필 하 '신라, 고려석각' 조에는 "부여현에는 평백제탑명平百濟塔銘이 있는데 이는 당나라 소정방이 세운 것이고…"라고 하

175 『每日申報』 1919년 5월 6일자.

176 塔의 第1層 全面에 大唐平百濟國碑銘의 題篆과 아울러 4面에 3千餘 字의 長文을 刻하였으며, 마지막에는, "顯慶五年歲在庚申八月己巳朔十五日癸未建, 陵州長史判兵曹賀遂亮撰, 洛州河南權懷素書"라 刻해 있다.

였다. 또 『대동금석서大東金石書』에는 "소정방탑蘇定方塔" 이라 기록하고 있으며, 『조선고적도보』 제4책 해설편에는, "7월 18일 백제를 항복시키고 소정방의 공을 기념하기 위하여 8월 15일 이 탑을 세웠다" 라고 하고 있다.

이 같은 기록에 따라 탑명은 '평제탑平濟塔' 또는 '대당평백제탑大唐平百濟塔' 으로 불리었던 것이었다.

그러나 고유섭은,

> 이 탑은 2, 3씨가 고적적古跡的 추고推考, 고고학적考古學的 추증推證으로서 본래 사탑寺塔에 속하였던 것을 이용하는 것인 듯하다고 하였지만 필자는 이것을 단안하여 확실히 백제 멸망 이전에 이미 있었던 탑이라 한다.[177]
>
> 항용 이것을 당군의 기공탑紀功塔으로 보나 그 기명紀銘에 보이는 바와 같이(형자보찰 용기수공 : 刑茲寶刹 用紀殊功) 이는 원래 있던 사찰을 불 질러 버리고 그 나머지 석탑에 기공한 것이니 문적文籍의 인멸湮滅로 창명剎名은 망실亡失하였으나 백제시대의 불탑임에는 틀림없다.[178]

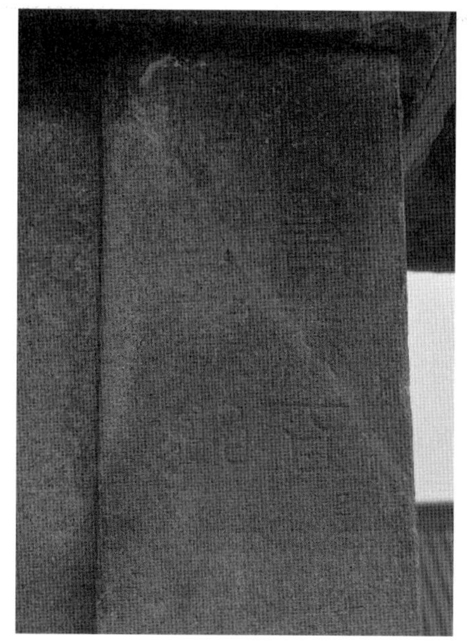
기공문

177 高裕燮,『朝鮮塔婆의 硏究』.

178 高裕燮,『韓國 建築美術史 草稿』, 대원사, 1999.

위의 고유섭의 기록에서 2, 3씨는 누구를 지칭하는 지는 정확히 알 수 없지만 고유섭에 앞서, 일본인 기무라 시즈오木村靜雄는 탑의 건립기간建立期間에 먼저 의문을 제시했다. 그는『삼국사기』의 기록을 들어 백제가 항복한 것은 660년 7월 18일이고 7월 29일에 당의 소정방과 신라장수가 처음으로 소부리所夫里 회담을 하고 술자리를 한 것이 8월 2일이다. 기공비에 의하면 660년 8월 15일에 건립했다고 하니 겨우 십 수 일에 이런 대탑大塔을 건립할 수가 없는 것이라고 지적하고 있다. 그래서 그는 일찍이 도괴되어 있는 탑을 재건 보수하면서 이에 기공비로 대용했을 것으로 추정했다.[179]

1920년대에 이곳을 방문한 곤도 토키지近藤時司도 소정방이 건립했다는 것을 부인하고 있다. 그는 부여박물관의 진열관을 관람하면서 구내構內의 공지空地에 옮겨져 있는 석조石槽에 탑에 새겨진 것과 동일한 문사文辭가 수행數行이 새겨져 있는 것을 발견하고 이는 당의 소정방이 처음 전공문戰功文을 이 석조에 새기다가 석탑이 빼어난 것을 발견하고 석조에 새기던 것을 중지하고 석탑에 새겼을 것으로 추정하고 있다. 그도 탑명塔銘에 따르면 의자왕이 항복하고 겨우 1개월 만에 이처럼 정교하고 웅대한 석탑을 도저히 건립할 수가 없다는 것을 지적하고 있다.[180]

또 1928년 3월에 이곳을 방문한 키다 사다요시喜田貞吉는 앞의 두 사람과 같은 견해見解를 가지고 있으면서, "그 내용은 우리 제명천황대齊明天皇代에 당의 소정방이 신라군을 돕자 우리(일본)가 구원군을 보내 전투를 했다. 따라서 백제를 멸할 때의 공적을 기록한 것으로 우리(일본) 국사에 중대한 관계를 가지

179 木村靜雄,『朝鮮に老朽して』, 帝國地方行政學會朝鮮本部, 1924, pp.68-69.
180 近藤時司,『朝鮮名勝紀行』, 東京 博文館, 1929, pp.286-287.

고 있다”[181]라고 하면서 굳이 일본과의 관계를 강조하여 식민통치에 활용하려 하였다.

그러나 이들의 주장에 앞서 정림사지탑의 조성에 대해 백제탑임을 주장하는 기록이 보인다. 그것은 매일신보 강경지국의 한 기자라고 하는 사람이 『매일신보』 1919년 5월 3일자에 게재한 「부어의 경승景勝」에 나타나 있다. 그 내용은 다음과 같다.

부여석조(보물194호)
부여현의 동헌 건물 앞에 있었던 것으로,
일제강점기에 부여박물관 뜰로 옮겼던 것이다.
정림사지5층탑신에 새긴 문과 같은 내용을 새겼으나
현재는 많이 마모되어 육안으로 살피기는 힘들다.

평제탑平濟塔은 부여읍내 동남리에 있다. 이 탑은 그 이름과 같이 당의 대장 소정방과 기타 장교의 백제국을 평정한 공적을 새긴 것인즉 백제의 기념물이 아니라고 세인이 모두 칭稱하나 그 실은 그렇지 않다. 대당평백제

建設ᄒᆞᆫ者인즉蘇定方의平濟當時扶餘에入城ᄒᆞ기는七月十八日이오凱旋ᄒᆞ야扶餘를出發ᄒᆞ기는九月三日인즉實際扶餘에駐在ᄒᆞᆫ期間은五十個日에不過ᄒᆞ니如斯ᄒᆞᆫ短期間에如斯히雄大ᄒᆞᆫ建造를行키不能ᄒᆞ고蘇定方凱旋後扶餘備守將劉仁願으로ᄒᆞ야곰建造케ᄒᆞ얏는지도未知이나劉仁願에對ᄒᆞ야는新羅文武王癸亥에其功을記케ᄒᆞ기爲ᄒᆞ야別로히建設ᄒᆞᆫ碑가有ᄒᆞᆫ즉此劉仁願碑는百濟의建物이아니며塔의形式은百濟塔과新羅塔의製法이相異ᄒᆞ야百濟의古寺刹及遺址에存在ᄒᆞᆫ塔은平濟塔과同一ᄒᆞᆫ形式인즉此平濟塔은百濟의遺物됨이無疑ᄒᆞ다然則宮城附近에塔의建設이有ᄒᆞᆫ즉寺刹이必有ᄒᆞ얏스리라百濟의佛敎를信仰ᄒᆞᆷ은新羅와無異ᄒᆞ야日本內地에佛敎가普及된것도其淵源은百濟로부터傳渡ᄒᆞᆫ것이라百濟의末代義慈王의父王된武王은宏大ᄒᆞᆫ王興寺를建築ᄒᆞ며宮城之南에池를穿ᄒᆞ고島를築ᄒᆞ야方丈仙山의模形으로遊仙에擬ᄒᆞ며望海樓의大建物을營造ᄒᆞᆫ바此三個의工事는三十五年間의長歲月을費ᄒᆞ야竣工을告ᄒᆞ얏슴으로國財를蕩耗ᄒᆞ고豪華極侈ᄒᆞᆫ結果는民心이離反ᄒᆞ던次에子義慈王이前樣의遊樂을娛ᄒᆞ야一層頹勢를加ᄒᆞᆷ으로對唐羅의聯合軍을抵抗ᄒᆞᆯ만ᄒᆞᆫ實力이乏ᄒᆞ야一朝에社稷이空虛되얏지니塔은分明是王興寺의塔이며塔은建造ᄒᆞᆫ지數十星霜을幾經ᄒᆞ야雄大ᄒᆞᆫ

181 喜田貞吉, 「大唐平百濟國碑に關する疑問」, 『考古學論文集』, 三宅米吉編, 1929.

국비명大唐平百濟國碑銘 2천자의 각문은 당장唐將의 기공記功됨이 무위無違하나, 탑의 그 신身은 당장唐將의 건설함이 아니오 백제의 건설됨이 명백하다. 탑은 5층인데 고 34척, 방 12척을 유有하여 규모가 웅대하고 대석재를 사용하여 건설한 자者인 즉 소정방의 평제平濟 당시 부여에 입성하기는 7월 18일이오 개선凱旋하여 부여를 출발하기는 9월 3일인 즉 실제 부여에 주재한 기간은 50여일에 불과하니 여사한 단기간에 여사한 웅대한 건조建造를 행行키 불능하고 소정방 개선凱旋 후 유인원劉仁願으로 하여금 건조케 하였는지도 미상이나 유인원에 대하여는 신라 문무왕 계해癸亥에 그 공을 기記케 하기 위하여 별別로히 건설한 비가 유有한즉 이 유인원비는 백제 건설이 아니며, 탑의 형식은 백제탑과 신라탑의 제법製法이 상이하여 백제의 고사찰 및 유지에 존재한 탑은 평제탑과 동일한 형식인즉 이 평제탑은 백제의 유물 됨이 무의無疑하다.[182]

라고 하며 소정방이 입성한 후부터 떠날 때까지의 기간으로는 도저히 건립할 수 없음과 그 제법製法상에 있어서도 그 전 고사찰의 탑과 비교하여 백제탑이 틀림없음을 주장하고 있다. 이때까지는 정림사와 관련한 재명在銘기와가 발견되기 전이라 평제탑이란 탑명을 사용하고 있다.

이 기자는 부여에 유존하는 석조石槽에 대해서도 설명하고 있는데 다음과 같다.

궁성의 유허는 전술한 바와 같이 구 군청 현 지방법원 출장소와 구 객사의

182 江景支局 一記者, 「부여의 景勝(1)」, 『每日申報』 1919년 5월 3일자.

일원이다. 석조 2개는 1은 원형이오 1은 장방형이니 백제의 유물인데 경주 분황사 정호井戶 곁에 있는 것보다 제법이 조금 뛰어나며, 읍내 동방 1리쯤에 저방성 사찰 유지에도 2개의 석조가 있고 읍내 부근 정호에도 1개가 있으니 이는 목욕용이었던지 저수용이었던지 미상이다. 각 관유건물의 초석과 지석은 다 궁전의 유물이며 읍내 각 민가 및 정호에도 고색을 지닌 석물이 산재하며 부여읍내는 석石의 천지라는 화話도 있고.[183]

하는 것으로 보아 석조는 보았으나 워낙 마모가 심해 육안으로 각자한 문자를 관찰할 수 없었던 것으로 보인다.

탑신에 새겨진 문과 같은 내용의 기공비명이 부여박물관에 보존된 부여석조[184] 표면에서 판독 확인[185]되므로서 소정방이 기공적 목적으로 건립한 평제탑이 아니고 백제시대에 이미 건립되어 있던 이 탑에 각자만 하였음이 확인되었다. 그래서 고유섭은 평제탑이라는 칭호를 사용하지 않고 처음으로 정림사탑의 뜻으로 '정림탑定林塔' 이란 탑호를 사용하였다.

---

183 江景支局 一記者, 「부여의 景勝(1)」, 『每日申報』 1919년 5월 3일자.

184 高裕燮, 『한국의 탑파 연구』에,
同文의 碑銘이이 당대의 石槽에도 있다(현재 부여박물관에 移管). 그런데 탑에 새겼으되 비명이라 하였다. 아마도 비를 세울 것이나 겨를이 없어 그대로 古寺의 遺塔에 새겼기 때무익 거이다.

185 『朝鮮金石總覽 補遺』, 朝鮮總督府, 1933.

1919년 6월 16일

제14회 고적조사위원회

1919년 6월 16일 조선총독부 제1회의실에서 개최된 제14회 고적조사위원회의 안건은 다음과 같다.[186]

1. 대정8년도 고적조사계획안
2. 고적유물보존의 건, 320건
3. 제주 관덕정 수리의 건
4. 양양 태평루 매각의 건
5. 공주산성공원 내 석비 철거의 건

대정8년도 고적조사계획의 조사기간은 1919년 4월부터 1920년 3월까지, 조사구분은 신라의 유적유물을 조사(동시에 그 지역에 있는 조선의 유적유물을 조사하고 또 고려의 유적유물에 대해서도 편의에 따라 조사)하는 것으로 하고 있다.

'제주 관덕정 수리의 건'은 조선 세종 30년에 건립하여 성종11년에 중창한 관덕정은 실지조사를 하여 응급 수리를 하는 것이 적당하다.

'양양 태평루 매각 건'의 강원도 양양군 양양면 태평루는 양양객사의 부속건물로 고려 충숙왕2년에 건립하여 조선 중종25년에 중창하고 그 후 수차 수리를 가하여 오다가 근년에 훼파가 심하여 양양면장으로부터 면사무소 신축 용재로

---

186 「제14회 고적조사위원회」, 『국립중앙박물관 소장 조선총독부박물관 공문서』 목록번호 : 96-289.

불하해주기를 도장관에게 원출하여, 매각신청을 해옴에 따라 의안으로 채택하였으나, "특별 보존을 요함"으로 결의했다.

'공주산성공원 내 석비 철거의 건'의 3개의 비(望日思恩碑, 委官林濟之碑, 藍芳威種德碑)는 임진왜란 공덕을 칭송하는 것으로 비문 중 금일에서 보면 불온당한 문구가 있어 조선인의 배일사상을 유치誘致할 우려가 있다는 이유로 도장관으로부터 철거방법을 상신해옴에 따라 의안으로 채택했다. '비고'란에는 문록경장역(임진왜란)에 관한 석비는 대저 불온당不穩當한 자구字句가 있어 이를 철거하여 본부박물관으로 옮겨 보존해야 한다는 이유이다.

제14회 고적조사위원회의 5건의 의안은 원안原案과 동일한 내용으로 가결되었다.

1915년의 관덕정 모습(제주 관덕정 마당 입춘 굿놀이, 국립중앙박물관 소징 유리건핀)

* 명국삼장비(明國三將碑)

이 비들은 정유재란 이듬해인 선조31년(1598) 공주에 주둔해 있으면서 주민들을 왜군의 위협으로부터 보호해 준 명나라 세 장수의 업적을 기린 비이다.

비각은 현재 공산성 공북루 아래에 위치하며, 명나라 이제독李提督의 망일 사은비望日 思恩碑,남방위藍芳威의 종덕비種德碑, 위관委官 임제林濟의 비 등 세비를 한데 모아 선조32년(1599) 금강가에 세웠다. 그 후에 매몰되어 알 길이 없던 차에 관찰사 송정명宋正明의 꿈에 이생李生이란 노인의 가르침을 받아 이 비를 파내어 산성 높은 곳인 이곳에 옮겨 세우고, 비면碑面의 떨어진 두 곳의 글자도 그 노인의 가르침을 받아 채워 넣었다 한다.[187] 일제말기에 일인들이 '왜구倭寇' 등의 글자가 훼손하고 이 비를 공주읍사무소 뒤뜰에 쌓아 두었던 것을 1945년 해방 직후에 다시 이곳에 옮겨 세웠다.

명국삼장비각

187 公州公立高等普通學校 校友會,『忠南鄉土誌』, 1935.

1919년 6월

북한산 진흥왕순수비에서 낙서 발견

어느 때 행위인지는 정확치 않으나, 『매일신보』 1919년 6월 18일자에 게재된 필명 묘향산인妙香山人의 '수감만록隨感漫錄'에 다음과 같은 내용이 있다.

북한고비北漢古碑
지난 15일 일요일 시우 장군과 더불어 그 봉(비봉)에 올랐었다. 그 현장의 숭고장엄한 광경을 이 짧은 편록片錄에 읽히어 묘사할 수는 없거니와 <중략>
이 봉의 남단에 동향으로 서있는 고 약 1장의 고비가 있으니 비봉이라는 명칭이 생긴 소이라. 사기를 접하면 이 비는 진흥왕 즉위 16년 겨울 10월에 군신으로부터 이 땅에 행행幸行한 그 사실을 기념하여 세운 것 즉 진흥왕의 서유순수비니 거금 1천3백64년 전의 성사이라. 천고의 거친 풍우에 갈리고 또 씻기어 이제는 비면이 거의 박락되어 1자의 자형이나마 얻어 볼 수가 없고 비신도상반부가 거의 최절摧折된 것을 석회의 힘으로 다행히 이었을 뿐이며 비개碑蓋는 어느 때 전락되었던지 어슴프레하게 형적이 남았을 뿐인데 그 중에 눈에 띄는 것은 이 비 측면에 「新羅眞興大王巡狩之碑」, 「丁丑六月八日金正喜趙寅永同來審定殘字六十八字」이라는 소각자가 있는 것뿐이다. 이 68자도 김정희 씨가 내방하였을 당시 의 사事이오 이제는 그도 저도 무가내하無可奈何이다. <중략>
그런데 우리는 여기에서 한 가지 통절한 불쾌한 것이 있으니 즉 그 비의 정면에 풍마우세風磨雨洗로 편평하게 된 것을 이용하여 소위 경성유객京城

遊客 위명하爲名下에 李允模, 郭泰淳, 尹在洙 외 6인의 성명을 기탄忌憚없이 묵서墨書한 것이다. 이 무슨 참람僭濫이며 몰식沒識이며 추태이며 악행인가 훌륭한 경성의 유객 9명으로나 조직한 단체의 소위이기 때문에 우리는 그들의 몰식을 더욱 민련憫憐치 아니할 수 없다. 실로 타인에게 참아들이지 못할 일이 아닌가. 딴은 그들의 행위가 일시의 호기심 간명심干名心에서 나온 것일지오. 무슨 심사숙려尋思熟慮의 결과는 아니었으리라. 그렇다할지라도 불사무려不思無慮가 어찌면 그와 같이 심할까.

1919년 6월 27일

전등사 말사 보월암普月庵을 폐지하다.[188]

사진, 『매일신보』 7월 26일자

1919년 7월 20일

경성 대화정 조계사에서 병합기념 범종 주조식을 가졌다.[189]

188 『朝鮮總督府官報』 1919년 6월 27일자.
189 『每日申報』 1919년 7월 22일자.

1919년 7월 26일

하라다 요시토(原田淑人)의 강원도 고적조사

고적조사위원 하라다 요시토原田淑人는 1919년 7월 26일부터 8월 26일까지 30여 일간 강원도 춘천, 원주, 강릉, 양양, 고성 등 각 군을 돌면서 유적유물을 조사했다. 1919년 8월 28일에 복명서를 제출했다.[190]

하라다 요시토는 1919년 7월 26일 경성을 출발, 춘천에 도착하여 읍내 봉의산성지鳳儀山城址 부근의 지형을 조사하고, 산성지에서 신라토기와 유사한 토기편을 습득했다.

7월 27일에는 요심당리 고려시대 7층탑, 전평리 당간지주를 일견하고 신북면 오두리 산성지, 사지의 불상 등을 조사하고, 28일에는 춘천을 출발 경성에 귀착했다.

7월 29일에는 다시 경성을 출발하여 원주읍에 도착하여 30일부터 8월 1일까지 체재하면서 본부면 상동리 고려시대 석탑, 석불을 조사하고 또 원주읍내 부근 석기시대 유적을 심방했다.

8월 2일에는 원주를 출발하여 강릉읍에 도착, 강릉군청을 방문하여 군청에 보관한 동불을 보고, 3일 읍의 동북방 토성을 조사했다.

8월 4일부터 강릉면 옥천정 당간지주와 석불을 보고 성곡리의 석기시대의 유적을 답사했다.

---

190 「강원도 출장복명서」, 『국립중앙박물관 소장 조선총독부박물관 공문서, 96-135.

8월 6일은 금산리 산성지를 답사하고, 7일에는 성남면 내곡리 전 심복사지 3층탑과 석불을 보고, 구정면 학산리 굴불사지에 잔존하는 유물을 조사했다.

8월 8일에는 강동면 풍호 부근의 안인리 고분을 조사했는데 어떤 것은 이미 파괴되어 토기편, 인골 등이 산란했다. 금장동이환金張銅耳環 1, 초자소옥硝子小玉 1련, 철기단편 1, 토기파편 2, 유리옥 등을 발견했다.[191]

8월 9일에는 다시 구정면 학산리, 물산리를 역순歷巡하며 석기시대의 유적을 탐방했다.

8월 10일에는 강릉읍내보통학교와 소학교에 소장한 석기류를 보고 강릉을 출발하여 주문진에 도착했다.

8월 11일에는 주문진을 출발하여 도중 양양군 양양면 밀양리 석기시대 유적을 답사하고 양양읍에 도착했다.

8월 12일에는 양양읍 부근 지세를 시찰하고, 13일에 양양을 출발하여 낙산사를 경유하여 낙산사 유물을 조사하고 밤에 도천면 대포리에 도착했다.

8월 14일에는 대포리를 출발 간성 구읍에 도착하여, 15일에는 간성구읍 신안사지新安寺址 고려시대 석탑잔결을 조사하고 부근 석기시대 유적을 탐구했다.

8월 16일에는 간성을 출발, 도중에 고성군 거진리 석기시대 유적을 답사하고 석검을 채집했다.

8월 17일에는 고성면 송현리(지경리)에 체재, 18일 송현리를 출발 고성읍에 도착했다.

---

191 早乙女雅博, 「三國時代江原道の古墳と土器 -關野貞資料土器とその歷史的意義-」, 『朝鮮文化研究』 第4號, 東京大學文學部朝鮮文化研究室, 1997, p.2.

8월 19일에는 고성을 출발 유점사에 도착하여 20일까지 체재하면서 신라시대 53불을 조사(현재 41체)했다.

8월 21일에는 고성에 귀착하고, 22일에 고성을 출발하여 도중에 신북면 삼일포 서안의 석기시대 유적을 답사하고 온정리에 도착했다.

8월 23일, 24일 양일간 이곳에서 체재하면서 신계사 신라시대 3층탑을 조사하고, 25일 온정리를 출발 도중에 통천읍 외발산 부근의 지세를 살피고 원산에 도착했다.

8월 26일에는 원산을 출발하여 경성에 귀착하였다.

1919년 8월 26일

건봉사 말사 강원도 인제군 보문암普門庵, 축성암祝聖庵을 폐지하다.[192]

1919년 9월 18일

이케우치 히로시(池內宏)의 함경남도 고적조사

고적조사위원 이케우치 히로시池內宏는 1919년 9월 18일부터 11월 7일까지 측량기사 촉탁 다나카 쥬조田中十藏 및 사진원 촉탁 사와 슌이치澤俊一와 함께

192 『朝鮮總督府官報』 1919년 8월 26일자.

해로로 원산에 가서 함경북도 남변 성진에 상륙했다. 이튿날 마천령을 넘어 함경남도로 들어가 단천, 이원, 북청, 홍원의 각 군에 유존하는 고성지를 탐사하고 10월 19일부터 함흥군의 전부와 신흥군의 일부에 걸쳐 조사를 속행하고, 11월 6일 정평군에서 조사를 종료하고 11월 7일 경성에 귀착했다.

백운산산성, 동흥리산성, 탑동리산성, 성동리산성, 상대리산성, 대덕리산성, 운성리산성, 오노리산성, 상운흥리중봉산성, 고양리산성을 조사하고 각종 와편을 수집했다.[193]

1919년 9월 30일

용주사 말사 경기도 수원군 팔달면 만수암萬壽庵을 폐지하다.[194]

1919년 10월 2일

경기도 수원군 장안면 정수암淨水庵과 수원군 우정면 백수암白水庵 및 안성군 양성면 정수암淨水庵을 폐지하다.[195]

193 池內宏,「咸鏡南道咸興郡に於ける高麗時代の古城址」,『大正8年度蹟調査報告書』, 朝鮮總督府.

194 『朝鮮總督府官報』 1919년 9월 30일자.

195 『朝鮮總督府官報』 1919년 10월 2일자.

1919년 10월 4일

은혜사 산내 말사 충효암忠孝庵을 폐지하다.[196]

1919년 11월 8일

도쿠토미 소호(德富蘇峯)가 강화도 사기동에서 유물을 채집하다.

도쿠토미 소호德富蘇峯와 역사가 가토加藤, 국민신문 니시무라西村, 사진사 1명과 또 성오생星吾生이란 필명을 쓰는 사람이 함께 11월 7일부터 수일간 강화도 일대를 여행했다. 여행 도중 11월 8일에는 사기동에서 약간의 유물을 채집했다. 이에 대한 기록은 도쿠토미를 수행했던 성오생星吾生(필명)이『매일신보』 1919년 11월 12일자에 기고한「강화도행」이란 제하의 내용에서 일부 나타나 있다. 이 글에는 동막연안의 절묘한 풍광이 석재 채취로 인해 파괴되어 감을 안타까워하는 심정을 함께 표현하고 있으니 11월 8일의 기록은 다음과 같다.

강화도행江華島行

11월 8일.

사기동에 들어감. 사기동은 고구려시대에 토기를 제조하던 곳인데 기록이

196『朝鮮總督府官報』1919년 10월 4일자.

없으므로 황폐한 작은 언덕이 되어 연전에 비로소 발견되었다는 것을 듣고 취미가 넓은 선생德富은 고고학상 자료를 삼고자 하여 일행을 인솔하여 현장으로 향하며 승차와 승마를 분승... 마니산산맥에 연접한 사기동에 도착하여 각기 나누어 채굴전採掘戰을 개시하였으나 파편이 많이 쌓인 중에 겨우 완전한 소명小皿 2, 3개의 전리품을 득할 뿐이나 선생은 만족한 모양으로 다시 동막의 석기 채굴전을 계획하였더라.

동막연안에는 석재가 풍부하여 인천 실업가 이나다稻田 군의 경영으로 수년 전부터 채취함으로 조선인의 석공도 다수 이주하여 하나의 촌을 이루고 있으며, 해안에 있는 기암괴석이 금상첨화로 그 풍경은 실로 시취詩趣가 도도滔滔한데, 석재로 인하여 그 적跡이 사라짐은 국가적 경제상으로는 좋으나 시인에게는 슬픈 일이라.

예정했던 석기 채취를 시도하였으나 무소득으로 전등사로 돌아오다.

1919년 11월

『고고학잡지』 1919년 11월호에, 하마다 고우사쿠濱田耕作가 경상북도 고령군 사조동의 요지에서 채집한 도기파편을 게재하다.[197]

---

197 「近江國蒲生郡に於ける窯址特に釉薬陶器に就て」, 『考古學雜誌』 제10권 제3호, 1919년 11월, p.48.

조선의 금속활자판이 미국에 소장 및 소개

조선의 금속활자판이 미국의 '국민미술관'에 소장되었다. 그 매입 경로는 알 수 없으나, 10월 26일에 뉴욕월드, 뉴욕아메리카 등 여러 신문에 게재되어 이를 『신한민보』 1919년 11월 6일자에 대략 다시 게재한 바 그 내용은 다음과 같다.

세계 활자의 창작자는 조선인

그 활자기의 유물이 영미 양국 박물관에 보장

반부는 잉글랜드에 반부는 미국에, 이 글은 여러 미국 신문들이 지난 10월 26일에 게재한 글이니 이 세계 역사에 처음되는 한국 옛 활사판이 미국 '국민박물관'에 오게 되는 것을 환영하는 동시에 한국에 옛 문명을 높이는 외국인들의 언론이라.

고 조선 문명이 세상에 소개

아시아 문명을 상고하는데 가장 얻기 드문 고물을 지금 미국 '국민박물관'에서 구독하였으니 곧 인류역사상에 맨 처음으로 발행한 활자판의 한 부분이니 한문 글자를 쓴 50개판이라

이는 1403년 곧 거금 5백13년 전에 한국 서울서 제조한 것인데 정부 인쇄소에 부속한 물건이라.

이는 곧 고대 활자판을 발명한 특색은 한국에 있으니 커렌벅이 유럽에서 활자판을 발명하기 전 썩 여러 해전에 한인이 먼저 발명한 것이라 이 한국 활자판에 반부는 지금 잉글랜드에 있더라.

활판기를 사용하던 방법

이 활자판에 기이한 형상이 있으니 그 전례를 보건데 매 긴자의 한편은 길고 둥그스럼한 모양에 가운데가 좀 두둑하게 되었으니 이는 그 매판 납밀이 잘 들어붙어 판이 잘 잡히라고 그러한 것인 즉 그 글자들이 다 일제히 평하게 납밀 위에 자림을 잘 잡은 후에 인쇄인이 그 기계관에 앉아 연한 솔로 먹을 칠하게 한 것인바

그 후에는 종이를 그 위에 덮고 한 손으로 그 종이 위에 가만히 솔질을 하고 다른 한 손으로 출판되는 종이를 걷어 내이게 하였으니 이 모양으로 하는데 하루에 능히 1천5백장까지라도 출판하였을지라.

일본이 활자판 도적

그 후 여러 후에서 활자판을 만들고 늙은 기계는 그 인쇄소 한 편에 버려두었던 것이라 마츰 1592년~1597년 일본이 한국에 노략질 할 때에 일인들이 그 인쇄소에 들어가 모든 가치 있는 인쇄물을 다 집어가고 늙은 활판 버린 것만 그대로 둔 것이라 일인들을 내몬 후에 한국 정부에서 출판을 원하는바 할 수없이 늙은 버린 기계를 조각조각 모아 그 역사적 활판을 다시 쓰게 된 것이라.

한국 출판물을 쓴 지 오래

한국에서 비록 이 활자판을 만든 지는 그 때에 하였으나 여러 종류의 출판 제도를 쓰기는 여러 백 년 전부터 사용하였도다.

인종학자요 동양 사정에 정통한 버탈들토퍼 박사는 이즘에 그 인쇄 역사

에 중요한 연대표참고를 의지하건데 인쇄가 시작되기를 기원 후 175년에 한문 글자로 출판한 것이 있으니 그 때는 넓은 돌 위에 글자를 새겨 종이에 찍어 내였다 하며

593년에 지경에는 목판으로 출판하였고 764년에 일본에서 목판인쇄를 썼으니 이 모든 것이 유럽에서는 글 쓴 사람들이 겨우 손으로 필기하던 때였다.

철활자판도 한국이 창작

10세기로부터 14세기로 내려오면 인쇄가 많이 발전하였으니 1172년에 목판으로 여러 백 권 중국 사략을 출판한 것이 지금 현존하게 된 것이라

<중략> 그러나 철판활자는 1403년에 한국에서 만들었도다.

20년 후에 서양에서 발견

한국에서 이 활자기계가 발명된 후에 20년 만에 유럽에서는 센트 크라스톱퍼의 발현한 나무에 새긴 것이 처음으로 되었고 1437년에 코틴 포스터가 처음으로 책편즙을 활자판으로 하기를 시작하였고 그 후 2년 후 곧 1439년에 거텐벡이 실험을 시작하여 1448년에 메인쓰에 활자기계가 출현하였더라.

그 후 30년 동안에는 활자기계가 이탈리아, 프랑스, 스페인, 잉글랜드 제국에 수용되어 그 후에 이것을 더 혁신하였더라. 1540년에 이 활자기계가 미주 대륙에 처음으로 멕시코씨티에 설치되었고 1636년에 처음으로 북아메리카 잉글랜드 식민지에 도달하였도다.

* 일본이 약탈한 금속활자

조선의 금속활자는 임란 때 일부는 적병에게 약탈되고 나머지는 거의 병화에 타버려서 존엄尊嚴을 요한 왕조실록까지도 임란 후에는 조잡한 목활자로서 인출하지 않으면 아니 되었다.

왜장 우키다 히데이에宇喜多秀家는 서울에 침입하여 남산록南山麓에 있는 주자서鑄字署와 경복궁 안의 교서관校書館 주자소鑄字所를 급습하여 동활자銅活字 및 진유활자眞鍮活字 대부분과 인쇄기구 등을 약탈하여 전리품으로 도요토미 히데요시豊臣秀吉에게 바쳤으며[198] 전란이 일어나면서 살벌적으로 조선의 활자를 약탈해 갔다.

일본은 임진란이 일어나던 그 익년인 1593년에 약탈해간 우리 활자로서『고문효경古文孝經』을 인쇄하고,[199] 그 후에는 목활자를 만들어 많은 서적을 인출하여 일본 게이초판慶長板의 대성을 보았으며 거의 20년을 지난 1615년에는 동활자로 된 일본의 준부동활자판駿府銅活字板이 처음으로 인출印出되어 목활자木活字와 함께 일본 활자인쇄기술活字印刷技術에 새로운 면모를 드러내게 되었다.[200]

---

198 李俊杰,『朝鮮時代 日本과 書籍交流 研究』, 弘益齋, 1986, p.215.

199 中山久四郎,『史學及東洋史の研究』, 賢文館, 1934, p.322-323에 의하면,
朝鮮에서 日本으로 傳來한 活版 印刷法의 年代의 증거는 文祿2년 11월 勅版의『古文孝經』이 同年九月 二十一日 印刷에 착수했다는 사실이 西洞院時의 日記에 나타나 있으며, 또 慶長二年刊의 勅版『錦繡段』의 跋文에 나타나 있다고 한다.

200 李謙魯,『通文館秘話』, 1987, 民學會; 中山久四郎,『史學 及 東洋史의 研究』, 賢文館, 1934.
金斗宗의『古印刷技術史』(探求堂, 1973)에 의하면. 동활자가 일본에 약탈되었다는 기록은 적장 풍신수길이 약탈품 중의 진귀한 것의 하나로서 우리 동활자를 일본 조정에 헌납하였다는 데에서 확인할 수 있는데, 그 익년인 1953년에 본 활자로서 [古文孝經]을 勅令으로 간행되었다. 만일 우리나라에서 약탈해 간 활자로 인출한 것이라면 그 인본은 甲寅字나 혹은 乙亥字로서 인출되었으리라고 추정된다. 고문효경을 인출하던 1593

이에 대해 시데하라幣原坦는 그의 저서 『조선사화오부朝鮮史話奧付』에서 다음과 같이 기술하고 있다.

孝經慶長
己亥刊行

古文孝經序　孔安國
孝經者何也孝者人之高行經常也自有天
地人民以來孝道著矣上有明王則大化滂
流充塞六合若其無也則斯道滅息當吾先
君孔子之世周失其柄諸侯力爭道德既隱
禮誼又廢至乃臣弒其君子弒其父亂逆無
紀莫之能正是以夫子每於閒居而歎述古
之孝道也夫子敷先王之教於魯之洙泗閒

『고문효경古文孝經』

일본에서는 옛날 활판活版을 일자판一字版 또는 식자판植字版이라 하여 아시카가시대足利時代에 조금씩 보이는데 본래는 목제木製이다. 그런데 임진란 때에 조선의 서적이 점차 우리나라(일본)에 전해지는데 특히 우키다 히데이에浮田秀家가 많은 활자본活字本과 활자活字를 가지고 와서 도요토미 히데요시豊臣秀吉에게 헌상하였다. 그 활자는 대개 동제銅製이었다. 어찌되었든 당시의 일본에는 구리로 만든 활자가 없었기 때문에 신기하게 여겼을 것임에 틀림없다. 도요토미 히데요시豊臣秀吉는 그 중에서 표본적인 것을 조정에 남기고 그 외의 상당량을 도산桃山의 성에 남겨 두었다. 도요토미 히데요시豊臣秀吉가 죽고 나서 도쿠가와 이에야스德川家康가 이것에 관심을 가져서 세키가하

년까지는 일본에서 활자를 새로 주조하였다는 기록이 보이지 않으며 또 殺伐의 전란 중에서 印書에 필요한 활자를 新鑄할 이유도 없을 것이라고 생각되므로 일본의 고활자판본인 고문효경은 우리나라에서 약탈해간 동활자인 갑인자나 혹은 을해자로써 인출되었으리라 생각된다고 한다.

李俊杰의 『朝鮮時代 日本과 書籍交流 硏究』(弘益齋, 1986, p.217)에 의하면, 1616년에는 『群書治要』(50권)을 金屬活字本으로 출판하였는데 이때 사용한 활자는 조선에서 탈취한 100상자에 들어 있었던 것으로 大小活字 89,814(大字58,646, 小字31,168)이며 여기에 부족한 약 1만 자는 朝鮮刊本의 『後漢書』에 字母를 만들어 補鑄하였다고 한다.

라전투 뒤에 아시카가학교足利學校의 교장격校長格인 요시 장노佶長老에게 그 활자를 주어서 많은 유서遺書를 출판하게 되었다. 그 출판 시에는 부족한 활자活字도 많았을 것이다. 그리하여 조선의 동활자를 본떠서 많은 목활자판木活字版을 만든 것이다. 그래서 요시 장노佶長老가 사용한 활판의 유물이 아시카가학교足利學校와 교토京都 원광사圓光寺에도 현존하고 있는데 이들은 모두 목활자이다. 그리고 이 때에 만들어진 출판물을 세상에서는 아시카가본足利本이라든가 또는 게이초본慶長本이라고 부르며 진귀하게 여긴다.[201]

이처럼 빠른 시일 안에 일본의 활자 인쇄기술이 융성을 보게 된 것은 난중에 활자를 약탈해 갈 때에 금속활자의 주공鑄工과 목활자의 각수刻手들도 함께 데려갔기 때문이다.[202] 임진왜란 때 약탈해간 활자는 현재 도쿠가와가德川家의 난키문고南葵文庫에 일부 남아 있는데, 대자大字 1천여 개, 소자 5천5백여 개가 남아 있는 것으로 알려져 있다.[203] 현재는 도쿄대학부속도서관에 이관되어 보존되어 있다.

---

201 幣原坦, 『朝鮮史話奧付』, 1924, pp.247-248.

202 西村時彦, 『尾張敬公』, 名古屋開府300年紀念會, 1910, p.47; 李俊杰, 『朝鮮時代 日本과 書籍交流 研究』, 弘益齋, 1986.
『慶長日件錄』의 1606년 6월 6일조에는 德川家康이 三要元佶에게 명하여 조선인 포로 중에 鑄字工이 있어 대소활자 9만1천261개를 만들게 했다는 기록이 『慶長勅版考』에 나타나 있다고 한다.

203 中村久四郎, 「朝鮮雕版印本志」, 『中央史壇』 第11卷 第1號, 國史講習會, 1925; 日笠護, 『日韓關係의 史的考察과 그의 研究』, 四海書房, 1933, p.108.

우리 문화재 수난일지

1920년

朝日修好條規

大日本國與

大朝鮮國素敦友誼歷有年所今因兩國情誼未

洽欲重修舊好以固親睦是以日本國政府簡特命

全權辦理大臣陸軍中將兼參議開拓長官黑田淸

隆特命副全權辦理大臣議官井上馨詣朝鮮國江

華府朝鮮國政府簡判中樞府事申櫶副總管尹滋

承各遵所奉諭旨議立條款開列于左

第一款

朝鮮國自主之邦保有與日本國平等之權嗣後兩

1920년 1월 18일

조선고사연구회 발기와 해산

1920년 1월 18일 경성 장춘관長春舘에서 조선고사연구회朝鮮古史硏究會의 발회식을 가졌다. 이 날 지방 유림 한학자 및 오랫동안 중국 만주에 거주한 인사 60여명이 모여 성황을 이룬 가운데 취지를 설명하고 다음과 같이 임원을 선출했다.

회장 : 이상규

부회장 : 권도상

총무 : 금병수

이사 : 금병홍 외 6명

서기 : 정진석 외 1명

고사연구회 발기 장면(『매일신보』 1920년 1월 20일)

의원 : 조재학 외 12명

조선고사연구회는 "조선 고대 역사를 연구"를 목적으로, 정안립鄭安立은 그 취지를 다음과 같이 설명했다.

> 조선고사연구회라는 것은 결단코 정치적 회합은 아니올시다. 오직 학문적 집합이오니 곧 조선 고대 역사를 연구하자는 목적이올시다. 우리는 사천년의 장구한 역사를 가진 민족이올시다. 하거늘 이 장구하고 광영 있는 역사를 세계적으로 소개하기는 고사하고 우리 민족 간에도 보급치 못하였읍니다. 오히려 아주 우리 민족은 우리의 역사를 모른다 하여도 과한 말이 아니올시다. 그런 고로 우리는 우리의 역사 더욱이 古代史를 연구치 아니치 못할 것이올시다. 그런데 역사를 연구하는 데에는 세 가지 중요한 것이 있읍니다. 그 세 가지 중요 조건은「사적史蹟」,「강토疆土」,「인종人種」을 중요하게 연구할 것이라 합니다. 우리의 고대에는 이 세 가지가 모두 과연 화려한 역사를 가졌습니다. 국내 국외에 위대한「사적」과 광대한 토지와 이억만 이상의 인구가 있던 우리 조선이올시다. 그렇게 화려 중대한 역사를 가진 우리 조선민족은 중엽 이래로 강토와 인종이 점점 쇠퇴하여 지금은 십삼도 이천만이라는 민족이 죽을 꼴아지에 있읍니다. 심지어 말류의 폐가 이천만은 고사하고 한 고을 한 면 한 집까지 몰각하고 한 사람의 신명을 유지치 못하게 되었습니다. 본인은 십여 년간 해외에 돌아다니며 실지로 답사하고 목도한 바가 많습니다. 흥안령 이북으로 시베리아 지방에 과연 우리의 사적상에 참고품이 많이 있고 언어와 풍속까지 우리와 밀접한 관계를 가진 것이 많이 있음을 볼 때에 본인은 우리의 역사를 연구치 아니치 못하리라는

생각이 불일 듯 하였습니다. 고대사를 연구하여 첫째로는 우리가 어떠한 우리인 것을 알어야 하겠고, 둘째에는 동양인 서양인에게 세계적으로 널리 포고하여 우리라는 것을 알리고자 하는 생각이 났읍니다. 그러면 어떠한 방법으로 연구하여야 고대의 역사를 잘 연구할가? 우리들은 대개 지식이 부족하고 더욱이 만주에 있는 우리 민족은 거개 무식계급이라 하여도 과언이 아니니까 이러한 어려운 연구를 함에는 불가불 고명한 학자를 고빙하여 연구치 아니치 못할 것이므로 중국인이던지, 조선인이던지, 일본인이던지, 이것을 연구할만한 자격이 있는 학자를 고빙하여 고대사를 정확히 연구하라고 이번에 고사연구회를 설립한 것이올시다. <중략>

남의 역사가 아니오 나의 역사이다. 이 만주 시베리아는 남의 땅이 아니오 나의 땅이다. 하는 생각이 나는 동시에 저 「자아自我」를 확장하고 생활을 충실케 할 것이 올시다. 그러면 오늘날 고사연구회의 사업은 조선민족의 생명을 부활시키라는 운동이올시다. 또 정당하게 나아가는 인생의 갈 길이올시다.[204]

그 취지에서 "장구하고 영광스런 역사를 세계에 소개하고 우리 민족에게 보급" 하고 "만주에 대고려국을 건설한다"고 했으며, 『독립신문』 1920년 2월 20일자에는 정안립鄭安立의 말을 인용하여 "일본인들은 임진란이 어제 일인 듯이 생각하나 그 실은 이순신 장군의 거북선으로 인하야 머리도 들지 못하였소. 이러한 사실을 보건대 조선민족은 결코 남에게 진 민족이 아니오. 조선의 역사는 과연 웅대하오" 하며 움츠린 민족 자긍을 발기하려 했다.

204 『每日申報』 1920년 1월 20일.

이 같은 조선고사연구회의 목적과 취지는 조선총독부의 식민정책에 반하는 것일 뿐만 아니라 독립운동으로 이어가는 것이기 때문에, 조선총독부에서는 4월에 조선고사연구회의 해산령을 내렸다. 해산령의 이유는 "고조선사를 연구할 목적이라 하고는 언동에 있어서 '신고구려를 건설한다'는 등 논조를 폈기 때문이다" 라고 하고 있다.

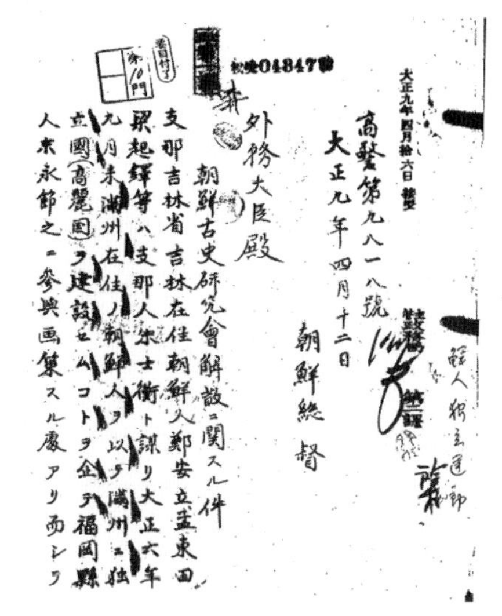
大正九年四月拾六日 接受
高警第九八一八號
大正九年四月十二日
朝鮮総督
外務大臣殿
朝鮮古史研究會解散ニ関スル件
支那吉林省吉林在住朝鮮人鄭安立孟東田
現起鐸等ハ支那人朱士衡ト謀リ大正六年
九月未満州在住ノ朝鮮人ヲ以テ満州ニ独
立國(高麗國)ヲ建設セムコトヲ企テ福岡縣
人末永節之ニ参與画策スル處アリ而シテ

사이토 마코토(齋藤實) 총독이 일본 외무대신에게 보낸 '조선고사연구회 해산에 관한 건'[205]

1920년 2월 16일

덕수궁 영성문 내의 선원전에 모셨던 어진을 창덕궁 선원전으로 이안하다.

고종의 승하하고 덕수궁은 주인을 잃게 되자, 가장 먼저 영성문 내의 선원전과 의효전[206]을 헐어서 창덕궁 뒤편에 있는 북일영北一營에다 새로이 선원전을 건조하게 된다. 『매일신보』 1920년 5월 11일자에는 다음과 같은 기사가 있다.

205 출처 : 국사편찬위원회 한국사데이터베이스

206 懿孝殿은 순종황제의 妃로 1904년 세상을 떠난 純明皇后 민씨의 위패를 모신 덕수궁의 魂殿이다.

창덕궁 북일영昌德宮 北一營에 신조新造되는 선원전璿源殿 십이실로 만든다. 그러면 이와 같은 존엄한 궁궐은 왜? 그와 같이 훼철하여 화려하고 장엄하던 영성문대궐도 황량한 벌판이 되게 하는가? 본래 이 대궐에 뫼시었던 선원전과 의효전을 창덕궁 뒤편에 있는 북일영北一營에다가 옮기여 지으려고 그와 같이 모든 전각을 헐어서 창덕궁으로 옮겨가는 것이다. 그러나 이번에 북일영에 새로이 건축하는 선원전으로 말하면 본래 일곱 대왕의 존령을 뫼셨던 터임으로 칠실七室의 선원전이었지만 이번에는 특별히 오실五室을 늘리어 12실의 큰 전각을 건조하실 것인 고로 그와 같이 제일 큰 전각만 모조리 헐어가며 심어지 돌 한 개까지라도 남기지 않고 모두 북일영으로 옮기여 가는 터이로다. 그런데 이번에 새로 짓는 선원전 어찌하여 12실로 변경을 하는가? 영희전대궐에서 영성문대궐 사성당으로 이안하옵셨는 삼실三室은 북일영에 새로 짓는 선원전에 뫼실 터이며 나머지 이실은 당분간 비워 두었다가 승하하옵신 이태왕 전하의 존영을 뫼실 터이요 또 일실은 장차 앞날에 어찌 될는지? 혹시 창덕궁 전하께옵서 승하하옵시면 나머지 일실 듭시게 될는지? 이것은 우리가 아직 알 수 없는 바이다.

덕수궁 영성문 내의 선원전에 모셨던 역대 어진은 1920년 2월 16일에 창덕궁의 선원전으로 이안하고, 의효전의 위패는 2월 24일에 이안했다.[207]

창덕궁의 선원전이 들어선 자리는 원래 대보단大報壇과 북일영의 터로서, 고고생考古生(필명)의 「경성이 가진 명소와 고적」에는 다음과 같이 기술하고 있다.

---

207 『每日申報』 1920년 1월 18일자, 2월 14일자.

선원전璿源殿은 원래 영성문 대궐 내에 있다가 근래에 그것이 훼철되며 원동苑洞 막바지 지금의 위치(전 육군무관학교사)로 이전하얏스니 이 전殿내에는 이조 역대 군주의 수용睟容을 봉안한바 범 11실로 분分하얏다. 제1실은 태조대왕, 제2실은 세조대왕, 제3실은 원종대왕仁祖의 부왕으로 추숭追崇, 제4실은 숙종대왕, 제5실은 영조대왕, 제6실은 정조대왕, 제7실은 순조대왕, 제8실은 익종대왕憲宗 부왕으로 추숭追崇, 제10실은 철종대왕, 제11실은 고종대황제(이것은 공덕이 잇는 이를 표준한 것이 안이오 군주 중 어진이 있는 이만 봉안한데 불과한 것이다) 그리고 이 부근은 원 대보단大報壇 자리니 대보단은 숙종 때에 명의 신종을 사祀하기 위하야 건建한 것이다.[208]

어진 이안 모습(『매일신보』1920년 2월 18일자)

『대한매일신보』 1908년 3월 22일자에는 "재작일 하오 4시에 대황제폐하와 황후폐하께옵셔 대보단大報壇의 어림御臨하사 단내壇內에 어람御覽하셨다더라" 하는 것으로 보아 이때까지는 대보단이 남아 있었던 것으로 보인다. 그런데 『순종실록』 1908년 7월 23일 조에는 "(대보단 제사를 폐지하고)대보단의 터

208 考古生, 「京城이 가진 名所와 古蹟」, 『별건곤』 제23호, 1929년 9월.

는 궁내부에서 관할하며" 라는 기사가 보이는 것으로 보아 대보단이 폐한 것은 1908년 7월이라 할 수 있다. 그 후 1910년에 와서 대보단과 북일영 자리에는 궁내부 관리의 관사가 들어섰던 것으로 보인다.[209]

21일 오후 중화전에서 창덕궁 선원전으로 옮겨지는 고종의 영정(『동아일보』 1921년 3월 22일자)

덕수궁으로부터 출발한 영정 이봉 행렬이 창덕궁으로 들어가는 장면(『동아일보』 1921년 3월 22일자)

209 大寶壇及北一營은 宮內府官吏의 官舍로 使用ᄒᆞ기 爲ᄒᆞ야 數日前부터 修理工役에 着手ᄒᆞ엿다더라(『大韓每日申報』 1910년 6월 3일자).
宮次官舍建築 宮內府次官의 官舍ᄂᆞᆫ 北部苑洞大報壇前에 建築ᄒᆞᆯ 次로 人民의 家屋을 多數買入ᄒᆞ야 目下毁撤ᄒᆞᆫ다더라(『皇城新聞』 1910년 4월 19일자).
壇營修理着手 大寶壇과 北一營은 宮內府官吏의 官舍로 應用코져ᄒᆞ야 現方修理工役에 着手ᄒᆞ얏다더라(『皇城新聞』 1910년 6월 3일자).

1920년 3월 2일

대흥사 말사 전라남도 염진군 고군면 소재 수인사修仁寺를 폐지하다.[210]

1920년 5월 6일

선암사 말사 전라남도 순천군 월등면 월룡리 대흥사大興寺를 폐지하다.[211]

1920년 5월

영성문대궐 훼철

1919년 1월 21일 고종이 함녕전에서 승하를 하자 조선 궁궐은 급격히 파괴되어 나갔다. 고종의 1년제를 지내기도 전에 이미 선원전을 창덕궁을 옮겨가게 되면 그 일대를 매각한다는 소문이 파다했다. 이 소문이 번져나가자 이왕직차관 고쿠분 쇼타로國分象太郎는『매일신보』1920년 1월 19일자에 다음과 같이 입장을 표명하고 있다.

210『朝鮮總督府官報』1920년 3월 2일자.
211『朝鮮總督府官報』1920년 5월 6일자.

> 덕수궁은 현재대로 영구히 보존하는 외에 달리 처분할 길이 없다. 그래서 일년제가 마치시면 차차로 세상에 문제가 되겠는데 장래 총독부가 경복궁 안으로 옮기게 되면 태평통은 경성 전시의 중심이 되어 덕수궁도 물론 그 요지가 되겠는데 어떠하든지 경성시 중 뛰어난 곳의 토지를 1만 7천평이나 놀려두기는 경성 번영상에도 심히 유감천만인 듯하오. 건물, 정원 등의 보존비도 막대한바 결국 장래는 궁 안의 한 쪽 건물이 있는 재껴 놓고 다른 것은 떼어내어 민가를 세울른지도 모를 일이다. 지금 궁 안에 있는 조선 역대의 초상을 모신 선원전은 당연히 창덕궁에 옮기려고 머지않아 이전할 차로 창덕궁 안에 그 기지를 선정하는 중이오. 또 이왕 전하의 윗대를 제사 지내는 원효전도 창덕궁에 옮기기로 되었는데 이 건물을 이왕가에는 필요한 건물로서 기타 이삼은 반드시 돌건물이 있고 석조전 같은 웅장한 건물은 이것을 움직이기 어려움으로 그대로 무엇에든지 쓰겠지요. 또 이 같이 필요치 않은 부분은 떼어내어 장사하는 집이 세워지게 되면 경성의 번영상 진실로 기꺼운 일인즉 좋기는 좋으나 아직 이런 의론은 전혀 없고 혹 한 두 사람의 조선인이 거짓말을 전파한 덕수궁 불하 문제가 아주 성가시게 되었는데 전혀 형적도 없는 일이나 어떻든지 일주년제가 마치면 무슨 의론이 있겠지요.

영성문 안의 선원전 등이 헐리어 창덕궁으로 옮겨지고 드디어 1920년 2월 16일에 선원전의 어진이 창덕궁으로 이안하자 빈터로 남아 있는 이 일대는 본격적으로 새로운 용도로 변모하게 된다. 여러 계획이 암암리에 행해지는 동안 조선인의 민심은 결코 좋은 쪽으로 갈 수가 없었으며, 덕수궁 전체를 공원화 하려는 것이 계획 안에 포함되었는지 『매일신보』 1920년 3월 3일자에는 다음과 같은 기사가 있다.

덕수궁은 보존

공원이니 총독부관저니 하는 말은 멀정한 거짓말이요.

<중략> 총독부가 경복궁에 이전함에 관련하여 덕수궁은 총독부 관저로 쓰든지 또는 개방하여 부청에 인계하고 공원을 만든다는 말을 유포하여 드디어 전파되었는데 이왕직 고등관의 책임 있는 말을 들은 즉 덕수궁은 왕의 귀중한 궁전으로 하여 영구히 보존하고 감리인 또는 직원을 두고 감리할 터이며 고래 태왕전하가 거주하시던 자리로 존치하기로 결정하였다. 더욱이 궁 밖에 불용 토지 또는 보존에 필요치 않은 건축물 등은 형편에 의하여 적당한 시기에 처분할 지도 모르는데 그것은 기정의 사실만 일로서 수천 평의 넓은 구내는 이태왕 전하께서 세상에 생존하시던 중은 어떻든지 간에 현재에는 보존상 너무 넓어서 쓰지 못하는 일부 처분은 당연의 일인데 덕수궁은 어디까지 보존할 것은 움직이지 못할 확정 사실이다. 따라서 공원설과 총독관저 설은 꿈과 같은 일장허설로 단정한다.

공원이나 총독부관저의 계획은 부인하면서 영성문 안의 구 선원전 일대는 이미 민간에 불하하여 조선은행, 식산은행과 경성일보사와 매매계약까지 한 상태에서 여론 때문인지 아니면 다른 이유 때문인지 돌연 이를 취소했다고 한다. 다음은 당시의 기사이다.

덕수궁은 불매, 팔았던 것을 물렀다

덕수궁과 영성문 대궐의 일부분을 조선은행, 식산은행과 경성일보사에 팔기로 계약까지 하였으나 이번에 돌연히 이왕직에서 계약 해제한다고 통고가 왔다는데 해제한 원인은 아직 자세히 알 수 없으나 세상에서 덕수궁과 영성문대궐은 역사적으로 숭엄한 의미가 있은 곳임으로 민간에 팔아버림은 옳지 못함이라는 여론이 있음이 매우 유력한 듯하다더라(『동아일보』1920년 4월 23일자).

영성문永成門대궐! 이 대궐은 어떠한 대궐인지를 우리가 생각하는가? 이 대궐 안에는 우리 이조 역대 제왕 가운데 칠대왕七大王과 영희전에 뫼시었던 삼대왕三大王과 창덕전하의 민비전하閔妃殿下, 순명비 민씨를 말함)의 높으신 사당을 뫼시고 친히 봉사하옵시던 존엄무비의 대궐이었다. 그러나 일한합병이 된 뒤로는 무슨 까닭으로 역대선왕께 봉사하는 절차까지도 폐하게 되었었는지? 십년 동안을 두고 오늘까지 이르도록 춘추봉사를 폐지하고 다만 해마다 새절기에 생기는 과실果實과 새곡식이 나면 그때마다 '천신' 차례나 행하여왔었다. 그러나 원래 소중한 대궐인고로 형식상으로 전사典祀와 수북 등의 직원은 두었었다. 그러나 이태왕 전하께옵서 승하하옵신 후로 일주년이 못되어 영성문대궐과 덕수궁德壽宮 일부를 민간에 불하

헐러내는 덕수궁

『동아일보』 1920년 5월 15일자

하리라는 문제가 세상에 전하여 졌었다. 그러나 덕수궁의 일부를 불하한 다는 말은 전혀 풍설이요. 다만 영성문대궐만 식산은행殖産銀行 사택지로 불하하였으나 이것도 필경은 양방이 해약함에 이르렀음으로 소위 양궁불하문제는 아주 없어지고 말았는데 이와 같이 사회의 일대문제거리가 되던 영성문대궐의 운명은 과연 어찌 되었는가?(『매일신보』 1920년 5월 11일자)

하지만 이는 오보로서 『동아일보』 1920년 5월 15일자에는 다시 수정을 하여 보도를 하고 있다.

헐어내는 덕수궁

이왕직에서 덕수궁의 한 부분되는 영성문대궐을 다른 곳에다가 팔았던 것을 도로 물렀다는 기별은 본보에도 소개하였더니 다시 들은 즉 물렀다는 것은 거짓말이오. 작년에 훼철하다가 남았던 궁전을 요사이에도 계속하여 훼철하는 중이라(영성문에서 14일에 박은 사진).

동아일보의 기사는 해약했다는 것은 오보라고 하지만 이후 결과에 대해서는 구체적으로 알 수 없으나 1926년에는 선원전 부근 언덕에는 경성방송국이 들어선다. 그렇다면 선원전이 창덕궁으로 옮겨진 후의 영성문 일대는 어떤 상황이었는가? 『매일신보』 1920년 5월 11일자에 실린 기사를 보면 다음과 같다.

무령無靈한 부월斧鉞 피금전옥루彼金殿玉樓를 함부로 헐고 마나?

우리 민간의 사사집이라도 화려한 건물을 훼철하는 것은 눈으은 보기에 좋지 못하여 보이는 것이 우리의 인정인데 하물며 이와 같은 역사 있는 궁궐이리요. 영성문이라는 뚜렷한 액자가 걸린 숭엄한 삼문은 보기 싫은 널판조각으로 둘러막고 그 정문까지도 헐어 없애버리게 되었는데 요사이 수십 명의 역부가 들어덤비여 영성문 안에 크나큰 전각을 날마다 훼철하여 모든 재목과 기와를 마차에 실어서 내이는 중이다. 그리하여 어소문於昭門 안에 태조太祖대왕, 숙종肅宗대왕, 영종英宗대왕, 정종正宗대왕, 순조純祖대왕, 익종翼宗대왕 일곱 분의 사당 뫼시었던 선원전璿源殿의 장엄한 전각도 모두 훼철하며 좌우 행각까지도 장차 훼철하겠으며 정안문靜安門을 들어서서 유정문惟靖門 안에 창덕궁 민비 전하의 사당을 뫼신 의효전懿孝殿의 숭엄한 전각과 동행각과 재실까지 모두 훼철하였고 또는 홍대비洪大妃 전하와 민비 엄비 전하의 삼년상을 받들은 역사가 소여한 회안전會安殿 같은 곳까지도 순서대로 불일 훼철하겠으며 소안문昭安門 안에 흥덕전興德殿은 홍대비국상이 계시옵셨을 때에 빈전殯殿으로 불일 성지를 하여 지었던 전각으로 민비의 빈전으로도 지냈으며 또는 엄비 빈전도 되었던 역사 있는 전각인데 이 전각은 창덕궁에 조하는 외전外殿 행각을 건축하는데 보충하여 쓰려고 작년 겨울에 훼철하여 창덕궁으로 옮겨간 고로 흥덕전 자취는 벌써 쓸쓸한 바람에 잡초만 발이 빠지게 되었다.

황량한 궁전의 적跡

아! 영성문대궐의 운명! 이 후로부터는 우리가 날마다 배관하던 영성문이란 숭엄한 궁궐을 다시는 볼 수 없게 되었도다. 벌써 지금부터 그 대궐 안에는 처량스러운 봄풀만 푸르렀고 화려하던 궁궐은 처참하게 되었도다. 전일 이태왕전하께서 친히 궁중을 납시어 덕수궁 후원을 넘으사 유녕문由

寧門을 통과하여 령존이 계신 의효전을 가끔 살피시고 화원과 그 외 모든 화초를 기르는 온실과 양어지를 친히 어람하시며 <중략> 울울창창한 모든 녹음은 주인 잃고 풀이 없이 늘어진 듯하도다. 그 중에도 전일 왕세자 전하께서 수학하던 수학원修學院의 건물은 반을 떼어 어떤 서양인의 소유가 되어 검은 판자로 막았으며 나머지 일부도 헐어 없어질 터인데 그 한편에는 테니스 운동장을 만드느라고 법석을 하는 모양도 한심스럽게 보이는데 유녕문 앞에 푸르러있는 은행나무銀杏木는 때마다 이태왕 전하의 용안을 지영하던 역사를 말하는 듯 하였다. 아, 영성문대궐의 무르녹은 녹음은 장차 누구를 위하여 길이 푸르러 볼까?

1920년 5월이면 영성문안에 있는 선원전 및 좌우행각, 영성문, 의효전 및 행각, 회안전, 흥덕전, 수학원 등이 훼철되고 나머지 건물들도 마저 철거되고 있는 상황이었다.

1920년 5월 2일

경복궁 내에서 시민운동회가 개최되었다. 경성상공연합회가 주최가 되어 시민운동회가 열렸다. 경복궁 정문으로 들어온 시민들로 아침 아홉 시경에는 벌써 인산인해를 이루었다.[212]

---

212 『每日申報』 1920년 5월 3일.

1920년 6월 3일

제15회 고적조사위원회

1920년 6월 3일 조선총독부 제1회의실에서 개최된 제15회 고적조사위원회의 안건은,

1. 대정9년도 고적조사계획안
2. 고적유물보존의 건
3. 고적유물 등록의 건
4. 유물 취기의 건

으로 세부적인 것은 다음과 같다.

'대정9년도 고적조사 계획안'

기간은 1920년 4월부터 1921년 3월까지로 하고, 특별조사로는 경상남북도, 전라남북도 및 충남에서 신라, 가야, 백제 등의 유적이다.

'고적유물보존의 건'

제1. 경주 구정리 제1호분

목책을 설치하고 제찰制札을 세움

제2. 옥룡사지 동진대사보운탑비

전도된 것을 견립堅立하고 목책을 설치하고 제찰을 세움

제3. 오룡사지 법경대사보조혜광탑

전도된 것을 견립하고 목책을 설치하고 제찰을 세움

제4. 영천 신월동 3층석탑

전도된 것을 견립하고 목책을 설치하고 제찰을 세움

제5. 경기도 장단군 진서면 불일사지 사리탑

전도된 것을 견립하고 목책을 설치하고 제찰을 세움

제6. 고양군 은평면 흥경사지 5층석탑

목책을 설치하고 제찰을 세움

제7. 경주 내남면 창림사지3층석탑

목책을 설치하고 제찰을 세움

제8. 은산군 문정면 장무이묘

목책을 설치하고 제찰을 세움

제9~19. 은산군 문정면 봉산 송산리 제1호분, 석성리토성, 초와면 양정리 제5호분, 류정리 제3호분, 입봉리 제9호분, 산수면 성수리 제12호분, 제17호분, 대동군 대동강면 토성리토성, 용강군 어을동토성, 대동군 안학궁지, 개성 만월대로, 조사 석표를 세움

'고적유물등록의 건'

번호 385~519까지

'유물취기의 건'

경기도 양평군 용문면 보리사지대경대사현기탑비

경남 상남면 봉림리 봉림사지진경대사보월능공비

제15회 고적조사위원회 의안 결의와 관련된 내용이다. 4건의 의안은 원안原案과 동일한 내용으로 가결되었다.

*** 제15회 고적조사위원회의 '고적유물보존의 건'에 나타난 석조물의 현상(現狀)**

1920년 6월 3일 개최된 제15회 고적조사위원회[213]에서 의안으로 올라온 '고적유물보존의 건'에는 전도顚倒된 것을 건립竪立하고 목책을 설치하고 제찰을 세우는 것으로 가결된 것은 다음과 같다.

옥룡사지 동진대사보운탑비, 오룡사지 법경대사보조혜광탑, 영천 신월동 3층석탑, 경기도 장단군 진서면 불일사지 사리탑 등 4건이다.

1. 옥룡사지 동진대사보운탑비

옥룡사지玉龍寺址는 전남 광양시 옥룡면에 있는 백운산의 일지맥一支脈인 백계산의 남단 골짜기에 있다.

사의 창건創建에 대해서는『신증동국여지승람新增東國輿地勝覽』에는 도선이 원래 있던 당우堂宇를 수리 개축하였음을 기록하고 있어 당시의 사명寺名은 알 수 없으나 도선 이전에 이곳에 사찰이 있었음을 알 수 있다.

1997년 1월 20일부터 순천대학교박물관에서 실시한 발굴조사 결과 탑비전지塔碑殿址 최하층에서 8세기 전반기로 볼 수 있는 와편瓦片들이 다수 출토되어 옥룡사 창건시기는 8세기 전반기로 추정되고 있다. 또 옥룡사지의 중앙 북쪽

213『국립중앙박물관 소장 조선총독부박물관 공문서』목록번호 : 96-289.

일대의 건물지 발굴조사에서 '성화십일년병신成化十一年丙神(1476)' 명銘의 암막새, '만력십칠년기축萬曆十七年己丑(1589)' 명銘의 암막새, '관음觀音'명銘의 백자편이 발견되었고 그 외 출토유물 중에는 고려청자나 조선전기의 백자가 발견되었다. 이들은 모두 최상급으로서 조선 전기까지의 옥룡사의 사격寺格이 상당하였음을 뒷받침하고 있다.[214] 그러나 임진왜란과 정유재란을 거치면서 옥룡사가 큰 피해를 입은 것으로 조사결과 추정할 수 있었으며 그 후 다시 중창되었으나[215] 『광양읍지光陽邑誌』 사찰조寺刹條[216]에 "옥룡사재현북이십오리유도선비무인전소비역복玉龍寺在縣北二十五里有道詵碑戊寅全燒碑亦覆" 이라 하여 1878년에 화재를 당하여 전소됨으로서 도선비는 넘어지고 폐사지로 남게 되었다.

옥룡사는 선각국사 도선이 35년간이나 주석하였을 뿐 아니라 고려시대 동진대사洞眞大師 경보慶甫가 그 법맥을 이어왔고 이 두 대승의 쌍비와 부도가 전해져 그 이름이 일찍부터 알려져 왔다.[217]

---

214 「玉龍寺 建物址 發掘調查」, 『全南 東部地域의 文化遺蹟과 遺物』, 순천대학교박물관, 1998, p.146.

215 崔仁善, 「光陽 玉龍寺 先覺國師 道詵의 浮屠殿址와 石棺」, 『黃壽永博士 八旬頌祝紀念論叢』, 韓國文化史學會, 1997.

216 正祖22년(1798) 鄕士大夫 2-3명이 만든 舊誌가 있었으나 疏略하고 誤謬가 많아 1924년 黃承鉉 등 지역의 유력자들이 오류를 바로잡고 빠뜨린 것을 보충하여 만든 邑誌이다.

217 『新增東國輿地勝覽』에, "옥룡사는 白雞山에 있으니 당나라 함통5년에 도선이 세웠다. 최유청이 지은 비문에 '사의 휘는 도선이요. 속성은 김씨이니 신라 영암 사람이다.' …….. 혹 운봉산 아래 동굴을 뚫고 좌선을 하기도 하고 혹은 태백암 앞에 초막을 짓고 여름을 지내기도 하여 도행의 감동되는 바에 신령스러운 기적이 자못 많았다. 희양현 백계산에 옛 절이 있으니 옥룡사이다. 사는 놀러 다니다가 여기에 이르러 그 그윽한 경치를 사랑하여 당우를 수리하고 깨끗이 개축하여 일생을 마치려는 뜻이 있어서 좌선하여 말을 잊은 지 35년이었다. 입적하니 때는 대당 광화 원년 3월 17일이요 나이는 72세였다"고 기록하고 있다.

道詵은 신라 영암사람으로 속성은 김씨로 太宗武烈王의 孫이라고도 한다. 15세 때 月遊山 華嚴寺에서 출가하여 후에 大安寺의 惠徹大師의 문하에 들어가 무설지설 無說之說無法之法의 禪理를 터득하고 23세에 穿道寺에서 具足戒를 받았다. 후에 백계산 옥룡사에서 35년간 宴坐忘言하며 수행 정진하다 신라 효공왕2년(898) 3월 72세로 입적하니 효공왕은 '了空禪師'라는 諡號와 '證聖慧燈'이란 塔號를 내렸다(李能和, 『朝鮮佛教通事』下卷, 新文館, 1918, p.18).

그런데 비의 名號에 있어 '了空禪師'라 하지 않고 '先覺國師證聖慧燈塔碑'라 하여 '國師'로 표기하고 있다. 이는 崔維清의 碑銘에서 밝히고 있는 바와 같이 이미 도선의 시적 때 도선의 문인 洪寂 등의 '御泣奉表'하여 효공왕이 瑞書學士 朴仁範에게 비의 撰文을 명했다. 그러나 옥룡사에는 影堂만 건립하고 라말 여초의 혼란기로 인해 도선비를 실재 새겨 건립하는데 까지는 이루어지지 못하고 방치되었던 것으로 추정된다.

1997년 발굴조사결과 도선국사부도전지가 확인되었는데 부도전 중심부에는 부도가 놓였던 지대석 1매가 발견되었으며, 부도전 주변에서 상당량의 부도편이 인위적으로 작게 깨어진 채 출토되었다. 부도전 최하층에서 통일신라시대의 와편들이 출토된 점으로 보아 도선국사의 부도는 도선이 입적한 무렵에 건립된 것으로 추정되고 있으며, 또한 부도전지에서 석곽 및 석관이 발견되었는데 석관에서는 인골이 나왔으며 인골에서 화장한 흔적이 없는 점으로 보아 입적 후 假葬한 후 사리탑이 완성되자 사리탑으로 옮겨 안장한 것으로 추정되고 있다(嚴基杓,『新羅와 高麗時代 石造浮屠』, 학연문화사, 2003;「光陽玉龍寺塔碑殿址 發掘調査」,『(全南東部地域의)文化遺蹟과 遺物』, 순천대학교박물관, 1998 參照).

즉 비의 건립이 국왕이나 중앙 정부의 지원하에 건립이 가능하였다는 점을 생각할 때 효공왕이 시호와 탑호를 내렸고 비문이 이미 찬술되었다하나 당시 정치적 상황으로는 신라의 국운이 기울었고, 후삼국시대가 도래하면서 정치적 혼란과 맞물리면서 비의 건립은 지연될 수밖에 없었던 것으로 추정된다.

비의 건립을 이루지 못하고 방치되는 동안 死後 禮遇에 있어 고려 태조의 誕生說과 관련하여 고려조정에서 도선을 尊崇하여 후에 追贈하였다. 顯宗 때 大禪師의 贈職이 있었고 肅宗 때 王師의 호를 더했으며 仁宗 때 이르러 드디어 國師라 封贈되었다.

『高麗史』世家 卷 第十七 , 仁宗六年(1128)四月 條에, "乙卯에 王은 下詔하기를, '요즈음 天文에 변괴가 있어 時令이 고르지 못하므로 .... 또 元曉, 義相, 道詵, 皆古 등 高僧에게는 마땅히 所司로 하여금 封贈하도록 하라' 하였다" 하는 것으로 보아 이때부터 國師로 불리게 된 것으로 추정된다.

따라서 탑비에 '선각국사'라 한 것은 追贈한 이후에 비문이 撰述되었음을 말해 주고 있다.

최유청이 비록 박인범이 남긴 비문의 사본을 읽었다고 유추되나(金知見, 『道詵研究』, 民族社, 1999, p.205) 이 비문은 박인범의 찬문과는 근본적으로 다른 성격을 지닌 것으로, 小倉親雄은 「玉龍寺 先覺國師 道詵의 一考察」(『文獻報國』 第2卷 2號, 1938년 2월)에서, 崔維清의 碑文은 도선국사의 고려왕실에 대하여 공업을 빛낸 報恩的 情이 합치

된 성질을 가지고 있음을 지적하고 있다.

박인범이 기술한 도선의 생몰에 관한 년대적 서술을 참고로 함과 아울러 고려시대의 왕실과의 관계를 새로이 撰述한 것이라 할 수 있다. 李龍範은 「道詵의 地理說과 唐僧 一行禪師」(『先覺禪師 道詵의 新研究』 1988, 靈巖郡, p.35)에서, 崔維淸이 撰述한 「白鷄山玉龍寺贈諡先覺國師碑銘竝書」의 내용은 도선의 출생에서 입적까지의 서술은 朴仁範이 찬한 것에 의거하였던 것이나 뒷부분인 도선의 음양지리설의 습득과 왕건의 출생 및 고려 창업에 대한 예언, 이로 인한 고려조에서의 推仰 贈諡에 관한 記事는 인종시에 왕명으로 崔應淸이 撰한 「玉龍寺王師道詵加封先覺國師敎書及官誥」에 의거한 것으로 보고 있다.

비문은 최유청이 찬하고 글씨는 鄭叙가 쓴 것이며 毅宗4년(1150)에 비가 완성된 것으로, 『朝鮮金石總覽. 附』에, "崔惟淸文 鄭叙書" 碑陰은 "崔惟淸文 釋機後書 麗毅宗四年庚午立"으로 기록하고 있다.

최유청이 찬한 碑銘(崔維淸 撰, 「白鷄山玉龍寺贈諡先覺國師碑銘竝書」 『東文選』 卷117)에 의하면, 고려 의종4년 10월에 "仁考(仁宗)께서 벌써 너에게 비명을 지으라는 명령이 계셨으니 공경히 할 지어다" 하는 것으로 보아 비문은 이미 인종 조에 시작되었으나 그 완성은 의종4년에 와서야 이루어진 것으로 볼 수 있다. 今西龍은 「新羅僧 道詵に就きて」(『高麗史研究』, p.24)에서, 學士 崔維淸의 撰文 中에서 王命을 記하고 있는 '行蹟至今尙未文傳之, 仁考旣命汝以撰述'이라고 하고 있으며, 또한 仁宗王의 敎書 中에 '新開貞石之文'이라 한 것은 道詵 贈諡 時에 王이 최유청에게 비문을 찬하게 한 일로 그간에 이 일이 중지되고 毅宗王에 이르러 다시 시작된 것임을 지적하고 있다. 그리고 「碑陰記」에 의하면, 비문이 지어지고 비석이 완성된 그 다음 해인 의종5년(1151)에 최유청과 그의 처남 정서가 왕실의 음모사건에 연루된 사건이 발생했다.

道詵國師碑의 「碑陰記」는 今西龍이 1930년 3월에 발표한 「玉龍寺先覺大師 碑銘に就きて」(『高麗史研究』, 1944, 近澤書店刊)에 그 내용이 처음 소개되었는데, 「碑陰記」가 실려 있는 册子는 "表紙에 『道詵國師行蹟』이라 墨書로 記해 있으며, 道詵碑는 「碑陰記」와 함께 八葉, 洞眞碑 또한 八葉으로 刊記 二枚가 있다"라고 하며, 刊記에는 "康熙五十一年壬辰三月日光陽白鷄山玉龍寺開刊"이라 記해 있다고 한다. 그리고 이 책자의 閱覽에 대해 그의 논문 첫머리에 기술하고 있는 바, 1930년 3월 10일에 小田省吾로부터 그 全文을 알게 되어 이를 借覽하였다고 하는데, 당시 小田은 幾年前에 智異山 華嚴寺事蹟을 公命에 따라 조사할 때에 華嚴寺 및 그 關係諸寺에서 提出한 多數의 册子中에 있었던 것이라고 밝히고 있다. 그러나 小田은 당시 화엄사 및 관계제사에서 제출하였던 많은 책자들을 그 후 어떻게 하였는지는 未詳으로, 黃壽永 博士가 1988년경에 화엄사를 찾아 이 册子를 問議 하였으나 뜻을 이루지 못하였다고 한다.

최유청과 그의 처남 정서가 왕실의 음모사건 인해 최유청은 南京留守使로 左遷되어 이후 충주목사, 경주목시 등으로 전전하였고, 정서는 동래로 杖流되는 등 오랫동안 외관으로 나가게 되면서(『高麗史』世家 卷17, 丁未 條; 『高麗史』 列傳 卷99, 崔維淸傳 條) 탑동진대사洞眞大師(통진대사)는 영암사람으로 명名은 경보慶甫, 자字는 광종光宗으로 속성은 김씨이다. 대구 팔공산 부인사夫仁寺에서 출가하여 후에 백계산 도선에게서 수학을 한 후 25세 때 중국으로 건너가 30년 간 수학 정진하고 921년에 귀국하였다. 귀국 후 견훤이 전주 남쪽 남복선원南福禪院에 주석할 것을 청하였으나 거절하고 옥룡사에 머물렀다. 견훤이 재차 청하자 남복선원에서 20년 간 주석하다가 만년에 다시 옥룡사에 돌아와 주석하다가 947년 80세의 나이로 입적하였다. 후에 추익追諡하여 동진대사洞眞大師라 하고 탑호塔號는 보운寶雲이라 했다. 비문은 광종9년(958)에 김정언金廷彦이 찬문했다.[218] 동진비에 대한 것은『동문선』과『조선금석총람』에 전해지며 김정언이 지은「옥룡사동진대사보운탑비명玉龍寺洞眞大師寶雲塔碑銘」에,

---

비를 세우지 못하고 송도의 國淸寺의 뜰에 방치해 두었다. 그 후 무신란이 일어나고 명종이 즉위하자 명종2년 6월에 최유청이 사면되어 다시 集賢殿大學士判禮部事에 취임하면서 비도 옥룡사로 운반하여 세우게 되었다(今西龍,「玉龍寺 先覺大師碑銘に就きて」,『高麗史 硏究』, p.112-113).

따라서 비는 완성되었으나 세우지는 못하고 국청사에 버려진 채로 방치해 두었다가 20여 년이 지난 후인 1172년에 탑비를 건립한 뒤 비각을 건립하고 부도를 보호할 탑전을 건립함으로써 공사를 완료하게 되었던 것이다.

도선의「碑陰記」에 의하면 옥룡사에 도선의 비가 건립되기까지는 많은 法孫들이 관계하였다. 그 중에서도 옥룡사 주지 志文은 太史局에 請願하여 개경 국청사에 버려져 있던 비를 옥룡사로 옮겨 오게 하였다. 명종2년 비를 세운 다음 지문은 다시 왕에게 고하여 고려 왕사나 국사의 碑文舊式에 따라 碑石裏面에 도선의 법손제자로 大德以上의 僧階와 法名을 기록하여 주기를 청원하였다. 그래서 국왕은 공사가 완료되자 1173년 5월 29일 비문의 음기를 찬하게 하여 6월 14일 음기가 비신에 첨가되어 기록됨으로써 도선의 탑비는 마무리 되었다. 도선이 입적한 뒤 275년 만에 도선의 비가 옥룡사에 세워지게 된 것이다.

218 李能和,『朝鮮佛敎通事』下篇, 新文館, 1918.

…… 인자한 기풍이 이 만리 밖까지 풍겼고 선월禪月이 구천 밖을 비춘 사람은 오직 우리 스님 뿐이다. 그런 까닭에 시호를 추증하고 동진대사라 하고 탑호를 보운寶雲이라 한다. <중략> 정미년(947) 입적하기에 이르러 '너희들은 나를 위하여 탑을 세워서 유체를 보관하거나 비석을 세워서 행한 일을 적는 일은 하지 않음이 스승의 명복을 돕는 일이다.'

동진대사의 탑과 비는 그의 제자들이 스승의 뜻을 어기고 옥룡사에 세웠다. 옥룡사가 폐사가 된 후에도 이 사지에는 쌍탑 쌍비가 근세에까지 전해 온 것으로 알려져 있다. 그러다가 일제 때 몇 차례 파괴되어 부도 또한 외지로 반출되어 오늘날에는 아무런 흔적이 없이 되어버리고 이 자리에는 민묘가 세워지고 이를 수호하기 위한 제각만이 반파된 채 사역을 차지하고 있었다.

1916년 9월에 아사미 린타로淺見倫太郎가 조선총독부 중추원에 제출한 『조선금석조사고본朝鮮金石調査稿本』에는, "옥룡사동진대사보운탑비玉龍寺洞眞大師寶雲塔碑, 광양군옥룡면백계리光陽郡玉龍面白鷄里, 고려광종구년무오립高麗光宗九年戊午立"[219]이라고 동진대사비의 소재지와 건립년대는 기록하고 있으나 그 현상에 대해서는 언급하지 않고 있다.

또 1916, 1917년경 식산국산림과殖産局山林課에서 임야 중에 존하는 고적유물을 조사한 『조선보물고적조사자료』에는 동진비에 대해서는 사유私有라고 하고 "폭 4척 고 8척으로 횡도橫倒되어 훼손毁損되었다. '려국광주희방현고백계산옥룡사제익동진대사보운지탑병서麗國光州晞防縣故白鷄山玉龍寺制謚洞眞大師寶雲之塔並序' 라고 되어

219 『殘見委員 提出 朝鮮金石調査稿本』, 朝鮮總督府中樞院, 1916.

있으며 현덕5년건립顯德五年建立" 이라 하여 도괴되어 있으나 현존하고 있음을 기술하고 있다. 동진대사 부도탑에 대해서는 역시 사유물로 기록하고 있으며, "고 8척 부도탑1기浮屠塔一基 및 전기동진대사비前記洞眞大師碑(사지에서 數町 떨어져 있음)가 있다"[220]고 기술하고 있다. 따라서 최소한 1916, 1917년경까지는 동진대사의 탑과 비는 옥룡사에 그대로 현존하였던 것이다. 그러나 도선의 비와 탑에 대해서는 아무런 언급이 없어 1916, 1917년 이전에 이미 사라졌음을 확인해주고 있다.[221]

---

220 『朝鮮寶物古蹟調査資料』, 朝鮮總督府, 1942.

221 1997년 이곳의 발굴조사에 참여했던 최인선 교수의 조사기록에 따르면, 옥룡사에 주석하였던 도선국사와 동진대사의 부도전지가 아주 정연하게 노출되어 부도를 보호하였던 목조건물지를 확인하였으며, 도선비는 1915년경에는 완전히 파괴되어 부근 농민들에 의해 탑비가 세탁석, 지대석 등으로 사용되어 사라졌다고 한다(崔仁善,「光陽 玉龍寺 先覺國師 道詵의 浮屠殿址와 石棺」,『黃壽永博士 八旬頌祝紀念論叢』, 韓國文化史學會, 1997).
1931년 小川敬吉의 조사에도, "同面內 가까이에 옥룡사지가 있다. 사는 천백 년 전에 도선국사가 재흥한 사원으로 同國師는 이곳에서 입적하였다. 국사의 비가 있었다고 하나 지금은 없다" 라고 하고 있다. 오가와는 1915년경에 부근 농민들이 완전히 파괴하여 洗濯石, 砥石 등으로 사용한 것으로 보고 있다(小川敬吉,「古蹟保存と取締規律」,『朝鮮と建築』 10-3, 1931년 6월).
1983년에 간행한 『광양군지』에는 도선비의 전래에 대해 "이 비는 옥룡면 추산리 옛 옥룡사지에 있었다. 노인들의 말에 의하면 1920년대 초까지는 있었다고 하나 그 후 깨어져 굴러다니다가 부근에 묻혔다고 함"이라고 하고 있다.
황수영 박사는 이들 탑비의 전래와 파취에 이르는 경위를 찾기 위해 고노들을 찾아 문의하였으나 별다른 증언을 들을 수가 없었다고 한다(黃壽永,「玉龍寺 道詵國師碑」,『先覺國師道詵의 新研究』, 靈巖郡, 1988). 이들은 모두 고희가 넘었으나 도선비에 대해 전혀 기억을 할 수 없다는 것은 그만큼 오래 전에 파괴되었음을 말해 주고 있다.
1924년에 발간한 개정판 『광양군지』에, 鵲년에 옥룡사가 불타면서 도선비도 전복되었다" 는 것을 보면 도선국사의 비는 이때부터 넘어져 放置되어 왔던 것을 짐작할 수 있다. 1911년 3월에 발간한 『朝鮮寺刹史料』에 게재되어 있는 「白鷄山玉龍寺詵覺國寺碑銘」은 선각국사의 비를 이미 잃어버려 『東文選』에서 찾아 실었다고(『考古學雜誌』 2-4, 1911년 12월, p.56) 하는 것으로 보아 1911년 이전에 파괴되어 그 소재를 잃어버린 것으로 추정된다.
1997년 발굴조사에서 동진대사의 비전지는 확인하였으나 도선국사의 비전지는 확인할

1920년 6월 제15회 고적조사위원회에서 '고적유물보존의 건'에서 의안으로 올라온 동진대사비는 이 같이 1916년 이전에 옆으로 넘어져 훼손되어 바로 세우고 목책을 설치하기 위한 것이었다. 의안으로 채택된 것이 1916, 1917년경 식산국산림과殖産局山林課에서 조사한 내용을 근거로 한 것인지, 아니면 또 다른 별도의 조사가 있었는지는 알 수 없다. 하지만 전도되어 있다고 하나 최소한 건립이 가능한 정도로 판단했기 때문에 "전도顚倒된 것을 견립堅立하고 목책木柵을 설치하고 제찰制札을 세움" 으로 가결되었던 것으로 보인다.

동진대사비편

1922년에 편찬한 『최근조선사정요람』과 1925년에 간행한 『(지나만주조선안내)아동지요支那滿洲朝鮮案內 亞東指要』에 게재된 내용에는 동진대사보승탑비洞眞大師寶乘塔碑를 수리하고 목책木柵을 설치하고 있음을 기록하고 있어[222] 적어도 1925년까지는 보존이 되었던 것으로 추정할 수 있다.

조선총독부관방문서과朝鮮總督府官房文書課의 고적조사보고에 의하면, 1931년 전라남도 일대의 석탑, 석비 등이 함부로 매각되거나 파괴되고 있다는 보고를

수 없었다. 도선비는 동진대사비보다 일찍 파괴됨으로서 그 유지가 완전히 파괴되어 확인하기 힘든 것으로 보인다. 또한 도선국사비의 명문이 새겨진 비편을 한 점도 수습하지 못한 점으로 보아 땅에 매몰되었거나 타지로 반출되었을 가능성이 높다

222 山根倬三, 『(支那滿洲朝鮮案內)亞東指要』, 亞東指要刊行會, 1925, p.133.

접한 총독부에서 「고적유물보존규칙」에 의해 이들을 등록하기 위해 3월에 총독부 기수 오가와 게이키치小川敬吉와 종교과 촉탁 홍석모洪錫模 조사원을 급파하여 옥룡사지를 조사하였다. 옥룡사지의 조사보고에, "무지한 리인里人들의 행위로 4, 5년 전에 례외파괴例外破壞"[223]로 기록하고 있다.

오가와 게이키치小川敬吉 등은 1931 3월 16일부터 3월 29일까지 조사를 하고, 1931년 5월 20일부로 학무국장에게 보고서[224]를 제출했다. 이 조사보고서에 의하면 1931년 3월 19일에 옥룡사지를 조사했는데, "고려초기의 묘탑 1기가 유존하고, 2, 3년 전에 동진대사의 비는 파괴되어 지금은 없다"고 하며, 동진대사비는 "(사진 참조)" 라고 기록하고 있으나 현장 사진은 보이지 않고 "현장에는 이수, 귀부, 비신의 잔편이 남아있지 않다. 주변 부지를 수색하여 문자가 있는 소파편을 주워 박물관으로 가져왔다"고 하고 있다. 이 비편 사진은 국립중앙박물관 소장 소장품 번호 '건판 025357'에 나타나 있다.

이상으로 보면, 동진대사비는 1920년에 넘어져 있던 비를 바로 세우고 보호목책을 둘렀으나 1926년에서 1928년 사이에 파괴되어 외지로 반출된 것으로 추정된다. 광양읍에 거주하는 향토사가의 증언에 그것이 일제 때 어디론지 반출되었다고 한다.[225] 1997년의 조사결과 동진대사비의 전지에서는 아주 작은 비문 잔편殘片 100여 편을 수습하기도 했다.[226]

---

223 朝鮮總督府官房文書課, 「昭和5年度의 古蹟調査」, 『朝鮮』, 朝鮮總督府, 1931년 10월, p.137.
224 『전라남도 광양군 기타 고적유물 조사 보고서』, 국립중앙박물관 소장 조선총독부박물관 공문서, 목록번호 : 96-140.
225 黃壽永, 「道詵碑와 洞眞碑」, 『黃壽永全集 4』 參考.
226 崔仁善, 「光陽 玉龍寺 先覺國師 道詵의 浮屠殿址와 石棺」, 『黃壽永博士 八旬頌祝紀念論叢』, 韓國文化史學會, 1997.

오가와 게이키치小川敬吉의 사진첩에는 옥룡사지부도玉龍寺址浮屠 1기가 실려 있는데, 이것은 국립중앙박물관에 소장되어 있는 '건판 018001' 이다. 사진에는 부도 1기와 함께 뒤편에는 정돈된 건물이 보이고 있다.

그 형식을 보면, 전형적인 팔각원당형을 갖추고 있으며 고달사지의 부도와 경북대학교에 있는 부도, 흥법사진공국사탑에서 나타난 바와 같이 중대석이 크고 표면에 운용으로 추정되는 형상들이 고부조의 형식으로 나타나 있다. 고달사지의 보물 제7호의 부도와 경대부도(보물 제135호)가 네모진 지대석을 가진데 비해, 고달사지 국보 제4호의 부도와 같이 지대석, 하대석이 모두 충실한 팔각원당형을 갖추고 있다. 그리고 상륜부는 완전하게 갖추고 있으며, 연곡사 북부도(국보 제54호)와 흡사한 형식을 가지고 있는 아주 우수한 부도로 추측된다.

「광양옥룡사 탑비전지 발굴조사」[227]의 도선국사부도전지 조사기록을 보면,

> 부도전 중심부에 부도가 놓였던 지대석들 가운데 한 매가 있다. 이 지대석 상면에는 팔각원당형 부도의 바닥이 있었던 흔적이 일부 남아 있다. 이 부도전 주변에서 상당량의 부도편들이

옥룡사지승탑
(국립중앙박물관 소장 건판 018001)

227 「光陽玉龍寺 塔碑殿址 發掘調査」, 『(全南東部地域의)文化遺蹟과 遺物』, 순천대학교박물관, 1998.

> 인위적으로 작게 깨어진 채 출토되었다. 출토된 부도편 중에는 사천왕상이 새겨진 것이 있었다.

라 하고, 동진대사부도지로 추정되는 조사보고에서는,

> 이 건물지에서 출토된 부도편 가운데 부도의 형식과 편년을 어느 정도 알 수 있는 편들이 다수 출토되었다. 그것들은 용머리, 몸체, 발 등이 표현된 편들이다. 이 편들은 고부조로 조각되었으며, 표현이 아주 사실적이다. 이처럼 부도에서 용의 표현이 고부조이며 사실적으로 표현된 예는 주로 10세기의 팔각원당식 부도에서 보이고 있으므로 이 부도 역시 같은 시기로 편년될 수 있으며 형식은 팔각원당식으로 추정된다. 이 건물지에서 비정해 볼 수 있는 또 하나의 근거는 이 건물지에서 출토된 고려토기의 와편들을 들 수 있다.

라고 기술된 점으로 보아 오가와小川의 자료집에 실린 '옥룡사부도' 라고 기록한 사진이 동진대사의 부도와 일치하는 점이 많이 있으며, 10세기 중반부터 부도의 중대석에서 나타나는 용의 고부조 양식[228]이 동진대사의 편년과 거의 일치하고 있다. 하지만 발굴조사에서 출토된 옥개석은 2개분 모두가 염거화상탑이나 흥법사 진공대사탑과 같은 전각형殿閣型인데 비해, 오가와小川의 사진에는 진전사지 석조부도나 고달사지부도와 같은 석등형石燈型을 하고 있어,[229] 옥룡

228 嚴基杓,『新羅와 高麗時代 石造浮屠』, 학연문화사, 2003.
229 嚴基杓,『新羅와 高麗時代 石造浮屠』, 학연문화사, 2003.

사의 도선국사부도나 동진대사의 부도로 보기도 어렵다.

오가와小川가 1931년 3월 19일에 옥룡사지에서 촬영한 이 사진은『조선보물고적조사자료』에서 "고 8척의 부도탑 1기 급 전기동진대사비"로 기록하고 있는 부도로 볼 수 있겠으나 이것이 동진대사의 부도인지도 확실치 않다. 현재로서는 누구의 것인지 또 이미 외국으로 반출되었는지 그 소재도 불명이다.

황수영 박사가 1987년 조사 당시 고노들로부터 동진대사의 보운탑寶雲塔으로 추정되는 부도에 대한 증언을 들었는데 사지에서 일제 때 반출되어 광양군으로 향한 사실을 들었다고 한다. 그 후 국내에서 고려시대 부도로서 원위치를 떠난 것은 애써 구명究明하여 왔는데 국내에서는 옥룡사의 것으로 추정되는 것은 전혀 찾을 수가 없었다[230]고 하는 것으로 보아 이미 외국으로 반출되었을 가능성이 높다.

옥룡사지 중앙 북쪽에는 1923년에 제각을 건립하였는데 관리가 제대로 되지 않아 퇴락되어 있었다. 1997년 발굴조사 시에 이 제각도 철거하고 하부구조를 조사한 결과 그곳에서 상하층의 기단면석, 탑신석, 옥개석 노반석 등 많은 석탑재가 나타났다. 탑신석은 제각의 주초석으로, 기단면석은 건물의 기단석으로 이용되는 등 모든 탑재가 제각건물祭閣建物의 주재로 사용되었다.[231] 1916, 1917년경에 조사한『조선보물고적조사자료』에도 석탑에 대한 언급이 없는 것으로 보아 일찍이 도괴되어 매몰되거나 가려져 있던 것을 1923년에 제각을 지으면서 사용한 것이 아닌가 추정된다.

---

230 黃壽永,「玉龍寺 道詵國師碑」,『先覺國師道詵의 新研究』, 靈巖郡, 1988, p.364.

231「光陽玉龍寺 塔碑殿址 發掘調査」,『(全南東部地域의)文化遺蹟과 遺物』, 순천대학교박물관, 1998.

현재 이곳 사지에는 1969년 동백사라는 절이 건립되었는데 얼마 후에 사명을 백계사로 고쳤다가 최근에는 옥룡사로 다시 개명하였다. 그리고 2001년 11월에 선각국사와 동진대사의 쌍탑 쌍비의 복원공사가 완성되어 그 제막식除幕式을 가졌다.

2. 오룡사지(五龍寺址) 법경대사보조혜광탑(法鏡大師普照慧光塔碑)

오룡사지는 개성군 영남면 용흥리 사기막동에 위치하며, 이곳에는 태조 왕건이 왕사로 섬겼던 법경대사 경유慶猷의 비法鏡大師普照慧光塔碑가 유존하여 주목받아 왔다.

오룡사지 법경대사보조혜광탑비

이마니시 류今西龍는 1916년에 이곳 사지를 조사하고 법경대사보조혜광탑비에 대해 온전한 상태로 남아 있음을 기록하고 있다.[232]

그런데 제15회 고적조사위원회에서 "전도顚倒된 것을 견립堅立하고 목책을 설치하고 제찰을 세우는 것"으로 가결했다는 것은 이미 전도顚倒된 것을 전제로 한 것인데, 이는 오류가 아닌가 여겨진다.

촉탁 요네다 미요지米田美代治와 가야모토 가메지로榧本龜次郎가 1934년 3월 8일부터 14일까지 개풍군과 개성부 내의

232 『경기도 개성군 고적조사 보고서』, 국립중앙박물관 소장 조선총독부공문서, 문서번호 : 96-124.

오룡사법경대사탑 붕괴 상태

고적 및 유물을 조사하고 돌아와 같은 해 5월에 제출한 복명서[233]를 제출했다. 이 복명서에는 조사 개략과 관련 도판이 첨부되어 있다.

오룡사지부도廢五龍寺址浮屠에 대해서는 파괴된 석재의 잔해 사진을 첨부하고 있으며, 법경대사비法鏡大師碑에 대해서는 "하등 목책의 설비 없이 방치의 상태이다. 보존 시설을 요함" 이라 하고 사진 2매를 첨부하고 있다.

요네다의 복명서를 보면 조사 당시까지는 법경대사비에 대해서는 아무런 보호시설을 설치하지 않았으며, 사진에 나타난 비의 상태도 도괴된 흔적이 보이지 않는다.

233 『개성부 개풍군 고적유물 조사 복명서』, 국립중앙박물관 소장 조선총독부박물관공문서, 목록번호 : 96-380.

3. 경기도 장단군 진서면 불일사지(佛日寺址) 사리탑

불일사佛日寺는 광종2년(951)에 창건한 사찰로,[234] 『신증동국여지승람』에 "고려 광종이 불일사를 송림현 북쪽에 짓고, 1읍을 동북쪽으로 옮겼다" 라고 기록하고 있다. 송림현은 장단군 진서면 불일리 일대의 지명이다. 광종이 1개읍을 옮기고 그 자리에 불일사를 건립했다는 것은, 그만큼 고려조에 왕실의 보호를 받으며 번창했음을 짐작할 수 있다.

불일사가 언제부터 폐사가 되었는지 알 수 없으나, 1916, 1917년경에 조사한 『조선보물고적조사자료』 에는 폐사지에 남아있는 유물로 "높이 약 4칸의 6중석탑 및 높이 3척2촌의 석불 4개, 사리탑 2개와 함께 당간지주가 현존함" 이라 기록하고 있다. 『조선보물고적조사자료』의 기술 방식을 보면 유물의 상태를 기록하는 것이 거의 필수적인데, 불일사지의 유물 상태에 대해서는 도괴나 파손에 대한 내용이 보이지 않는 점으로 보아 조사 당시에 온전한 상태로 남아 있었던 것으로 짐작된다.

그런데 제15회 고적조사위원회에서 '불일사지사리탑'에 대해 "전도顚倒된 것을 견

불일사지 전경

234 『高麗史節要』 卷2, 光宗2년.
佛日寺를 동쪽 교외에 창건하여 돌아가신 先妣 劉氏의 원당으로 삼았다.

립竪立하고 목책을 설치하고 제찰을 세우는 것으로 가결"된 점으로 보아 1916, 1917년 이후의 조사에서 불일사지사리탑이 도괴된 상태가 들어났기 때문일 것이다.

불일사지는 1918년 7월에 고적조사위원 촉탁 야쓰이 세이이치谷井濟一, 조선총독부 촉탁 오가와 게이키치小川敬吉, 노모리 겐野守健에 의해 조사가 이루어졌는데, 복명서[235]에는 관련 사진 및 도면 등이 함께 첨부되어 있다.

복명서에 첨부한 사진 '불일사지의 전경'을 보면 사지 일대는 이미 경작지로 변해 남아있는 유물에 대한 아무런 보호 설비가 없이 방치된 상태로 나타나 있다. 남아 있는 유물에 대해서는 초석, 5층석탑, 당간지주, 사리탑, 석종, 석상 등을 기록하고, 사리탑에 대해서는 "사리탑은 도괴되어 석재가 부근에 잔존殘存" 한다고 하고 도괴된 사리탑 사진을 첨부하고 있다.

사리탑 붕괴 상태

사리탑 붕괴 상태

야쓰이 등의 조사에서 사리탑의 도괴 상태가 발견되어 제15회 고적조사위원회에서 '고적유물보존의 건'에 포함시킨 것으로 볼 수 있다.

그런데 문제는 그 이후이다. 1920

235 『鳳山郡, 開城郡, 長湍郡 古蹟調査 復命書』, 국립중앙박물관 소장 조선총독부공문서, 문서번호 : 96-131.

년에 결정된 내용과 같이 마땅히 무너진 사리탑을 바로 건립하고 목책을 둘러 보호했어야 한다. 그런데 이 같은 처리에 대한 기록이 보이지 않는다.

야쓰이 일행의 조사 이후 불일사지사리탑에 대한 기록이 보이지 않는다. 1942년 4월 13일부터 19일까지 조선총독부 기수 스기야마 노부조杉山信三가 경기도 개풍군과 장단군 소재 석조물 보존 사무 협의를 위해 현지 조사를 하고 돌아와 같은 해 5월 21일에 복명서[236]를 제출했는데, 여기에는 조사의 일부로 불일사지佛日寺址의 파괴 상황 등을 기재하고 관련 도판이 첨부되어 있다.

이 보고서에는 불일사지에 유존한 5층석탑, 석종, 사천왕상 4구, 당간지주, 수조 등을 조사하고 5층석탑에 대해서는 "보존상태가 비교적 양호"라 하고 석종과 사천왕상에 대해서는 도난의 우려가 있음을 기술하고 사진까지 첨부하고 있다. 스기야마의 보고서에 나타난 사진은 사와 슌이치澤俊一가 촬영한 것으로 기록하고 있는데, 1918년 야쓰이의 조사에서 첨부한 사진을 그대로 가져온 것으로 짐작된다. 사진이 완전히 일치하고 있다.

그런데 문제는 스기야마의 보고서에는 1918년 야쓰이의 조사에서 나타난 불일사지 사리탑에 대해서는 전혀 언급이 없으며 사리탑에 대한 사진도 보이지 않는다. 스기야마가 석종과 사천왕상에 대해서 도난을 염려 하듯이, 사리탑이 다른 곳으로 옮겨졌다면 분명 이건 장소를 기술했을 터인데 아무런 언급이 없다. 따라서 이미 다른 곳으로 불법 반출된 것이 아닌가 여겨진다.

---

236 『경기도 개풍군, 장단군 소재 寺址 파괴 상황 조사』, 국립중앙박물관 소장 조선총독부 박물관공문서, 목록번호 : 96-364.

4. 영천 신월동 3층석탑

1918년 심한 비로 6월 7일 돌연 도괴되어 이 복구에 대해 지역주민의 힘으로는 불가능하여 석재는 모두 대석 옆에 쌓아 두고 당국에 도움을 요청하여 제15회 고적조사위원회에 안건으로 올라와 이를 수리 완료 했다. 이후 다시 도괴된 것을 1943년에 수리한 기록이 보인다(1918년 6월, '영천 금호면 신월동新月洞3층석탑(보물 제465호)의 도괴' 조 참조).

1920년 6월 29일

향교재산관리규칙(부령 제91호)을 제정 공포하다.

그 내용은 다음과 같다.[237]

향교재산관리규칙

제1조 향교재산은 부윤, 군수, 도사島司가 이를 관리함.

제2조 향교재산을 매각, 양여, 교환 또는 담보로 공供하고자 하는 시는 조선총독의 인가를 수受함이 가함.

제3조 향교재산은 교육 기타 교화의 사업에 공供하기 위하여 필요가 유한 경우를 제한 외 무료로 이를 대부하며 또는 사용케 함을 불득함.

237 『朝鮮總督府官報』 1920년 6월 29일자.

제4조 향교재산에서 생生하는 수입은 이를 문묘의 비용 기타 교화의 비용에 사용함이 가함.

제5조 부윤, 군수, 도사는 매년도 향교재산의 수지예산을 정하여 도지사의 인가를 수受함이 가함.

전항 향교재산의 수지예산은 도지사의 定하는 바에 의하여 선임한 장의의 의견을 징徵하여 이를 정함이 가함.

제6조 향교재산에서 생生하는 수입의 보관 급 출납에 관한 사무는 부윤, 군수, 도사가 이를 행함.

향교재산에 속한 현금 급 수입금은 우편국소, 금융조합 또는 은행에 예입함이 가함.

제7조 부윤, 군수, 도사는 향교 재산원부를 비하고 재산에 이동을 정리함이 가함.

제8조 도지사는 본령 시행에 관한 세칙을 설함을 득함.

1920년 8월

경주 입실리 고분 유물 산일

1918년에는 영천군 금호면에서 한대漢代의 고경古鏡, 대구帶鉤, 각종 청동기류靑銅器類 등이 발견되고, 1920년에는 경주군 입실리에서 철도공사를 하던 중 동

검銅劍 등이 발견되면서 이 일대도 예외 없는 도굴장이 되었다.[238]

1920년 경주 울산간의 철도공사를 하던 중 입실리에서 다수의 유물이 발견되었다. 1920년 8월에 일본 청부업자 세라 다이키치世良大吉의 지도하에 한국인과 중국인이 사역을 하였다. 공사 중 상당수의 유물이 출토되었으나 당국에 신고를 하지 않고 철도 관계자들과 인부들이 유물을 휴대하고 가버렸기 때문에 사방으로 흩어졌다. 발견품을 휴대하고 돌아간 자는 대구중앙철도 공무과의 마스코 겐조增子謙藏 등을 비롯한 다수였다. 이러한 사실은 이듬해 1921년 1월에 와서 밝혀지게 되었다. 유물 중에서 모검鉾劍 등과 함께 6구의 유물이 인부의 손을 통하여 경주의 골동상 구리하라 도요조栗原豊藏에게 들어갔다. 이를 모로가諸鹿가 발견하고 이들 유물을 총독부박물관에서 구입할 것을 건의하여 본부박물관에 보관하게 되었다.

1922년 11월에 우메하라梅原가 경성에 체재滯在하면서 금관총 발굴품을 정리하던 중 우연히 입실리 출토의 모검鉾劍을 보고 흥미를 가져 모로가諸鹿와 오사카大坂의 원조를 받아 실지 시찰을 하고 산일散逸된 유품을 탐색探索하게 되었는데, 대구의 가와이河井, 오구라小倉가 소장한 다수의 출토품을 발견하게 되었다. 반출유물들은 곧바로 경주, 대구 등지의 수집가들의 손에 넘어가고 일부는 일본으로 반출되기도 하였다.

이후 우메하라梅原는 탐색을 계속한 결과 경주, 대구 등에 거주하는 수집가들의 손에 들어가 있는 동경銅鏡 1면(대구 河井所藏), 소동탁小銅鐸 한 개는 대구의 가와이河井소장, 다른 하나는 모로가諸鹿의 소장으로 있다가 경주 보존회의 진열실에 보관,

238 藤田亮策 外,「南朝鮮に於ける漢代の遺蹟」,『大正11年度古蹟調査報告』第2册, 朝鮮總督府, 1925, pp.1-2.

입실리 동검과 동모 출토지 토사
(국립중앙박물관 소장 유리건판)

공히 1924년 조선철도의 종업원으로부터 양도받았다고 했다. 이형동령異形銅鈴(河井의 藏), 병부동모柄附銅鉾(대구의 원 중앙철도 工務課 增子謙藏)를 발견하였다.[239] 이러한 것은 출토품 중에 극히 일부분에 지나지 않는 것이었다.

우메하라梅原 등은 그 후 1925년에 『남조선南朝鮮에서의 한대유적漢代遺跡』을 발간하였는데,

> 이 보고서報告書의 제작製作은 본원本員 등 세키노關野, 도리이鳥居, 하마다濱田, 오다小田의 네 위원의 후의厚意를 받아 함께 이왕직 사무관 스에마츠 구마히코末松熊彦 씨, 본부박물관 협의원協議員 아유카이 후사노신鮎貝房之進, 본부촉탁 모로가 히데오諸鹿央雄, 가토 간가쿠加藤觀覺, 경성사범학교 주사 시라카미 쥬키치白神壽吉, 경주공립고등보통학교장 오사카 긴타로大坂金太郎, 동경제실박물관 감사관보 고토 모도이지後藤守一, 대구부 가와이 아사오河井朝雄, 오구라 다케노스케小倉武之助, 마스코 겐조增子謙藏, 도쿄 스스키 류타로鈴木雄太郎, 오사카大阪 농학사 시미즈 겐타로淸水元太郎, 경성 야마토 고지로大和與次郎, 오노 마다이지小野又一, 니시무라 모도스케西村基助 등 조사 상 다대多大의 편의便宜를 주었다.

239 藤田亮策 外, 「南朝鮮に於ける漢代の遺蹟」, 『大正11年度 古蹟調査報告 第2册』, 朝鮮總督府, 1925, pp.33~49.

라고 하여 산일散逸된 많은 도굴품들을 참고參考로 하였음을 알 수 있다.

경주 입실리에서 도굴되어 개인에게 산일된 유물 중에서 우메하라와 후지타의 기록에 나타난 것을 보면 다음과 같은 것이 있다.

품명	출토지	소장자	출처[418]	사진
馬鐸	입실리 출토	大坂金太郎	古調1925, 부록도판32-2	
柄付銅鈴	경주 입실리	增子謙藏	梅原1947, p44 古調1925, p64	1920년 발견

240 古調 1925 : 藤田亮策, 梅原末治, 小泉顯夫, 「南朝鮮に於ける漢代の遺蹟」, 『大正十一年度古蹟調査報告』 제2책, 朝鮮總督府, 1925.
梅原 1947 : 梅原末治, 藤田亮策, 『朝鮮古文化綜鑑』 제1권, 養德社, 1947.

품명	출토지	소장자	출처[418]	사진
細形銅劍	입실리 출토	小倉武之助	古調1925, 부록도판 24-3 梅原1947, p44	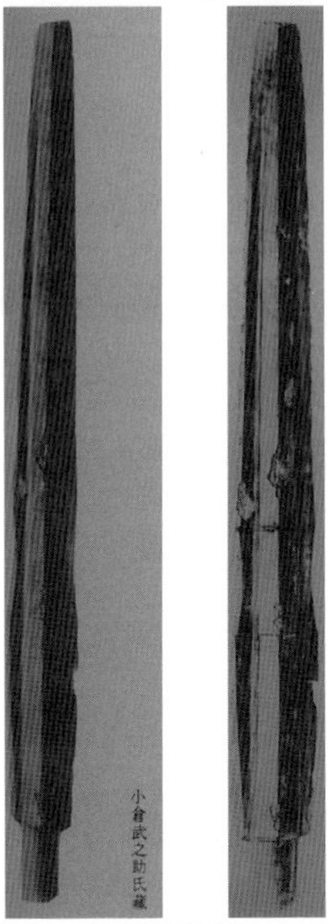
細形銅劍	입실리 출토	小倉武之助	古調1925, 부록도판 24-4	
銅製馬鐸	입실리 출토	小倉武之助	古調1925, 부록도판31-1	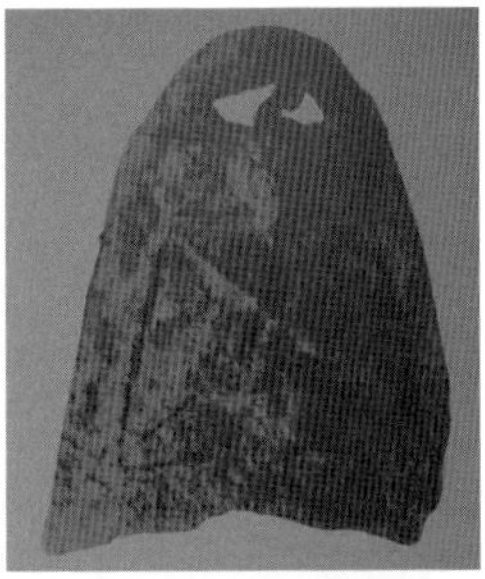
小馬鐸	입실리 출토	小倉武之助	古調1925, 부록도판31-2	

품명	출토지	소장자	출처[418]	사진
金具	입실리 출토	小倉武之助	古調1925, 부록도판35-1	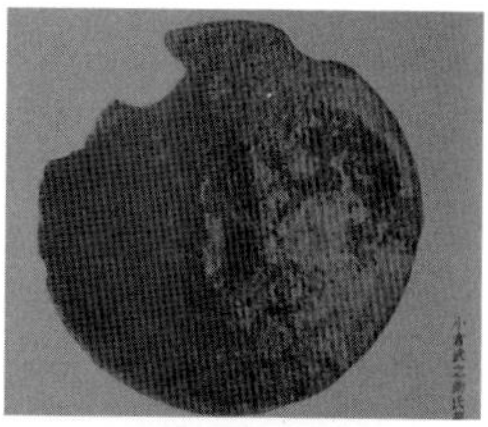
銅鉢	입실리 출토	小倉武之助	古調1925, 부록도판36-1	
銅馬鐸	입실리 출토	小倉武之助	梅原1947, p44	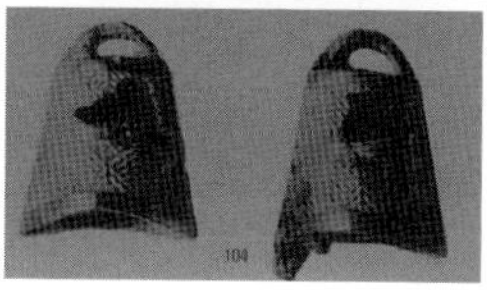 1920년 발견
土器, 銅製鋲	입실리 출토	小倉武之助	梅原1947, p44	1920년 발견
小銅棒, 銅劍把金具, 多紐細文鏡, 銅鐶, 銅製鈴付柄頭	입실리 출토	市田次郎	梅原1947, p44	1920년 발견
細形銅劍,	입실리 출토	市田次郎	梅原1947, 도판99	

품명	출토지	소장자	출처[418]	사진
銅鐸	입실리 출토	市田次郎	梅原1947, 도판103	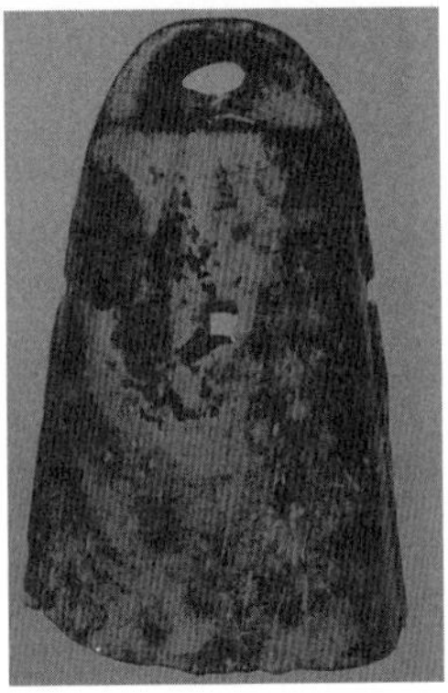 1920년 발견
圓頭筒形 有鍔銅器	입실리 출토	井上乙彦	古調1925	철도국 기사
銅製鈴	입실리 출토	諸鹿央雄	古調1925, 부록도판34	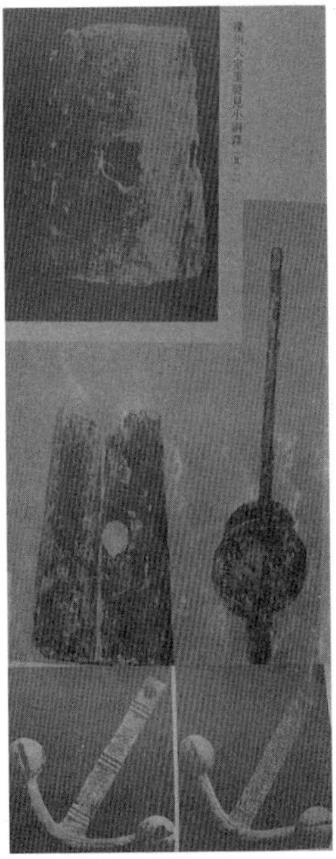
銅鏡	입실리 출토	河井朝雄	古調1925, p50	

품명	출토지	소장자	출처[418]	사진
小銅鐸 2개	입실리 출토	河井朝雄	古調1925, p55	
有鍔銅鈴	입실리 출토	河井朝雄	古調1925, p62	
銅劍	입실리 출토	河井朝雄	古調1925, 부록도판 23	
細形銅劍	입실리 출토	河井朝雄	古調1925, 부록도판 24-2, 5	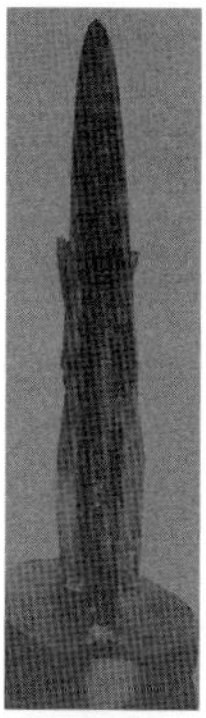 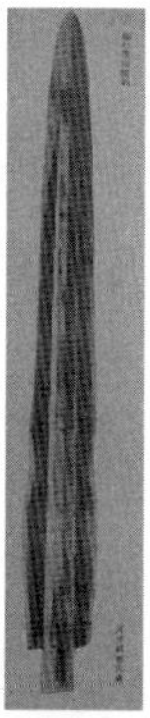
銅鏡	입실리 출토	河井朝雄	古調1925, 부록도판 27	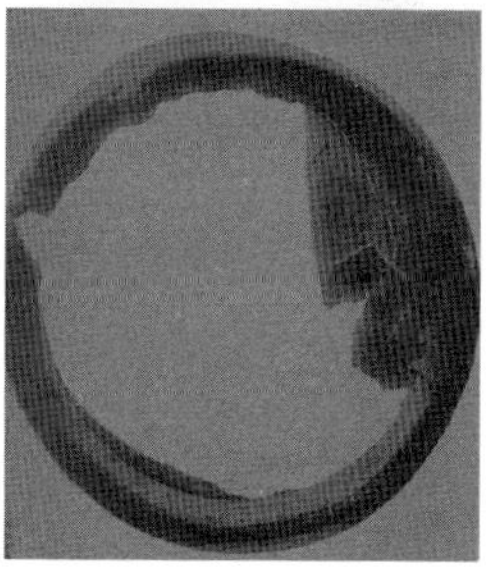

품명	출토지	소장자	출처[418]	사진
奉狀金具	입실리 출토	河井朝雄	古調1925, 부록도판31-3	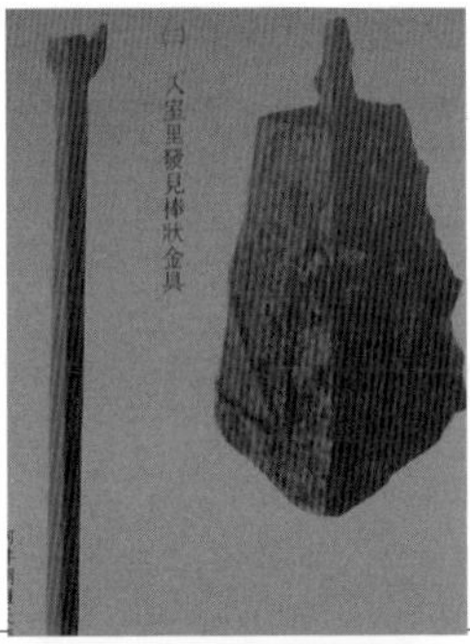
銅環	입실리 출토	河井朝雄	古調1925, 부록도판31-4	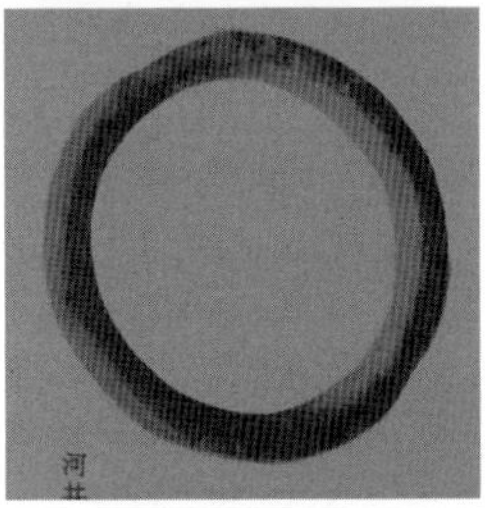
銅製柄劍	입실리 출토	河井朝雄	古調1925, 부록도판35-2	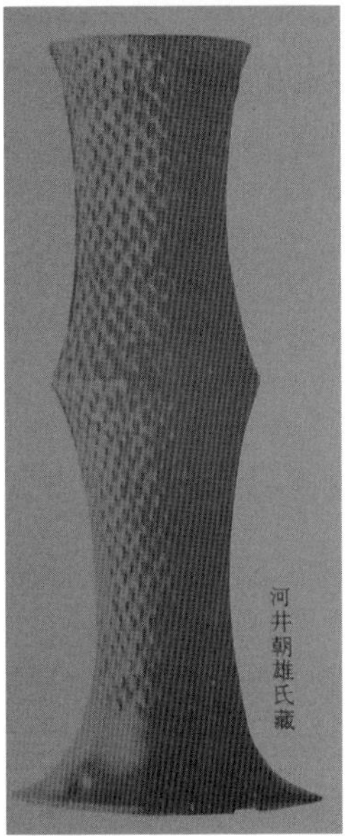

경주 입실리에서 나타난 유물이 대구의 가와이에게 넘어간 것이 가장 많은 수를 점하고 있다. 가와이 아사오河井朝雄는 1904년 7월에 처음 대구에 왔는데 5일간 대구에 머물면서 대구의 사정을 파악하는 게 그의 목적이었으나 자질구레한 상품도 30 지게쯤 가지고 왔다고 한다. 상품거래를 위한 정보수집이었던 것으로 보이는 바 그해 11월에 대구를 2차 방문하면서 그대로 재주하게 되었는데 그의 나이 26세 때이다.[241] 대구에서 정착한 후 무역 및 연초제조에 종사하다가 1908년에는 조선민보朝鮮民報를 창간하고 사장을 역임하였으며, 이후 도평의원, 대구물산합자회사대표, 동양기업주식회사 감사역을 역임한 당시 대구의 유지였다. 1931년에는『대구물어大邱物語』(朝鮮民報社)란 저서를 발간하기도 했다.[242]

1920년 10월 22일

김해 회현리패총 조사

고적조사위원 하마다 고우사쿠濱田耕作, 조선총독부 고적조사 임시사무 촉탁 우메

241 河井朝雄,『大邱物語』, 朝鮮民報社, 1931.
그는『大邱物語』'서문'에서 1904년 이래 대구에 거주하는 일본인이 수십 명이나 되나 三輪如鐵의『大邱一斑』(1912)을 제외한 대구의 27, 28년간의 경과를 묶어 쓴 문헌이 없어, 장래 대구사 편찬을 위해 작은 참고자료라도 되라고 썼다고 한다. 무슨 자료나 수기 같은 것이 남아있지 않아 거의 자신의 기억에 의해 생존하고 있는 관계자들의 설명을 듣고 연대별로 써간 것이기 때문에 대체로 정확하다고 믿으며 또한 관계자들도 인정해 주고 있다고 한다.

242 朝鮮新聞社 編纂,『朝鮮人事興信錄』, 朝鮮新聞社, 1922.

하라 스에지梅原末治, 박물관 촉탁 임한소林漢韶와 함께 김해패총金海貝塚을 조사했다.

1920년 10월 22일 경성을 출발 23일 경남 김해군 김해면에서 부근의 사적을 시찰하고 함께 24일부터 김해면 회현리 패총을 발굴 조사했다.

이 패총은 1907년 8월 이마니시 류今西龍가 처음으로 발견한 것으로, 조선총독부 고적조사사업의 개시 이후 이미 구로이타 가쓰미黑板勝美, 도리이 류조鳥居龍藏이 조사했던 곳으로 특히 도리이는 1914년, 1917년 두 차례에 걸쳐 조사를 하였다.

이번의 발굴은 특히 패층 포함 유물 관계에 유의하고, 또 그 층의 두께를 확인하는 것을 목적으로 분층적分層的 발굴을 했다. 1920년 10월 23일 하마다 고사쿠濱田耕作 등은 군청경찰서원의 안내를 받아 패총 소재지에 가서 구로이타와 도리이가 발굴한 지점의 중간 구릉점점으로부터 전지畑地에 이르는 경사면 25척의 간을 발굴하기로 계획하고, 24일부터 인부 6명을 시켜 정상 제1층부터 발굴을 해 들어갔다. 13일부터는 인부 13명으로 늘리고 제3층 이하의 발굴을 하여 26일에는 구릉 표면으로부터 깊이 8척 부위에 도달했다. 27일에는 제7층에 이르고, 28일에는 토괴면에 이르렀다. 구릉 정상에서 이곳까지 깊이 20척에 달했다.

그 결과 현존 패총의 서단층은 약 17, 18척으로 다수의 골각용기, 화천貨泉 1개, 토기, 석기, 철부, 옥류, 토기파편을 채집했다. 28일 조사를 마치고 29일 김해를 출발 동일 경성으로 돌아왔다.[243]

---

243 濱田耕作, 『考古學研究』, 座右寶刊行會, 1939, p.297; 「김해, 평양, 강서, 용강 고적조사 복명서」, 국립중앙박물관 소장 조선총독부박물관 공문서, 목록번호 : 96-342; 濱田耕作, 梅原末治,『大正9年度古蹟調査報告(金海貝塚發掘調査報告)』, 朝鮮總督府, 1923.

김해, 경주, 성주, 고령, 합천군 고적조사

고적조사위원 야쓰이 세이이치谷井濟一와 조선총독부 촉탁 노모리 겐野守健은 1920년 10월 22일부터 12월 26일까지 김해, 경주, 성주, 고령, 합천 등 5개군의 왕릉, 고분 등에 대한 조사를 마치고 1921년 1월 31일에 복명서를 제출했다.

야쓰이 일행의 조사 행적은 대략 다음과 같다.[244]

10월 22일 경성을 출발, 23일 경남 김해읍에 도착 동월 31일까지 체재, 그간에 김해면의 김수로왕릉, 동황후허씨릉, 삼산리고성, 내동리고성, 회현리고분, 회현리 패총, 은하사, 분산성, 읍성외토성지, 가락면의 죽도왜성, 주촌면의 원지리 고분군, 친곡리산성, 가곡산성, 농소리왜성, 장유면의 용두산성, 류하리 고분군, 진예면의 토성, 송정리제도소 등을 조사했다.

11월 1일 김해읍을 출발 경북 경주읍에 도착, 19일까지 체재, 경주군에서 신라시대 구축의 성곽지의 주요소의 전부 및 작년도에 조사를 다하지 못한 왕릉 왜형의 조사를 했다. 경주면 선도산성, 선도산마애불, 읍성, 읍동남토성, 월성, 봉황대, 미추왕릉, 태종무열왕릉, 김양묘, 진흥왕릉, 문성왕릉, 헌안왕릉, 황남리 효자리비, 천북면 소금강산 고분군, 내동면 명활산성, 명활산토성, 효소왕릉, 성덕왕릉, 신무왕릉, 구정리방분, 외동면 괘릉, 양북면 지림사, 골굴, 팔조리산성, 내남면 남산성, 서면 부산성, 금척리 고분군, 울산 농소면 산성 등을 조사했다.

11월 20일 경주읍을 출발 성주읍에 도착, 27일까지 체재, 이곳에서 성주면의

244 「김해, 경주, 성주, 고령, 합천군 고적조사 복명서」, 국립중앙박물관 소장 조선총독부박물관 공문서, 목록번호 : 96-342.

읍성, 성산성, 성산동고분군, 성암면의 고분군, 반남면의 신부동 고분군, 단항면 용각동 고분군, 수죽동 고분군, 벽진면 근봉산 고분군을 조사했다. 고분 또 성산면 성산동에서의 최대분의 내부를 조사했는데 그 봉토를 제거하고 그 감독은 군 및 경찰관원이 후보後報하고, 그 간을 이용하여 고령읍을 향했다.

11월 28일 성주 성산동 대총의 봉토를 제거하고 오후에 출발 고령읍에 도착, 12월 4일까지 체재, 고령면 주산성, 어정, 금림왕릉, 지산동 고분군, 운수면의 월성,옥산성, 월산동 고분군, 성산면 무계동고성, 박곡동 고분군, 성주군 지사면 계정동 고성 등을 조사했다.

12월 5일 고령읍을 출발 성주읍에 도착 20일까지 체재, 이곳에서 성주면 성산동 대총, 폐동방사 7층석탑, 월항면 수죽동 고분군 중 절상천정분折上天井墳, 금수면 명천동 고분군, 칠곡군 약목면 각산성 등을 조사했다.

12월 21일 성주읍을 출발 고령읍에 도착, 이튿날 22일 경남 합천읍에 도착 24일까지 체재, 이곳에서 합천면 익창리 고분군, 석불, 응봉성, 연호사, 함벽루, 읍동 폐사지, 용주면 벌리곡 고분, 율곡면 고소성, 수월교 고분군 등을 조사했다.

이상과 같이 조사를 마치고 12월 25일 합천읍을 출발 26일 귀청했다.

발굴 조사한 주요고분은 다음과 같은 것이 있다.

조사 시기	구역	조사자	내용	출토 유물	
1920년 11월	성주군 성산동	谷井濟一	성산동 大墳	蓋付坩, 刀子, 坩, 高杯 등 상당수 (유물번호8243-8264)	출처[423]

245 「고적조사 수집품 인계목록」, 『광복이전 박물관자료 목록집』, 국립중앙박물관, 1997.

조사 시기	구역	조사자	내용	출토 유물	
1920년 11월	성주군 성산동	谷井濟一	성산동 제8호분	脚付蓋付坩, 脚付坩, 高杯, 등 상당수 (번호8265-8278)	출처[424]
1920년 11월	성주군 성산동	谷井濟一	성산동 고분	도기파편, 철정, 도금금구	출처[425]
1920년 12월	고령 지산동	谷井濟一	折上天井塚	감, 감파편, 도기파편	출처[426]
1920년 11월	경주 내동면	谷井濟一	구정리 고분		

1920년 10월 29일

평양, 강서, 용강 고적조사

김해 회현리패총의 조사를 마친 하마다 고우사쿠濱田耕作와 우메하라 스에지梅原末治는 박물관 촉탁 오바 쓰네키치小場恒吉와 함께 10월 29일에 경성을 출발, 평안남도 평양에 도착하여 이튿날 30일부터 11월 4일까지 대동강면에서 낙랑시대 유적을 시작으로 강서군, 용강군 각지에 존하는 고구려벽화고분 및 용강군 해운면 한의 고비를 조사했다. 이번에 행한 벽화고분은 수리 후의 상황을 시찰하는 것이 목적이고, 평양에서의 대동강면 낙랑유적의 각종 유물을 조사

246 「고적조사 수집품 인계목록」, 『광복이전 박물관자료 목록집』, 국립중앙박물관, 1997.
247 「고적조사 수집품 인계목록」, 『광복이전 박물관자료 목록집』, 국립중앙박물관, 1997.
248 梅原末治, 『朝鮮古代の墓制』, 國書刊行會, 1972, p.116; 梅原末治, 「漢代朝鮮の文物に就いての一考察」, 『考古學』 제7권 제6호, 1936년 6월.

하고 11월 5일 조사를 마치고 경성에 귀착했다.[249]

1920년 10월

평양 대동강면 선교리 고분 유물 발견

평양 대동강면 선교리 탄광선 선교역의 북방에 해당하는 곳에서 1920년 10월에 선로정설 공사 중 정지 아래서 중요한 유물이 발견되었다. 동지의 표면에는 하등 무덤의 표식이 없었으며 지하 약 4척 되는 곳에서 목곽실이 나타났는데 그 내부에 목관 2개가 병렬로 안치 되었으며, 관외의 남측에서 각종 유물이 발견되었다. 반출물로는 영광삼년명동종永光三年銘銅鐘, 유개동정有蓋銅鼎 1개, 백동경 4면, 기타였다. 하지만 당시 이에 대한 아무런 조치를 취하지 않았다. 유개동정有蓋銅鼎은 공사 때 발견되어 공사감독관이 모리키요 우에몬森靑右衛門에게 준 것으로 동씨는 후에 총독부박물관에 기증했다.[250]

영광삼년명동종永光三年銘銅鐘은 1923년 10월 평양중학교 진열실에 진열되어 있는 것을 발견한 세키노가 학계에 소개하여 주목을 받았다.

---

249 「김해, 평양, 강서, 용강 고적조사 복명서」, 국립중앙박물관 소장 조선총독부박물관 공문서, 목록번호 : 96-342.

250 梅原末治, 藤田亮策, 『朝鮮古文化綜鑑』 제2권, 養德社, 1948. pp.16~18; 關野貞 外 5人, 『樂浪時代の遺蹟 (本文)』, 朝鮮總督府, 1927; 稻葉岩吉, 「新出土 孝文廟銅鐘銘識에 대해」, 『朝鮮史講座(特別講義)』, 朝鮮史學同人會, 1923, p.231.

영광삼년명永光三年銘 동종銅鐘을 조사 촬영한 세키노는,

선교리 출토 유개동정

> 나는 지난 10월 22일 평양중학교에 가 교장 도리카이 이코마鳥飼生駒[251]의 호의로 진열실에 보존되어 있는 동종을 확인, 평양 부근에서 출토된 유물로서 당시 나는 이외의 발견으로 놀라고 기뻤다. 도리카이生駒 교장에게 그 유래를 물었더니, 동 씨의 말에, '작년 10월 중순 평양 대동강 대안 선교리에 항공 대인송철도노신공사를 할 때 중국 인부가 발견한 것인데, 공사관계자가 당교 학생 하시모토橋本의 집에 가져 온 것을 다시 학교로 가지고 와 진열실에 둔 것이다' 나는 직접 그 각문을 탁본하고 촬영하여 24일에 경성에 돌아왔다.[252]

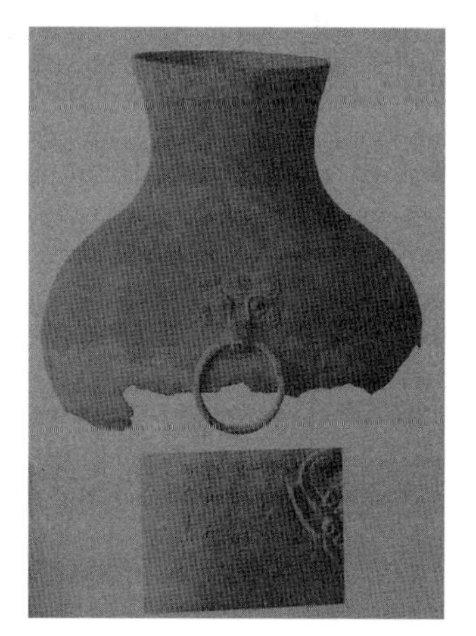
영광삼년명동종(永光三年銘銅鐘)

라고 하고 있다.

영광삼년명동종永光三年銘銅鐘은 하부가 없어졌으나 명문이 남아 있어 귀중한 유물이다. 그 명문은 '孝文廟銅鐘客十升 重卌

251 鳥飼生駒는 『朝鮮總督府施政25周年紀念表彰者名鑑』(1935, 朝鮮總督府)에 의하면, 1916년 4월에 平壤中學校敎諭(校監)로 발령을 받아 1921년에 평양중학교장으로 근무하다가 1934년 3월에 朝鮮總督府師範學校長補 그리고 대구사범학교장을 역임했다.

252 關野貞, 『朝鮮の建築と藝術』, 岩波書店, 1941, pp.257-258.

七斤 永光三年六月造'로 영광3년 즉 기원전 41년에 제작한 효문제의 제기로 현재 북한 국립중앙역사박물관에 소장되어 있다.[253]

1920년 11월 1일

경주 구정리 방형분 조사

경주 구정리방형분

경주 외동면 구정리의 방형분方形墳은 주위에 호석護石을 두르고 12지상支像 부조를 가진 감석嵌石을 배치하여 왕릉이거나 이에 버금가는 방형분方形墳으로 추정된다. 『조선보물고적조사자료』에는 "분 주위 23, 24칸間 고 약 2칸 주위 12지周圍十二支가 조각彫刻된 석石 수 개, 기발굴旣發掘"로 기록되어 있음을 보아 1916년 이전에 이미 도굴 당한 것으로 보인다.

고적조사위원 야쓰이 세이이치谷井濟一와 조선총독부 촉탁 노모리 겐野守健이 경상남북도의 고적조사를 하는 과정에서, 11월 1일부터 11월 19일까지 경주에 체재하면서 경주 일대의 왕릉에 대한 외형 조사를 했는데 이때 구정리방

253 『文化遺産』第1號, 朝鮮人民共和國科學院, 1958.

형분이 포함되어 있다.[254] 그러나 구체적인 조사 기록은 남기지 않았다.[255] 단지 1921년에 야쓰이 세이이치가 제출한「대정9년도 10월 고적조사 수집품 인계목록」에 구정리방형분에서 출토한 유물 목록이 남아 있어 잔존 유물을 수습했음을 알 수 있다. 잔존유물은 금동관식금구金銅棺飾金具 2점, 은제교구銀製鉸具 2점, 은제행엽파편銀製杏葉破片, 청동소판青銅小板 2점, 골편骨片 2점 등이다.[256]

해방 이후 1964년, 1965년에 걸쳐 정명호, 손용문의 감독 하에 복원공사가 이루어 졌는데 일제 때 발굴 조사 후 아무렇게나 방치하여 사방석주(甲石, 面石, 護石, 地臺石)가 도괴 방치되었던 탓으로 봉토층이 낙토가 되어 정상 중심부의 천정석이 대부분 노출되었으며, 남쪽의 지대석은 전부 실하였다.[257]

1920년 11월 13일

양산부부총 발굴 조사

양산부부총 조선총독부 고적조사의원 우마주카 제이치로馬場是一郎와 오가와

254「김해, 경주, 성주, 고령, 합천군 고적조사 복명서」, 국립중앙박물관 소장 조선총독부박물관 공문서, 목록번호 : 96-135.

255 有光教一,「十二支生肖の石彫を繞らした新羅の墳墓」,『靑丘學叢』第25號, 1936, pp.81-82.

256「大正9年度 10월 古蹟調査 蒐集品 引繼目錄(谷井濟一)」,『1921년도 유물수입명령서』, 국립박물관.
유물번호 8279~8285로 기록하고 있다.

257 孫龍文,「九政里方形墳 復元工事 經緯」,『考古美術』通卷65號, 1965년 12월.

발굴 전의 양산부부총 모습

게이키치小川敬吉에 의해 발굴되었다. 이는 처음부터 유물 수집을 목적으로 유물이 풍부할 것으로 추정되는 고분을 선정하여 발굴하였다.

양산읍 동북 북산성의 서록에 북정동이라 부르는 소부락이 있고, 이 부락의 남측의 산이 밀의 등 모양을 한 구릉이 길게 펼쳐져 있다. 이 구릉상에 크고 적은 구분들이 일렬로 늘어져 있었다.

이 고분군 중 동쪽 끝을 북정동 제1호분으로 하여 순차적으로 서쪽으로 번호를 부여하여 마지막에 18호분으로 번호를 부여했다. 18호분은 가도에 인접하여 송림 중에 있는 것으로 완호한 원분으로 4, 5년 전에 도굴되었다고 하며, 이외에도 주변의 산 중복中腹 이하에 크고 적은 고분이 산재되어 있는데 분형은 보통 원분圓墳으로 과반수는 자연적으로 붕괴되었거나 도굴로 인하여 파괴되어 석곽이 노출되었다.

오가와小川와 우마주카馬場는 발굴에 앞서 '유물이 풍부한 고분(완전한 분)', '10일 내외에 마칠 것'을 기준으로 하여 이 고분군 중 중간에 위치한 북정동 제10호분을 발굴 고분으로 선정하였다. 발굴 고분 선정은 외형을 보고 결정하는 것 외에는 다른 방법이 없었다. 위치는 고분군 중 가장 저지에 조영한 것이다.

북정동 제10호분은 조사 후 현실의 석상상石床上에 부부夫婦로 여겨지는 유골遺骨이 안장되어 있어 부부총夫婦塚이라 이름을 붙였다.

이 고분은 완전한 분으로 높이 27척, 아래 직경 180척의 대 고분이었다. 1920년 11월 13일부터 군서기 경관의 입회하에 11월 13일에 사진을 촬영하고, 11월 14일에 봉분을 파헤치기 시작했다. 21일부터 관을 비롯한 유물을 꺼내기 시작하여 11월 25일에 작업을 종료하였다. 고분 발굴 착수 이래 사용된 발굴 인부는 야경을 합해 72명, 소요된 시일은 악천후로 중지한 것을 제외하면 13일이 소요되었다. 출토된 유물은 금동보관金銅寶冠, 귀걸이, 목걸이, 환두태도, 등 340여 점이나 되는 유물이 출토되었다.

당시 세키노는 1920년 10월 13일에 경성으로 들어와, 10월 22일 야쓰이, 하마다, 우메하라 등과 함께 김해로 내려갔다. 하마다는 김해패총을 조사하고 세키노는 야쓰이, 하마다와 동숙을 하며 수로왕릉, 동왕비릉, 은하사, 죽도성, 분산성과 그 주변을 조사하고 왕비릉 부근의 고분을 발굴하고 10월 말에 도쿄로 돌아갔다. 세키노는 11월에 도쿄제국대학 교수로 승진하여 건축학 제5강좌를 담당하게 되었다.

양신부부총석실 매장상황

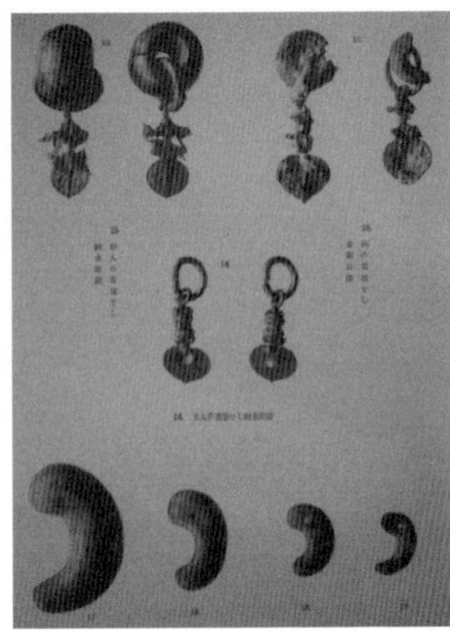

양산부부총 출토 유물

발굴보고서는 이 고분조사를 주재하였던 우마주카馬場 조사위원이 다른 곳으로 전임하게 되어 바로 조사보고서를 작성하지 못하고 1927년에 와서야 보고서가 나오게 되었다.[258]

발굴 과정에서 11월 14일 인부를 재촉하여 발굴 작업을 하던 중 고분의 주인이 와서 항의를 하였다. "본 고분의 동동남 1정여의 소고분지가 우리 친족의 공동 소유로 되어 있다. 예부터 이 고분군을 우리들의 소유로 되어 있다"고 항의를 하면서 중지하라고 하였다. 이런 주민의 항의로 인하여 발굴은 일시 중단할 수 밖에 없었다. 그런데 알고 보니 소유자라 칭하는 이 자는 수년 전에 일본인 모에게 고분을 이장하고 매장된 유물을 매도賣渡하려 했다는 것이다.[259]

---

258 馬場是一郎, 小川敬吉, 「梁山夫婦塚と其遺物」, 『古蹟調査特別報告』 第五册, 朝鮮總督府, 1927.

259 馬場是一郎, 小川敬吉, 「梁山夫婦塚と其遺物」, 『古蹟調査特別報告』 第五册, 朝鮮總督府, 1927.

이러한 것을 보면 당시 악질적인 일본인 장물아비나 수집가들의 조종에 의해 공공연히 도굴이 자행되었음을 알 수 있다.

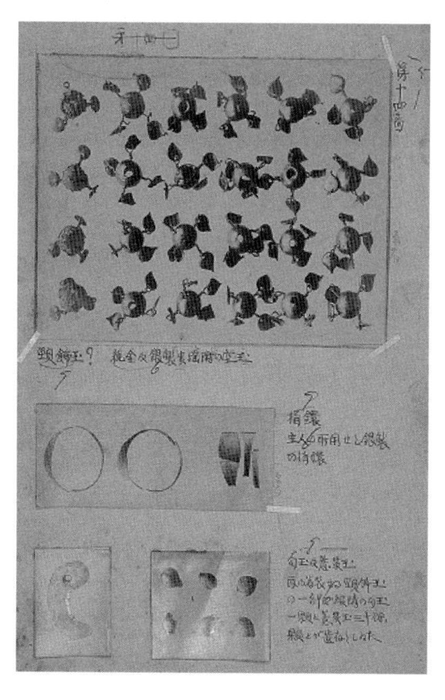

출토유물 사진설명(「양산부부총과 그 유물 원고」, 국립중앙박물관 소장 조선총독부박물관 공문서, 목록번호: 96-342)

총독부의 「고적조사보고」를 보면 오구라 다게노스케小倉武之助 소장으로 되어 있는 '금제투조금구金製透彫金具', '조형토기鳥形土器', '마형토기馬形土器', '쌍배륜토기雙盃輪土器' 등과 이치다 지로市田次郎의 소장으로 되어있는 '조형전립금구鳥形前立金具', '쌍형칠유경雙形七乳鏡' 등이 실려 있는데 바로 이런 식으로 도굴된 유물로 짐작된다.

유물 일체는 후일 모두 일본으로 가져 가버렸다.[260] 우메하라는 "양산부부총은 연구상 귀중한 것으로 일괄유물은 총독부에서 도쿄제실박물관에 기증"[261]했다고 한다. 양산부부총은 가야고분 중에서 가장 보존이 잘된 고분으로 풍부한 유물이 출토되어 가야고분 연구에 가장 중요한 위치를 점하고 있다. 이 같이 가장 중요한 유물을 선별하여 조선총독

260 「東京 國立博物館 所藏目錄」에는 遺物番號 33987~34021로 '朝鮮總督府 寄贈'으로 되어 있다.

261 梅原末治, 『朝鮮古代の墓制』, 國書刊行會, 1972.

부에서 도쿄박물관으로 반출한 것이다. 이 유물은 한일 국교 회복 시 한국 측에서 강력하게 반환을 요구했으나 실패했다.

1920년 11월 29일

하동군 발견 청동향로(靑銅香爐)

발견물

1921년 9월 12일자 경남도지사가 경무국장에게 보낸 '고고매장물에 관한 건'에 의하면, 1920년 11월 29일 하동군 북천면 화정리 박구룡이 화정리 서천산록에서 청동향로靑銅香爐 외 2점을 발견하였다.[262]

262 「大正9년도 경상남도 하동군 발견 청동향로(靑銅香爐) 외 2점」, 국립중앙박물관 소장 조선총독부박물관 공문서, 목록번호 : 97-발견07.

1920년 12월 25일

영성문대궐 안에 해인사 포교본부가 들어서다.

합천 해인사에서는 1920년 봄부터 영성문대궐 안의 7천8백평의 넓은 터에 포교본부를 창설하고 1920년 12월 25일에 봉불식을 가졌다.[263]

덕수궁 선원전 일대는 1920년 봄부터 본격적인 해체공사에 착수하여 그 흔적이 사라지고 말았으며, 이때에 철거공사와 병행하여 실시한 것이 덕수궁의 남북을 관통하는 신작로 개설공사였다. 『동아일보』 1921년 7월 25일자에는 다음과 같은 기사가 있다.

> 고궁전의 신작로, 영성문터에서
>
> 서대문통에 고색이 창연하게 서있던 '영성문'이 헐리기는 작년 여름의 일이다. 지금은 그 영성문자리로부터 남편으로 정동까지 탄탄한 신삭도가

---

263 『每日申報』 1920년 12월 22일자, 12월 26일자.
합천 해인사 포교본부 건설, 영성문대궐 구적(舊跡)에
영남 삼본산의 하나되는 합천 해인사에서는 조선불교 진흥에 대하여 여러 가지로 강구하든바 금년 봄 이래로 영성문 대궐 안에 7천8백평의 넓은 터에 포교본부를 창설하여 오던바 이즘에 이르러 공사의 일단락을 고하였으므로 오는 25일 동 포교소에서 봉불식을 거행할 터인데 이번에 봉안될 불상은 해인사로부터 25일 아침 남대문역 도착 급행열차에 받드러 가지고 들어올 것이며 그 날은 해인사 주지 이회광(李晦光) 사(師)를 위시하여 본관의 삼직과 기타 말사 주지와 불교진흥회 간부 일동은 남대문역까지 출영하여 역으로부터 불식행렬(佛式行列)로써 해인사 화상이 전도하여 영성문 자리에 새로 건설된 포교당으로 봉송한 후에 순서로써 봉불식을 거행할 터인데 당일의 성황은 공전절후한 성황을 이룰 터이라더라(『每日申報』 1920년 12월 22일자).

새로 뚫려 있다. 이 신작로의 왼편 대궐자리에는 지금에 절이 되어 '선원전'의 뒷전자리에는 금칠한 부처님이 들어앉았다. 일시 정치풍운의 중심으로 동양의 주목을 모으던 '수옥헌'은 외국 사람의 구락부가 된지 이미 오래지만은 외국사신 접견의 정전으로 지었던 돈덕전은 문호가 첩첩히 닫힌대로 적적히 길가에 서서 가지부터 진 고목의 나머지 녹음 사이로 불볕에 <중략> 이곳은 어찌하여 다시 몰라보게 변하였는가.

영성문 앞에서(『매일신보』 1914년 2월 28일자, 경성여자공립보통학교가 이곳으로 들어오기 전의 모습)

봉불식 장면(『매일신보』 1920년 12월 26일자)

1920년에 간행한 『최근 대구요람』(대구상공회의소)에는 전문 골동상으로 신미 시게조新見茂藏와 이나모토 신오미稻本新臣가 보이고, 고물상으로 오쿠 지스케奧治助, 이나모토 헤이지로稻本平次郎, 에가 신타로惠家信太郎, 이와타 사쿠키치岩田亦吉 등이 보인다. 1912년에 간행한 『대구요람』에서 나타난 것에서 크게 변한 것은 보이지 않으나 새로운 이름이 등장하는 것으로 보아 증가 추세에 있는 것으로 보인다. 물론 이것은 상점을 가지고 있는 자에 한한 것이고 상점을 가지고 있지 않으면서 행상으로 또는 거간으로 이 업종에 종사하는 자들도 상당수가 있었을 것으로 보인다.

같은 해

1916년부터 1920년까지의 고적조사사업에 대해 후지타 료사쿠는, "1915년 말 조선총독부박물관 개설과 동시에 고적도보 및 고적조사보고의 간행으로 인하여 넓이 내외에 조선의 고미술과 고문화를 소개하게 되고 또 특별히 동양에서 최고의 시험이라 할 만한 고적의 과학적 발굴의 결과가 발표되자 동양 연구열이 왕성한 구미의 학자를 경탄케 하고 조선 고미술에 대한 흥미를 돋은 것은 실로 경하할 만한 사실이다"[264]라고 평하고 있다.

1916년에서 1921년에 이르기까지 5개년 간 박물관의 창설에 따른 진열품을 채우기 위해 발굴 조사한 낙랑, 신라, 백제, 고구려, 가야고분은 백 수십 기에 이른다.[265] 그러나 실제 그 보고서로 발간한 것은 소수에 불과하다.

1918년에 이르러 발굴유적이 증가함에 따라서 많은 부장품이 나타나서 자연히 눈에 띠는 종류에 흥미를 집주시키고 또 조사자로 하여금 보다 중요한 류를 요구하는 풍을 불러오게 되어 드디어 출토품의 정리와 보고서의 기초를 지연시키는 결과를 가져오게 된 것이었다. 후지타 료사쿠는 "도리이가 담당한 사전유적의 조사에 있어서도 극히 일부분을 제하고는 전혀 보고를 결한다는 사정에 있는 것은 반도의 고적조사사업을 회고함에 있어 한사라 할 수 있다"[266]라고 하고 있다.

264 藤田亮策,「歐米博物館과 朝鮮(上)」,『朝鮮』164호, 朝鮮總督府, 1929년 1월, p.8.
265 藤田亮策,「朝鮮に於ける古蹟の調査及び保存の沿革」,『朝鮮』, 1931년 12월, p.99.
266 藤田亮策,「朝鮮に於ける古蹟の調査及び保存の沿革」,『朝鮮』, 1931년 12월, p.142.

우리 문화재 수난일지

1921년

1921년 3월

1921년 3월 중순경 대동강의 좌안 항공대정지에서 철도인송선로공사 중 지하에서 유물 일군一群이 나타났다. 당시 청부업자 오노 마다이지小野又一란 자는 세형동검細形銅劍 1구, 편이부동호片耳附銅壺 1개, 통형동기筒形銅器 2개, 동제축두잔결銅製軸頭殘缺 2개, 이형관상동기잔결異形管狀銅器殘缺 2개, 소동기잔결小銅器殘缺 1개 등의 유물을 발견하여 수속을 밟아 당국에 신고를 하였으나 평안남도청 경찰부가 독단적으로 학술적 가치가 없는 것으로 판단하여 본인에게 다시 되돌려줌으로서 귀중한 유물은 산일되었다. 다행히 이듬해 1922년 5월에 그 일부분은 세키노關野 등의 노력으로 본부박물관에 소장시킬 수 있었다.[267]

1921년 4월 1일

《제1회 서화협회전》

1921년에는 4월 1일부터 나흘 동안 중앙고보의 강당 4개를 빌려 회원들의 서, 화, 사군자 외에 고서화 20여 점을 합쳐 1백여 점으로《제1회 서화협회전》을 열었다.

---

267 關野貞 外 5人,『樂浪時代の遺蹟 (本文)』, 朝鮮總督府, 1927;「北部朝鮮 出土 銅鉾 銅劍と其遺蹟」,『大正11年度 古蹟調査報告 第2册』, 朝鮮總督府, 1925, p.108.

우리나라 최초의 미술 단체인 '서화협회書畵協會'는 도쿄미술학교에서 서양화를 전공하고 돌아온 춘곡春谷 고희동高羲東의 주창으로 1918년에 발기하였다. 춘곡은 서화미술회의 조석진, 안중식, 정대유, 강필주, 김응원, 강진희, 이도영 등의 찬동을 얻고, 그 밖에 서화계의 중진인 김규진, 정학수, 오세창, 김돈희, 현채 등과 자신을 포함한 13인의 이름으로 발기하였다. 초대회장은 안중식이 맡고 고희동은 총무를 맡았다. 서화협회의 회규를 보면, "본회는 신구 서화계의 발전, 동서미술의 연구, 향학 후진의 교육 및 공중의 고취아상高趣雅想을 증진케 함을 목적으로 한다" 하고 있다.

전시장 모습을 『매일신보』 1921년 4월 2일자 기사에는 나음과 같이 기술하고 있다.

> 오채영롱한 전람회, 예술적 가치를 사랑할만한 모든 서화가 눈을 놀래
> 조선서화협회의 주최인 전선서화전람회는 1일 오전 10시부터 계동중앙학교 안에서 개최되었는바 정각이 되기 전부터 관객은 조수같이 밀리어 회장은 대혼잡을 이루어 동 회원은 관객 안내에 매우 분망한 모양이며 출품은 모두 백여 점에 달하는바 그 중에는 그림이 70여 점이요 글씨가 약 30여 점인바 그림 중에는 나혜석, 고희동, 와다 에이사쿠和田英作, 최우석 씨 등의 양화가 8, 9점될 뿐이요. 그 외에는 모두 조선고대의 채색화와 묵화인바 이미 매약한 것이 수 십 점에 달하였으며 매약된 중에 인기를 매우 얻은 것은 이당 긴은호 씨의 축접미인도逐蝶美人圖가 가격 3백 원짜리와 관재 이도영 씨의 수성고희壽星高熙 가격 150원짜리이었다. 그 외 김은호 씨의 걸작인 애연미인도愛蓮美人圖는 그 선명한 색채와 교묘한 수단은 더욱 왕올하여 관객의 안목을 놀래이었으며 글씨에는 민병석 씨의 깊이 오래

보관하였던 추사 김정희의 그씨가 압도하였을 뿐 아니라 전람회의 광채와 정신은 오직 추사 글씨에 엉기어 있다하여도 가하겠는바 우리 조선의 서화도 서양에 별로이 양보할 것이 없을 것은 족히 알 수 있다. 조선의 서화도 상당한 역사를 가졌을 뿐 아니라 그 예술의 미묘한 점은 가히 세계에 자랑할 만한 가치를 가졌으나 일반에 소개를 하지 못한 까닭에 지금까지 그 존재를 인정치 아니함에 이르렀던바 다행히 조선서화협회의 출생을 보는 동시에 이와 같은 고래에 보지 못하던 전람회를 열어 일반에 소개하게 됨은 조선의 예술을 위하여 참으로 경하할 일이라 할 수 있도다.

1921년 4월

경성의 고물 경매 상황

행상인들은 영세한 자본으로 시골 벽지를 다니면서 생필품부터 고미술품까지 닥치는 대로 사들여 서울로 가지고 올라왔다. 행상인들이 사들인 물품은 사용 용도에 따라 처분되었다. 일본이 소용하는 것은 일본인 경매소 내지는 일본인 고물상에 넘기고 한국인이 소용하는 것은 종래 한국인 경매소가 없었으므로 점포를 가진 고물상에 넘겼다. 그러다가 1920년 12월에 한성고물경매소가 생기고, 1921년에 들어와 경성고물경매소와 황금정 4정목에 또 1개소의 경매소가 생겨 고물상점과 직접매매를 피하고 경매소에 위탁 판매를 하기도 하였다. 『매일신보』 1921년 4월 28일자에는 당시 경성의 고물상과 고물경매 상황을 전하는바 다음과 같다.

고물경매 상황

일반 시장상황의 부진과 함께 고물류의 매매행위가 양호하지 못함은 부득이한 일이고 행상고물상의 매매고에도 영향이 미쳐 근래 시중에 있는 불용품不用品의 불하는 점차 감소하여 가는 경향이 있는 것과 같이 여사히 고물상의 손에 이동하는 고물류가 적음은

경성에 있는 조선인 고물상은 점포를 가진 자가 약 3백을 산算하고, 점포를 가지지 않은 행상인을 합할 때는 8, 9백의 다수에 달하며 행상인은 영세한 자본으로 영업을 하는 자가 많고 자산은 1백 원가량 소지한 자가 없지 아니하되 이같은 자는 10중 1, 2의 수에 불과하나. 이런 능이 매집買集하는 물품의 가격은 월에 따라 다르고 또 전매轉買가 성행하여 가정키 어렵되 1인 1일 평균 5, 6원인 듯 하며, 행상인의 손에 매집된 물품은 두 소용에 의하여 처분되니 즉 내지인의 소용품이면 내지인의 경매소 또는 내지인 고물상에게 직접 매도되고 조선인 소용물은 종래 경매소의 설치가 없었으므로 인하여 점포를 가시 고물상에게 매도되었으나 작년 12월 한성고물경매소(종로 3정목), 본년 1월 경성고물경매소(종로 2정목)라는 것이 설치되고, 다시 최근 황금정 4정목에 1개소의 경매소가 설치되었으므로, 근래 행상인의 다수는 고물상과 직접 매매를 기피하고 경매소에 의하여 위탁판매를 행함에 이르렀다.

경매소에 있는 취인取引은 내지인 경매소와 동양식으로 고물 동지의 매매에 한하여 매방賣方이 수수료를 거두는데 그 경매방법도 내지인측과 다르지 않고, 그 외 1개월 기한의 허가에 의하여 경매를 개시하는 자가 3, 4개소이나 이는 유독 자기의 상품뿐이고 타인으로부터 받은 물품의 판매를 하기가 불능한 자가 있다는데, 경성경매소에 대하여 최근의 상황을 들은

즉 1월 개업 이래 가장 매상이 많기는 3월이어서 4월에 들어와서는 점차 감퇴하여 작금 1일 매상 평균 1백 5, 6십 원에 불과하며 <하략>

1921년 5월 13일

고물 발견

5월 13일 황해도 수안군 수안면 월연리에 있는 오봉산으로 임야조사원을 따라 갔던 김재종은 이상한 바위를 발견하였다. 그 밑을 파본 즉 석합이 있었는데 그 합을 열어보니 그 속에는 고려시대 물품으로 여겨지는 유리그릇 한 개와 큰 사기 그릇 한 개 적은 그릇 한 개, 은그릇 한 개와 이상한 물건 한 개를 발견하였다.[268]

1921년 5월 15일

고물 발견

5월 15일 대구 봉산정에 새로이 건축하는 소학교터에서 주추 놓을 자리를 파던 인부가 5월 15일에 약 3척5촌 가량의 땅 속에서 석검石劍과 석화살촉을 발

268 『東亞日報』 1921년 5월 28일자.

견하여 부에 신고하였다. 관계사원이 조사한 결과 석기시대 유물로 판명되어 대구부청에서 보관했다.[269]

1921년 7월 25일

개태사지(開泰寺址) 석탑파(石塔婆)

충청남도 고적조사 보고

조선총독부 촉탁 오가와 게이키치小川敬吉는 1921년 7월 25일부터 8월 3일까지 박물관진열품 수집 및 고적조사를 위해 충청남도에 출장하여 무량사, 능산리 고분, 연산공원석탑파(논산군), 개태사지를 조사하고 1921년 8월 23일 그 조사 내용을 복명한 것으로 나타나 있는데 그 조사에서 당시 유물의 현상을 파악할 수 있는 일부의 사진을 남기고 있다.[270]

연산공원탑파(논산군)

연산읍 동(同) 공원 안 석탑파(石塔婆)

269 『東亞日報』 1921년 5월 21일자.

270 「충청남도 고적조사 보고」, 국립중앙박물관 소장 조선총독부박물관 공문서, 목록번호: 96-135.

부여군 규암면 금사리 석탑(오른쪽은 최근 모습)

부여읍 고고관 뜰의 부도(浮屠)

연산공원 탑파는 원래 연산읍 시장 내에 있던 것을 구 객사 뒤의 언덕 즉 현재의 장소에 운반하였다고 함 처음 5층의 석탑파였던 것이나 지금은 옥개1층 및 노반이상을 잃고 탑신도 보수재각 있다. 얼마간 균형을 손損하였음 고 약 12척 사명연혁미상寺名沿革未詳이지만 고려시대에 속하는 보통의 석탑이라고 보고하고 있다.

부여군 규암면 금사리석탑파는 금사리부락 민가의 처마 밑에 있다. 지금 초층의 탑신 및 각층의 옥개를 가지고 있으나 기타는 모두 결실하여 없다. 고려시대의 제작으로 추정하는 외에는 연혁미상이라고 보고하고 있다.

1914년 행정구역 통폐합시 장주리長州里, 금사리金沙里를 병합하여 금사와 돌고개에서 이름을 따 금암리라 하고 규암면에 편입되었다.

충청남도 공주군 반포면 동학사 내 실상암實相庵을 폐지하다.[271]

1921년 8월 2일

수도공사 하던 중 고석불 발견

대구에서 시가의 수도를 설치하는 중 2일 대구헌병대와 헌병분대의 중간의 길거리를 파다가 높이 3척, 무게 370근이나 되는 석불을 파냈다. 그 석불은 대구부청에 보관했다.[272]

1921년 9월 23일

금관총 출현

금관총 출현의 결정적 계기는 1921년 9월 하순에 경주 노서리의 박문환 씨의 집(상점, 여인숙, 음식점을 겸함)을 증축增築하기 위하여 작업을 하던 중 발견되었다. 1921년 9월 23일경에 박문환 씨가 벽을 바르려고 흙무지처럼 변한

---

271 『朝鮮總督府官報』 1921년 7월 25일자.
272 『東亞日報』 1921년 8월 7일자.

봉토의 흙을 파다가 관곽유물棺槨遺物이 있는 곳에 도달하여 유리구슬 등이 나타나면서 그 일부분이 노출되었다. 이때만 하여도 아무도 주의를 기우리지 않았다. 작업을 하던 박 씨도 특별한 생각을 하지 않았으며 주변에 놀던 아이들은 이것을 놀이개감으로 주워 가기도 하였다.

출토유물에 대해 처음으로 주의를 기울인 사람은 당시 경주경찰서의 순사로 있던 미야케三宅라는 자였다. 그는 9월 24일 9시경에 노서리를 순시하던 중 몇 명의 아이들이 모여 놀고 있어 별생각 없이 가까이 다가가 살펴보니 청색 옥류의 구슬 등을 가지고 놀고 있는 것이 아닌가! 순간 예사물건이 아니라는 것을 직감한 그는 아이들에게 구슬의 출처를 물어 구슬 등이 출토된 장소로 달려갔다. 미야케가 현장에 도착하여 살펴보니 몇 명의 인부들이 토사 채취를 하고 있는데 점토질로 된 땅 속에서 초자옥硝子玉이 계속 나왔다. 길가는 사람들도 무슨 일인

1914년 도리이 류조(鳥居龍藏)의 제3회 사료조사 때 촬영한 금관총 봉토 모습
(이미 봉토가 잘리고 주변의 모습으로 보아 신작로 공사 등 공사가 진행 중임을 보이고 있다.
국립중앙박물관 소장 유리건판)

가 하고 보다가 아무 생각 없이 한 두 개 주워 소지하기도 하였다. 순사 미야케三宅는 초자옥硝子玉 등을 줍기 위해 모여 있는 사람들을 뒤로 물러나게 하고 작업을 중단시켰다. 이어 일부 나타난 유물을 압수押收하여 현장에 보관하고 바로 경주경찰서장 이와미 히사미츠岩見久光에게 보고를 하였다. 이와미岩見는 바로 이를 경주 재주在住의 본부박물관 촉탁 모로가 히데오諸鹿央雄에게 연락하여 함께 현장에 도착했다. 현장에 와서 출토상태를 보니 반이 땅 밖으로 나타나 있고 유물의 일부는 버려져 있었다. 두 사람만으로는 처리하기가 힘들다고 판단한 이들은 경주보통학교장 오사카 긴타로大坂金太郎와 고적보존회촉탁 와타리 후미야渡理文哉, 등의 도움을 구하기로 하여 이들에게 연락을 하였다.[273] 이는 순사 미야케三宅가 9월 25일부 이아미岩見 경찰서장에게 보고한 내용을 기초한 것이다.

당시 상황에 대해 경주보통학교장이었던 오사카 긴타로大坂金太郎[274]의 기록에는 당시 상황에 대해서 조금 차이가 있다. 오사카는 아침 수업을 마치고 교실에서 나오다가 평소 친분이 있는 사람으로부터 전화를 받고 현장에 도착하였는데, 그때는 순사2명이 인부를 시휘하여 토기들을 모아 위로 올리고 있었다. 이때 한 인부가 "금이 보인다!" 라고 소리를 질렀다. 그러자 주위에서 그것을 보고 있던 사람들이 약간 높은 곳에서 아래로 몰려들자 순사가 손으로 막으며 소리를 질러 사람들을 원위치로 돌아가게 했다. 이것을 본 오사카大坂는 순사에게 "보통무덤이 아

273 『慶州金冠塚と其遺寶』 古蹟調査 特別報告 第三册 上册, 1924, 朝鮮總督府; 濱田靑陵, 『慶州の金冠塚』, 1932, 慶州古蹟保存會.

274 大坂金太郎은 1907년 4월부터 1945년 9월까지 39年間 한국에 在住한 자로 『隆熙2년(1908) 6월 職員錄』에는 "公立會寧普通學校校監(兼)"으로 기록하고 있으며, 그의 교육에 관계하여 회령에서 8년, 경주에서 28년, 부여에서 3년을 재주했다.

니다. 손을 대지 말고 우선 서장, 군수에게 알려라"고 하였다고 한다. 이에 순사는 인부들에게 유물을 들어내는 것을 멈추게 하고 여러 곳에 연락을 취했다고 한다.

당시 순사가 일부 나타난 구슬 몇 개를 보고 중대한 고분으로 예감하여 곧바로 보고했다는 것이 의문이고, 미야케의 보고 내용는 당시 출간한 보고서로서 최대한 행정적인 보고체계를 미화하려 했던 것으로 추정된다. 그래서 오히려 오사카의 회고에 무게를 두고 싶다.

한참 후 이아미岩見 서장, 군수 박광렬朴光烈, 박물관 촉탁 모로가 히데오諸鹿央雄, 고적보존회의 와타리 후미야渡理文哉 등이 도착하였다. 함께 모인 이들은 이 고분을 어떻게 처리할 것인지를 의논한 결과, 우선 산란한 출토물을 정리하고 총독부박물관에 전보를 쳐 본부관원이 오기를 기다리기로 했다. 그리하여 발굴품을 모으는 일은 모로가諸鹿와 와타리渡理가 하고 하나하나 기호를 붙이고 분류하여 격납格納하는 것은 이아미岩見와 오사카 긴타로大坂金太郎가 담당하여 일단은 정리를 대략 마쳤다.

이 고분이 있는 위치는 경주 노서리의 거대한 고분군이 위치하고 있는 곳으로 봉황대 아래쪽으로, 원래 봉황대 고분군과 금관총이 연결되어 작은 언덕처럼 되어 있고 주변에는 보리밭으로 경작되었다.

1910년대에 들어와 시가정리를 하면서 신도로확장을 위해 봉황대에서 연결되어 있던 언덕 한쪽이 잘리고 민가들이 들어서면서 차츰 본모습이 바뀌어 갔다. 우선 도로확장공사를 하면서 언덕이 잘리고 봉분의 반을 밀어 버린 다음 땅을 평탄하게 고르는 작업을 하면서 금관총의 봉토를 사용하였다. 반만 남은 봉토는 마을 사람들이 민가 건축을 위해 공동으로 사용하면서 1920년에 이르면 봉토의 대부분이 깎인 흙무지로 변해 버렸다.

太田喜二가 사생한 금관총 일대의 모습(『慶州金冠塚と其遺寶』)

양쪽에 민가가 들어서면서 봉토의 중심 가까이를 지나는 동안 땅에서 아무런 것도 발견되지 않았기 때문에 하등의 주의를 받지 않았다. 1921년 9월에 이르러 경주읍 발전과 함께 다시 그 봉토의 잔부를 파내어 이를 부근의 저지대로 옮겨 가옥 건축을 위해 땅을 평탄하게 고르는 작업에 사용했다.

발굴 직전의 모습은『경주 금관총과 그 유보』에 봉황대쪽에서 스케치한 모습 1점이 실려 있다. 이는 물론 발굴이후에 제작한 것이기 때문에 봉토의 모습을 비롯한 일부는 마을 사람들로부터 전해 듣고 그린 것이지만 주변 모습이 상세하게 나타나 있다. 이를 보면, 봉황대고분의 서(앞)쪽에 복잡하게 인가가 나열해 있고 그 후방에 반월형과 같은 봉토의 잔해가 남아 있다. 봉토 너머에는 시천교회가 있어 교회의 경내와 봉토의 잔해가 붙어 있다. 봉토의 측면은 깎이어 급경사를 이루고 있고 정상에는 작은 수목도 자라고 있다.

금관총의 본래의 형태를 대략 복원하면 잔총의 서변 교회의 경내에서 봉토가 절취되어 있는 상태이기 때문에 원래는 십 수척 서쪽으로 나아가야 하며, 봉황대 서변에 잘려진 것을 복원하면 금관총의 점촉점은 박문환 씨의 가옥을 지나 도로 중앙 선상이 된다. 그래서 박문환 씨의 가옥은 금관총 내에 속하게 되며, 아래 부분의 직경은 남북 길이 약 45미터로 추산되고 있다.

이 고분에서 처음으로 금관이 출토되었다고 하여 금관총(혹은 금관릉)으로 부르고 있다. 유물이 아주 풍부하고 다양하여 당시 발견된 어떤 고분보다도 최고의 고고학적 발견이라 할 수 있다.

경주 금관총 발굴(1921년 9월 27일~30일까지 3일에 걸쳐 발굴)

금관총에서 유물을 발견하였다는 보고는 군청을 경유하여 경상북도 지사가 총독부에 보고를 했다.

그러나 2일이 지나고 3일이 지나도 박물관원은 오지 않았다. 당시만 하여도 박물관 관원들은 별로 중요한 것으로 판단하지 않았으며 정작 조사에 파견할 조사원들은 다른 지역에 파견되어 있어 경주에 조사원을 곧 바로 보낼 수도 없었다.

오사카의 회고에 의하면, 그렇게 기다리는 동안 발굴을 중지한 무덤에는 엄청난 부물이 숨겨져 있다는 등의 소문이 급속도로 경주에 번져 나갔다고 한다. 발굴 장소가 시가에 있어 물건을 보고자 군중들이 경계선을 돌파하여 침입하는가 하면, 인근마을에는 "일본인들이 신라 왕릉을 판다!"는 소문이 퍼져나가 민심이 동요하기 시작하였다. 또 견곡면見谷面에서 왔다는 70세 가량의 한 노파가 경계를 서고 있는 순사의 손을 뿌리치고 발굴장으로 들어와 "국왕의 무덤을 왜 파느냐?"고 하며 땅바닥에 주저앉아 절규를 하기도 했다. 때마침 만주에서 날아온 황사가 하늘을 뒤덮어 기후는 매일 몽롱하고 어두웠다. 그리하여 경주 시가에는 일종의 유언비어가 나돌았다. "신라국왕의 능을 일본인이 파서 하늘이 어둡다!" 시중에는 무언지 모르는 살기가 돌았다. 이렇게 되자 정식조사원이 도착하기도 전에 무슨 일이 일어날 것만 같은 불안감에 더 이상 기다릴 수가 없었다고 한다.

금관총유물 발견지점

이들은 다시 협의를 한 결과 마냥 기다릴 수가 없으니 발굴하기로 했다. 그날 밤 경관이 부근을 둘러싸고 외부인의 출입을 막은 다음 가옥을 매수하여 집주인을 다른 곳으로 이전시키고 본격적으로 발굴작업에 들어갔다.[275] 이는 당시 서둘러 발굴을 해야만 하는 오사카의 변명인지는 몰라도 그들의 호기심이 그들을 더 이상 기다릴 수 없게 했던 것이다.

모로가諸鹿央雄를 주임으로 하고 경찰서장의 입회하에 경주보통학교 교장 오사카 긴타로大坂金太郎와 경주 고적보존회의 와타리 후미아渡理文哉 등이 1921년 9월 27일부터 30일까지 3일에 걸쳐 발굴하였다.

9월 28일에 최초로 관棺이 나타나고 동반부東半部의 부장품이 나타나기 시작하여 9월 29일에는 관의 주요부를 조사하여 각종 귀중유물들을 발굴하고 30일에 이르러 황금보관黃金寶冠, 대금구帶金具, 요패腰佩 등 귀중품을 채집하고 작업을 종료하였다. 사흘간 발굴한 유물의 량은 석유궤짝으로 10여 개에 달했다.

275 大坂六村,『趣味の慶州』, 1929, 慶州古蹟保存會.

한편 금관총에서 유물을 발견하였다는 보고는 군청을 경유하여 경상북도청에 닿아 도지사는 총독부에 상신했다. 그리고 도에서는 도속을 보내어 현장에 참가하게 하였다.

금관총의 발굴 유물은 곧바로 경주경찰서에 보관되어 중요한 것은 공개하지 않고 일부는 일반인에게 하루 동안 공개했는데 당시 경주를 여행한 권덕규의 관람기를 보면 다음과 같다.

> 경찰서에서 근일에 파낸 고물古物을 보았다. 썩 중요한 것은 무슨 관계로 뵈지 아니하고 약간의 것만 — 그것도 하루밖에는 공개하지 않았다. 보옥류寶玉類와 순금속純金屬의 기구器具와 장식품裝飾品도 많거니와 그 중에 제일 진귀한 것은 유리琉璃와 수정水晶이라 한다. 수정 구슬 한 개에 10,000여 원 가치를 가진다 하니 얼마나 고귀한 것임을 짐작하려니와 더욱 유리를 고은 것은 그때에 안저서 희한稀罕한 것일뿐더러 유리라 하야도 그냥 유리만 고은 것이 아니라 속에 사기질砂器質을 싸서 고은 것은 참으로 놀라운 것이며 또하나 신기한 것은 금대金帶의 띄돈에 눌리어 썩지 아니한 옷감을 볼 수 있음이라. 이 옷감은 굵은 벼같은 것이 마사직麻絲織의 여름 양복차 비슷한 것이다. 손목에 두르는 금완환金腕環 발목에 두르는 각환脚環이 나왔다. 그리하야 이 옷감과 완환腕環따위를 모아서 미루어 생각하면 그때의 혹시나 지금 양복 비슷한 옷을 입지 아니하였유는가. 또는 유리, 자기를 고는 공학과 건축조각 등 놀라운 예술을 합하야 보면 지금 서양의 문명이 동양의 신라 같은 대로부터 들어갔다가 다시 재연再演되어 나오는 것이나 아닌가 하는 생각을 가지는 이가 잇다. 그것도 몰라 서랄비아西剌比亞 등

서국西國의 상인들이 신라에 들어가 돌아가기를 잊어버렸다는 역사와 고구려와 중앙아세아와의 관계를 미루어 생각하면 어떠할는지. 서랄비아西剌比亞 사람이 들어가기를 잊었다는 것 같이 아무튼지 경주를 보는 이는 차마 돌아가기가 싫은 것이다.[276]

발굴 후의 조사 정리

총독부에서는 세키노關野 등에게 연락을 하였으나 금관총 발굴이 시작될 때는 세키노關野, 하마다濱田, 우메하라梅原 등은 가야문화권의 고적조사 중에 있었기 때문에 금관총 발굴의 급보를 받았으나 곧 바로 출발할 수 있는 여건이 되지 못했다. 그래서 고적조사 간사 오다 간지로小田幹治郎가 총독부박물관 촉탁 오가와 게이키치小川敬吉를 경주에 급파하여 그 발굴의 조사를 하게 하였으나 지체하여 이미 발굴이 끝난 10월 2일에야 경주에 도착을 하였다. 이렇게 하여 금관총 발굴에는 전문 조사원이 단 한 명도 참여할 수 없었다.

오가와 게이키치小川敬吉는 우선 경주경찰서에 보관 중이던 유물을 촬영하고 발굴품의 수량 정도의 간단한 조사만 하고 10월 7일에 총독부로 돌아갔다.

수일 후 새로이 고적조사과장에 임명된 오다 쇼고小田省吾는 오가와를 다시 경주로 파견하였다.

가야문화권의 고적조사를 하던 세키노 일행이 10월 12일 현지에 도착했을 때는 모든 유물이 목관에 넣어져 경찰서에 보관된 상태였다. 세키노는 먼저 노모리 겐野守建, 오가와 게이키치小川敬吉, 야마우치山內廣衛 등과 함께 경찰서에

---

276 權悳奎,「慶州行」,『개벽』 제18호, 1921년 12월.

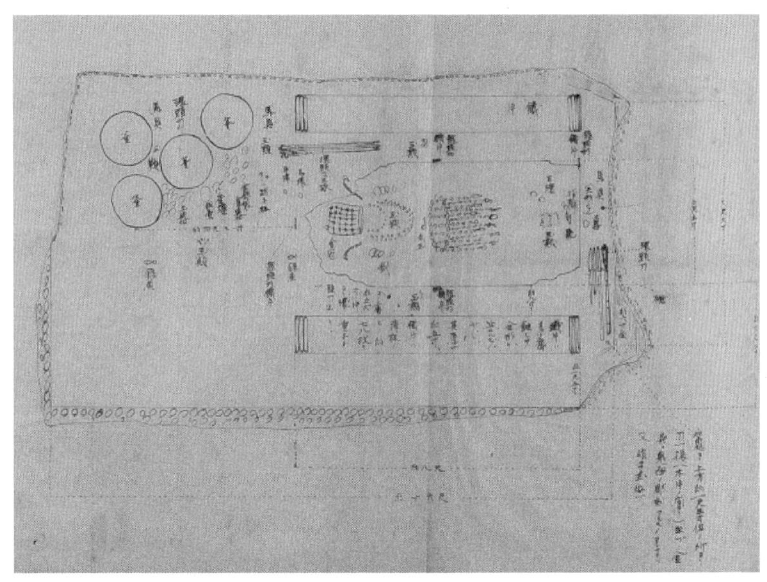

유물배치 도면[455]

보관하고 있는 유물을 경주고적보존회로 옮기고 조사를 하였다. 이 고분의 출토유물에 대한 보고서를 작성하기 위해 고적조사원들이 머문 것은 대략 10여 일로 대체적인 조사 정리는 10월 21일에 종료했다. 학술상 가장 중요한 매몰 상태의 조사를 주로 발굴자들의 구술에 의한 설명에 의존해야 했으며 각자의 구술이 서로 일치하지 않아 정확한 기록을 기대하기는 어려웠다. 발굴과정과 출토 유물에 대한 것은 1921년 10월 19일자로 경상북도지사가 조선총독에게 '경북보 제5269호' '고분 발굴에 관한 건' 으로 약식으로 보고되었다.

세키노는 1차 조사 후 곧 바로『매일신보』1921년 10월 22일자에 '경주의 대

277「大正5~8년도 고적조사관계철」,『국립중앙박물관 소장 조선총독부박물관 공문서』문서 번호 : 96-108.

발굴물, 역사 많은 경주에서 전후무후한 보물을 많이 발굴' 이란 제하의 소감을 게재하였다.

경주의 대발굴물

역사 많은 경주에서 전후 무후한 보물을 많이 발굴

금번 경주에서 발굴된 고기물은 학술상 비상한 가치가 있도다. 그 발굴된 중에도 제일 요긴한 것은 순금으로 만든 왕관, 금패물金佩物, 팔뚝고리腕環, 금지환金指環, 흉간장식품胸間裝飾品, 귀걸이耳飾 기타 청동제의 족륜足輪, 쇠가마鐵釜, 토기, 파리기玻璃器, 구옥勾玉, 마구 기타 여러 가지가 있었는데 나는 발굴 당시 현장에 있지 아니하였으므로 파묻히었던 상황을 친히 목도치 못한 것은 깊이 유감으로 생각하는 바이다.

그러나 이 같은 다수의 보물을 하나도 잃어버리지 아니한 것은 경찰 당국의 공로라 아니할 수 없다. 그 중에서도 특별히 처음에 구옥句玉, 파리옥이 발굴된 정보를 서장에게 보고한 순사는 수훈자라 할 수 있다. 발굴된 현장은 봉황대하의 고분인데 지금은 보리밭이 되어 부근에는 인가가 즐비하다. 이러

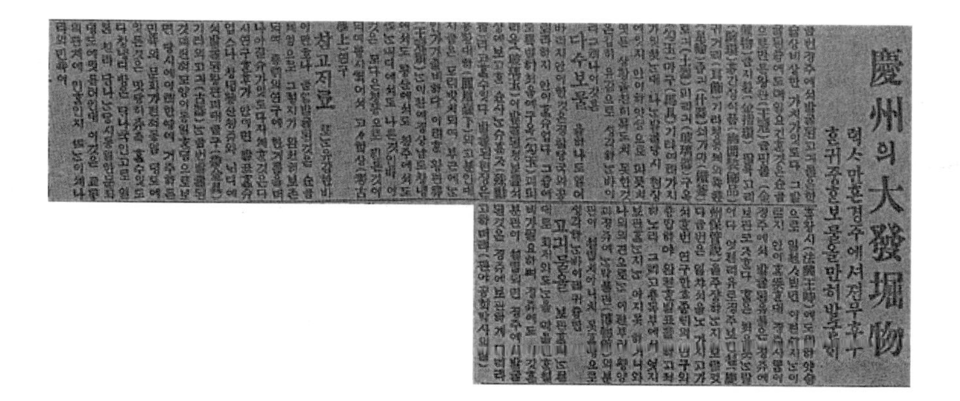
慶州의大發掘物

력사만흔경주에서전무후무한보물을만히발굴

한 왕관류는 이전에 경상남도 창녕에서도 양산에서도 청주에서도 또는 내지에서도 나온 것이 있는바 이것은 모두 은, 청동으로 만든 것이 되어 몹시 썩어서 고고학상 연구 참고자료로는 유감한바 많으나 금일 발굴된 것은 순금제이므로 그 형태가 완전히 보존되어 종래의 연구에 한 걸음 더 나아갈 수가 있도다. 자세한 것은 다시 연구한 후가 아니면 발표할 수 없으나 창녕 성주와 내지에서 발굴된 왕관과 대금구, 기타의 고기는 금번 발굴된 것과 전혀 모양이 동일한 점으로 보면 당시에 이러한 땅에 거주하던 민족의 문화가 전혀 동일한 정도에 있던 것은 마땅히 추측할 수 있도다. 창녕지방은 담나국인고로 일본, 신라, 담나는 당시 동일한 문화 정도에 있던 터인데 이것은 교통의 관계에 있음인지 또는 이 세 나라의 민족이 전혀 동일한 관계인지 혹은 기타에 원인이 있는지는 연구한 후가 아니면 단언할 수 없다.

평앙 방면에 있는 고구려의 유물은 지나인에게 약탈되어 유물이 적으나 그 적은 유물에 의지하야 고증되는 바를 본 즉 신라지방과는 전혀 같지 아니한 문화를 가졌던 것을 짐작할 수 있다. 이번 발굴된 고기물의 연대로 말하면 발굴물 가운데 연화 모양과 인동 당초모양이 있는 것으로 볼진대 불교가 건너온 후인 줄은 알겠다. <중략>

경주 사람이 경주에서 발굴된 유물은 경주에 보관케 한다함은 처음 듣는 말이다. 어떤 이유로 경주 보관설을 주장하는지 모르겠다. 금번은 일차적으로 가지고 가서 연구한 후에 종래의 연구와 함께 발표를 하고자 하노라. 그리고 총독부에서 어찌 보관할 지는 아직 못하거니와 나의 의견으로는 이전부터 평양과 경주에는 박물관의 분관이 설립치 아니치 못할 것으로 생각하는 바라 귀중한 고기물을 보관할 때는 절대로 화재와 도난을 막을 만한 설비가 필요하며 경주에도 이같은 분관이 설립되면 경주에서 발굴된 것은 경주에 보관하게 되리라고 하더라(관야 공학박사의 말).

금관총 발굴은 당시 연일 신문지상에 보도되었으며, 일본 고고학계에도 크게 파문을 일으켜 일본 고고학계의 거두 하마다와 사학계의 거두 구로이타 등이 한국에 건너와 사후 대책까지 협의하기에 이르렀다. 결국 관계자들의 협의 결과 출토 유물들을 총독부박물관으로 옮겨 정리 조사를 행하기로 하고 보고서 간행은 하마다濱田가 맡기로 했다.[278]

이처럼 발굴과정은 전문가들이 아닌 사람들의 손에 의해 사진 하나 남기지 않고 급하게 이루어졌기 때문에 하마다濱田는 보고서를 작성하면서 "우리들이 본고분의 유물을 조사할 때 경주 재주의 관민제씨 특히 박물관 촉탁 모로가 히데오諸鹿央雄, 경주군수 박광열, 동 보통학교장 오사카 긴타로大坂金太郎, 동 경찰서장 이와미 히사미츠岩見久光 등 제씨 다대한 원조를 받았다"란 것처럼 보고서는 전적으로 발굴에 참여한 사람들의 구술에 의존하였기 때문에 고분의 구조 및 출토상태를 정확하게 기록한다는 것은 애초에 무리였던 것이다.

금관총의 발굴은 한국과 일본신문에 보도가 되고, 세키노關野는 1921년 11월 7일 총독부에서, 동8일에는 중추원에서 「경주 발견의 유물에 대하여」란 제하의 강연을 하고, 하마다 고우사쿠濱田耕作는 '오사카아사히신문大坂朝日新聞'에 「경주의 신발견품」 제하의 약술略述을 하였다.[279]

278 小泉顯夫,『朝鮮古代遺蹟の遍歷』, 1986, 六興出版, p.14.
279『慶州 金冠塚の其遺寶』古蹟調査 特別報告 第三册 上册, 1924, 朝鮮總督府, p.7.

서울의 박물관으로 옮겨진 금관총 유물은 경복궁내의 신창고라 부르는 2층 건물에 격납하여 조사를 진행하였다. 발굴 유물들은 총독부박물관에서 정리조사를 거친 다음 보고서를 발행하기로 하였는데, 보고서 발행의 책임자는 하마다가 맡고 조사정리를 우메하라가 대부분 맡는 것으로 하였다. 하마다는 춘추 2기 1주일을 전후하여 한국에 건너와 조사경과를 보고 지시하고, 우메하라와 고이즈미에게 지도 정리조사를 진행시켰다. 조사정리에서 금관의 장신구, 청동초두 등 복잡한 것은 매원이 담당하고 고이즈미小泉은 토기, 금은 파유배, 곡옥 기타 옥류 등 비교적 단순한 것을 담당하였다. 매일 작업은 아침 9시에 시작하여 오후 4, 5시경까지 계속하였다. 금관총유물 조사 중 소천은 병이 나 중단 하였다가 1924년 봄에 재계하였다.

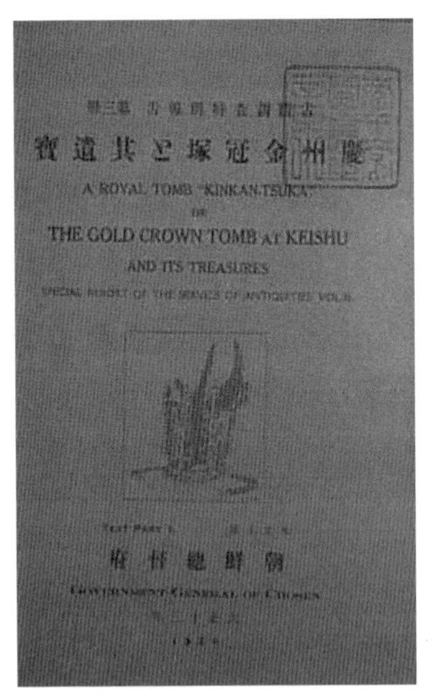

『경주 금관총과 그 유보』 표지

그 결과물로 조선총독부에서는 1924년에 고적조사 특별보고 제3책으로 『경주 금관총과 그 유보』 상권과 1927년에 『경주 금관총과 그 유보』 하권을 출간하였다. 하마다는 별도로 1932년에 『경주의 금관총』을 출간 발표하였다.

금관총 발굴 이후 신라릉묘에 대한 일제의 발굴이 집중되자 『동경통지東京通誌』[280]

280 慶州 鄕儒들이 慶州鄕校에 都廳을 설치하고 당대의 석학 鄭寅普, 崔南善이 校閱 補訂하여 加筆한 後 序文을 붙인 것으로 1933년에 간행하였다.

에 능묘를 기록하는 서두에 다음과 같이 경계하고 있다.

> 고고학考古學이 일어난 뒤로부터 무덤을 찾아보니 신라의 고장에는 신기한 유물이 많이 나왔다. 그새의 발굴에는 사방에 그릇이나 의복 등이 속출하니 금관에 무수한 면류를 드리워 아름답게 꾸미었고 띠나 거울 같은 것도 다 사람의 눈을 황홀하게 하며 석기의 유물 또한 옛날을 증거하기에 충분하다. 그러나 그러한 물건이 나왔다고 해서 그저 그것을 기뻐하며 보물로만 여기고 땅 속의 옛일을 애도하지 않을 수 있겠는가. 모든 선왕先王 선민先民이 묻힌 곳을 진실로 보호하고 받들고 지켜야 할 것이다. 비록 장지葬地가 주인을 알지 못하거나 무명한 인사라 하더라도 다 마음속으로 이를 공경하고 슬퍼함이 마땅하다 할 것이다. 그럼에도 불구하고 요즘 학사學士, 문사文士 등이 다 한갓 신기한 유물을 찾는 데만 뜻을 두고 경주로 들어와 큼직한 무덤만 바라보면 그 속의 유물만을 상상하고 스스로의 본심을 망각하여 슬퍼하는 생각을 저버린다.

1921년 경주 금관총 발굴로 화려한 금관을 비롯한 엄청난 부장품이 발견되어 세인의 이목을 집중시키자 이후의 고분발굴에 영향을 끼치게 된다. 금관총의 발굴이 있기 전까지는 대체로 식민지 문화유산을 파악하기 위한 시굴 및 분포조사의 의미가 강한 것이었다면 이후에는 중요한 유물을 발굴하려는 풍이 강하게 작용하여 풍부한 유물이 있을 것으로 예상되는 고분을 집중적으로 발굴함을 볼 수 있다.

1921년 10월 1일

고적조사과 신설

한일합방 후 초기에 상당히 활기를 띠었던 고적조사 사업은 해가 갈수록 더 발전하지는 못하고 초기의 체계적인 계획을 소극적으로 유지 수습하여 가다가 1919년에 발발한 3 · 1 독립운동의 영향으로 대일 반감이 충천하여 발굴조사가 다소 주춤하였다. 그 당시 고분 발굴에 대한 대일반감對日反感이 얼마나 심하였는지 평양 진파동眞池洞고분의 입구에 '독립만세'란 낙서가 되어 있었으며, 이 고분을 관람한 일인 오야 도쿠조大屋德城는 한 사람을 밖에서 망을 보게 하고 교대로 고분에 들어가 관람을 해야 할 정도로[281] 대일반감對日反感이 심했기 때문에 고분발굴의 횟수는 상당히 줄어들었다.

독립운동의 영향으로 통치행정상 문화적인 면을 표방하기 위해 총독부의 사무분장규정事務分掌規整을 개정改定하고 학무국에 독립적인 고적조사과를 설치했다.[282]

1921년 10월 1일 훈령 제35호로 조선총독부 사무분장 규정을 다음과 같이

---

281 大屋德城,『鮮支巡禮行』, 東方獻刊行會, 1930 參照.

282 小泉顯夫는『朝鮮古代 遺跡の遍歷』(1986, 六興出版)에서,
1921년 10월 在鮮 중인 濱田耕作이 小泉에게 두툼한 서류를 보내 왔는데, 놀랍게도 개봉을 하여 보니, 今回 경주 금관총의 발견을 기회로 조선고적명승천연기념물 보존조사위원회에서 대혁신을 행하기로 했다고 한다. 총독부학무국내에 새로이 古蹟調査課를 설치하고 총독부박물관과 고적조사위원회 등을 통합하기로 결정하여 이로 인해 고고학 전공의 약간의 직원 4명을 채용할 예정으로, 黑板勝美의 추천으로 궁내성 서릉부의 藤田亮策이 박물관 주임으로 내정되고, 京都大學 측에서는 梅原末治를 추천하였으며, 小泉 자신은 藤田亮策을 도와 박물관 경영과 고적조사를 하도록 하라는 내용이었다고 한다(pp.4-5 參考).

개정改正했다.[283]

제3조 제2항 중 제6호를 삭제하고 제7호를 제6호로 개改함.

제10조 제1항 중 「급종교과」를 「종교과 급 고적조사과」로 개改하고 동 조에 좌의 1항을 추가함.

고적조사과에서는 좌의 사무를 장함.

1. 고적, 고사사, 명승 및 천연기념물 등의 조사 및 보존에 관한 사항

2. 박물관에 관한 사항

종래 고적조사위원회에 속하였던 고적조사 사업과 서무부에 관계한 박물관 사업, 학무국 종교과 소관의 고사사古社寺 및 고건축물古建築物 보존에 관련한 사무를 고적조사과에서 함께 관장했다.

조사과 직원으로는 의장 1명(小田省吾), 감사관鑑査官 1명, 속屬 2명, 기수技手 2명, 촉탁囑託 10명, 고문雇員 2명을 두고, 별도別途로 무급사무촉탁無給事務囑託 2명을 두어 박물관경주분관 설치준비를 위해 경주에 촉탁 1명, 고원雇員 1명을 두었다. 또 명승천연기념물 보존 사업을 더하여 내무성에서 고적명승천연기념물보존회의 사업을 함께 병행했다.[284]

1921년부터 1924년까지의 고적조사과 직원은 다음과 같다.

283 『朝鮮總督府官報』 1921년 10월 1일자; 『每日申報』 1921년 10월 5일자.
284 藤田亮策, 「朝鮮 古文化の保存」, 『朝鮮學報 第1輯』, 1951, p.256.

고적조사과 직원(1921년 10월~1924년 12월)[285]

직위	성명	임기
과장(총독부 사무관)	小田省吾	1921년 10월
박물관주임 겸 고적조사주임(감사관)	藤田亮策	1922년 3월
서무계 주임	中島善一郎	1921년 3월~1923년 3월
서무계 속(겸)	狩野善三郎	1922년
고적계, 기술계 기수	田中十藏	1921년 12월
고적계, 박물관계, 고사사계 기수	小川敬吉	1921년 12월
고사사계 주임 촉탁	渡邊彰	1921년 10월
기술계 주임 촉탁	小場恒吉	1921년 12월~1924년 12월
서무계 촉탁	山內廣衛	1921년 12월~1924년 12월
고적계, 기술계 촉탁	野守健	1921년 12월
사진계 촉탁	澤俊一	1921년 12월
고적계, 박물계 촉탁	藤田惣助	1921년 12월~1924년 12월
고적계, 박물계 촉탁	小泉顯夫	1922년 3월
고적계 촉탁	임한소	1921년 12월~1923년 3월
고적계 촉탁	양세환	1921년 12월~1924년 12월
사진계 촉탁	田野七之助	1922년 ~1923년 4월
천연기념물계 촉탁	森爲三	1922년
고적계 촉탁(겸)	梅原末治	
고적계 촉탁(경주)	諸鹿央雄	
고적계 촉탁(겸)	加藤灌覺	1922년

285 「조선에서의 박물관사업과 고적조사사업사(史)」, 『국립중앙박물관 소장 조선총독부박물관 문서』, 목록번호 : 96-284.

직위	성명	임기
서무 고원(겸)	神田猪助	
박물관계 고원(겸)	神田惣藏	
경주분관계 고원	渡理文哉	
경주분관계 촉탁(경주군수)	박광렬	
경주분관계 촉탁(경주군청서무과장)	吉羽慶一郎	

1921년 10월 10일

불상 발견

1921년 10월 24일부 의성경찰서장이 조선총독에게 보낸 '불상발견에 관한 건'[286]에 의하면,

경상북도 의성군 비안면 용천동 460번지 김도생은 1921년 4월에 자택 앞 밭에서 불상 3체를 발견하여 9월 18일에 신고하고, 1921년 10월 10일 동지에서 불상 1체를 발견 10월 12일에 고적급유물보존규칙 제3조에 의하여 현품과 함께 신고했다.

286 「대정 10년도 경상북도 의성군 발견 청동불상 4구」, 국립중앙박물관 소장 조선총독부박물관 공문서, 목록번호 : 97-발견07.

경주박물관 지부 설치의 청원서를 제출

총독부에서 금관총 유물 전체를 서울로 옮겨 간다는 소문이 경주시내에 나돌자 금관총 발굴과정에서부터 촌각을 곤두세우고 있던 민심이 동요되었다.

경주시민과 경주고적보존회에서는 2회에 걸쳐 시민대회를 열어 '신라의 유물인 천고의 귀중품을 영구히 우리 경주에 보관할 사, 이 목적을 달성하기 위하여 본회는 당국에 탄원할 사'등의 결의를 하고 조선총독부에 전보를 쳤다. 이어 경주박물관 지부 설치의 청원서를 제출하고 1921년 10월 10일에 대표자를 총독부에 보냈다.

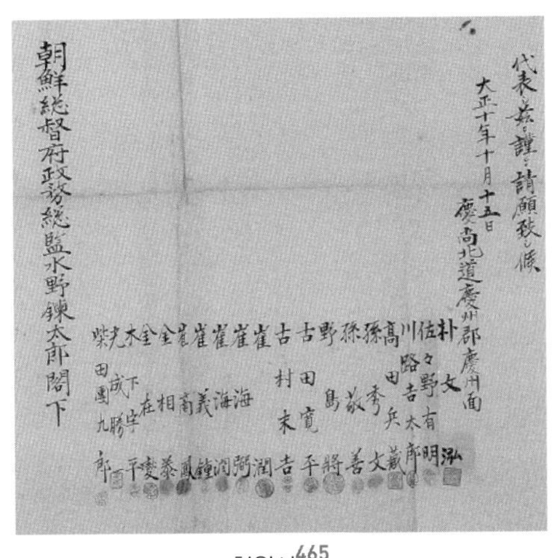

청원서[465]

이후 이 발굴품을 정리하고 경성으로 이송할 때 경주의 박朴, 석昔, 김金 씨와 함께 이李, 최崔, 손孫, 정鄭, 설薛, 배裵의 6성의 대표들이 진청陳情을 하였다.

"우리들 조상의 유물은 이곳에 두어 자손의 손으로 보존해야 한다. 보존을 위하여 특별설비를 요하는바 우리들 손으로 지어 바치겠다"고 하였다. 이어 1921년 10월 15일자로 경주 유지들의 이름으로 정식으로 청원서를 제출한다.

---

287 「大正5~8년도 고적조사관계철」, 『국립중앙박물관 소장 조선총독부박물관 공문서』 문서번호 : 96-108.

당시 동아일보 10월 22일자에는 다음과 같은 기사가 있다.

신발굴한 고물문제로 경주시민은 분기奮起

신라보물은 경주에 두라

경주시민의 고적보호운동

경상북도 경주는 신라 1천년의 옛 도읍으로서 찬란한 조선의 고문화를 세계에 자랑할 만한 명승과 고적이 도처에 산재하여 문 밖에 발만 내어 놓아도 창연한 고색을 띄운 자취를 볼 수가 있으며 밭고랑에 무심히 김매는 농부의 호미자루에도 옛날의 유물이 걸어 나오는 수가 많이 있다.

지난 9월 27일에 봉황대 서편에 있는 큰 고분에서 천고의 유물이 다수 발견되었는데 이 고분은 석씨의 능이라고도 하고 혹은 당시 어느 신하의 묘라고도 하여 임자를 알기 어려운 큰 고분으로서 지금으로부터 약 10여 년 전에 시가정리로 인하여 몸둥이의 반을 잃어버리고 반만 남아 동리사람들이 공동사용하는 흙구덩이로 변하였던 것이다. 그날도 그것 집에 있는 박모가 벽을 바르랴고 흙을 파다가 우연히 유리로 만든 구슬이 많이 나옴으로 집어들고 야단을 하는 즈음 지나가던 일본인 순사 한명이 그것을 보고 즉시 경찰서에 보고하였던바 서장 이하 다수한 경관이 현장에 나아가 발굴에 착수한 결과 어떤 물건은 지금으로부터 약 1천백여 년전의 고물인데 순금으로 만든 왕관 과대, 장식품과 팔장식품과 지환 귀걸이, 청동으로 만든 신장식품과 솥과 칼과 창과 다수한 비취옥과 토기와 마구와 유리구슬 등이 다수히 발굴되었으며 사흘을 계속하여 판 것이 석유궤로 십여개나 되었는데 그 많은 보물은 전부 원형을 잘 보존하여 왔음으로 연구하기에 충분한 자료가 될

新發掘한古物問題로
慶州市民의 奮起
신라의보물은경주에두라
경주시민의고적보호운동

듯하며 근일은 구경 오는 사람 연구하려 오는 사람이 연락부절하는 상태에 있다. 총독부에서는 이 고물 전부를 경성에 옮기어 간다는 소문이 있는데 역사적 유물은 역사를 배경으로 한 그 지방에 보관하는 것이 당연함으로 경주시민은 두 번이나 시민대회를 열어 "신라의 유물인 천고의 귀중품은 영구히 우리 경주에 보관할 사, 이목적을 달하기 위하여 본회는 당숙에 탄원할 사" 등의 결의를 하고 한편 총독부에 탄원의 전보를 넣고 박물관 지부 설치의 청원서를 제출하며 총독부에 대표자를 보내어 진정하기로 결의 하였는데 대표 10여명은 지난 19일 경성을 향하여 출발하였다더라.

이 같은 경주시민들의 노력으로 인해 1923년 10월에 지방유지의 기부금으로 불연질의 견고한 조선식을 가미한 건물을 짓기 시작하여 1926년에 경주시민들이 열망해 오던 금관고가 완성되었다. 그간 조선총독부박물관에 금관총의 중요한 유물은 경주로 송환시켜 '금관총 출토 유물 전시관'에 진열하게 되었다.[288] 이를 계기로 조선총독부 경주분관으로 승격 개칭하여 경주고적보존회에서 운영해 오던 것을 국영으로 하고 모로가 히데오가 분관 주임에 임명되었다. 이후 금관총의 유물을 보기 위한 국내외 관광객들의 발길이 끊이지 않고 이어졌다.

1921년 10월

미술품 판매소 조선관이 들어서다.

일본인 쓰무라 세이조津村精造가 경성 본정 2정목(현 중구 충무로2가)에 조선관을 신축하고 이곳에서 조선 고미술품을 판매하기 시작하다.

『매일신보』 1921년 10월 10일자에는 다음과 같은 기사가 있다.

> 본정 2정목에 조선관, 14만원 큰돈으로 굉장히 짓고 경영
> 쓰무라 세이조津村精造 씨는 원래 도쿄 사람으로 메이지 37년부터 경성에 나와서 상업을 경영해 오던바 특히 조선의 고대미술과 현대 조선의 미술적 상품을 널리 소개하기 위하여 작년 11월부터 2정목 조선관이란 건물을 건축

288 以上 參考
有光敎一, 『半島と大洋の遺跡』, 1970, pp.87~89; 田中萬宗, 『朝鮮古蹟 行脚』, 1930, pp.59~63; 『慶州郡(生活狀態調査 其上)』, 1934, 朝鮮總督府; 大坂六村, 『趣味の慶州』, 1929, 慶州古蹟保存會. pp.52~61; 濱田耕作, 『百濟觀音』, 1926, pp.78~85.

하기 시작하였는데 순 조선의 궁전의 본을 따서 각색으로 단청하여 3층집 을 건설하는데 총독부 기사 6, 7명의 설계로 14만원의 거금을 들여 준공을 하게 되자 각 방면으로 모은 진열품을 모아 한편으로는 진열장을 만들고 또 한 면으로는 즉매소를 설치하여 고객의 수용에 응한다하며 또 지하실에는 수족관을 설치하고 중앙에는 분수대를 만들고 11일부터 일반인사에게 관람을 시킨다는데 수족관이나 진열장에 들어가는 데는 인원을 제한하기 위하여 요금을 다소간 징수한다하며 또 3층에는 다과석을 설치하여 관람자의 청구에 응한다는데 아침 열시 개관 할 때와 정오와 오후 8시 폐관할 때는 불란서 교회에서 사용하는 종보다 더 큰 종을 정확한 시간에 친다더라.

『재조선내지인 신사명감』에 의하면, 쓰무라 세이조津村精造는 조선물산의 제조판매와 의탁판매 및 관련되는 일체의 사업과 조선관朝鮮舘(合資, 경성부 本町 2丁目 62)에서 인삼액기스 판매업을 한 것으로 나타나 있다. 따라서 미술품을 진열하고 매매를 했지만 도미타상회富田商會와 같이 미술품을 전문적으로 취급하지는 않은 것으로 보인다.

같은 해

충청북도 충주시, 음성군, 괴산군의 석조물 사진

고적조사위원 오하라 도시타케大原利武와 다나카 쥬조田中十藏는 1921년에 충청북도 충주시, 음성군, 괴산군의 유적 유물을 조사하고 석조물에 대한 사진(국립중앙박물관 소장 조선총독부박물관 유리건판)을 남기고 있는데 조사 보고서는 남기지 않았지만 사진만으로도 오늘날 이동이나 훼손 상태를 살피는데 중요한 자료라 할 수 있다.

이를 정리해 보면 대략 다음과 같다.

명칭	소재지	사진	현상
단호사 삼층석탑	충청북도 충주시 단월동 453-104	 大原利武 촬영	 현재 충주 단호사 내에 소재하며, 훼손된 부분은 시멘트로 일부 보완하고 1921년 사진과 비교하면 상륜부 일부는 결실되었다.

명칭	소재지	사진	현상
충주 문주리 오층석탑과 석조여래좌상	충청북도 충주시 이류면 문주리 148	 大原利武 촬영	문주리 탑동 민가 옆에 석탑과 석불이 함께 있었는데, 5층석탑은 1999년에 도난을 당했다고 한다. 문화재청 도난문화재정보에 의하면, 1999년 2월 4일 충주시 문주리 148 문광사 내에서 도난을 당했다고 한다.  도난 전의 모습 석불은 보호각을 만들어 보호하고 있다.  도난 당한 후 의 모습

명칭	소재지	사진	현상
충주 원평리 석탑	충청북도 충주시 신니면 원평리 108-1	고적대장에는 사유지 고 1장5척의 석불과 고 8척의 석탑, 고 3척의 석탑대 각 1개가 있으며 부근에 와편이 산재한다고 기록하고 있다.  大原利武 촬영	 6세기 전반기인 신라 법흥왕 때 창건한 '선조사(宣朝寺)'라는 유명한 사찰이 있었던 곳이라 전해지고 있으며 병자호란때 소실된 것으로 구전되고 있다. 이곳 마을 이름은 '미륵댕이'로 예부터 불교와 깊은 관련이 있던 곳으로 추정된다고 한다.(문화재청 자료) 이 석탑 현재 충북 충주시 신니면 원평리 108-1번지에 소재하며, 1921년의 모습과 거의 그대로 보존되어 있으며 탑 주변은 잔디로 잘 정돈하고 있다.
음성 읍내리 오층모전석탑	충청북도 음성군 음성읍 읍내리 817-12	 大原利武 촬영	 현재 음성향토자료박물관 옆에 있다. 1946년에 수봉초교 교내로 옮겼다가 1995년에 지금의 자리로 옮겼다고 한다.

명칭	소재지	사진	현상
음성 쌍정리 삼층석탑	충청북도 음성군 맹동면 쌍정3리	고적대장에는 "사유전, 맹동면사무소 동측 전중에 있다. 고 6척 기부 방2척의 6층석탑으로 완전함"으로 기록하고 있다.  大原利武 촬영	 현재 쌍정3리 하정마을 노인회관 옆 밭에 있다. 현재 기단부는 시멘트로 아무렇게나 고정시키고 1921년 사진에 나타난 위에서 세 번째 석재는 분실했다.
충주 추평리 삼층석탑	충청북도 충주시 엄정면 추평리 576-6	 大原利武 촬영	현재 충청북도 충주시 엄정면 내창로 750에 위치한다. 현재는 매몰되었던 기단부를 파내어 밭 가운데 보존해 있다. 2008년 석탑 해체조사 시 지하에 묻혀있던 기단부가 노출되어 높이 4.2m로 복원하였는데 조사결과 현재의 위치는 석탑의 원위치가 아닌 것으로 밝혀졌다.  해체시의 기단부 모습

명칭	소재지	사진	현상
음성 읍내리 삼층석탑	충청북도 음성군 음성읍 읍내리 817-2	 大原利武 촬영	 현재 충청북도 음성군 음성읍 설성공원길 28(설성공원 내)에 소재한다. 음성읍 평곡리 탑정이라는 옛 절터에 있던 탑으로, 1934년 경호정(옛 연풍정) 앞으로 옮겨 세웠다고 한다.
음성 성주사지 승탑	충청북도 음성군 음성읍 감우리	 大原利武 촬영	소재 미상
괴산 석탑 부재	충청북도 괴산군	 田中十藏 촬영	소재 미상

명칭	소재지	사진	현상
증평 남하리사지 삼층석탑	충청북도 괴산 증평면 남 하 리 산 35-2	고적대장에는 토목국 소관으로 "남하리 廉谷의 북서 약 백 칸의 계곡에 있다. 석탑3중 고 10척 완전함"으로 기록하고 있다.  田中十藏 촬영	 현재 증평면 남하리 산 35-2에 옛 그대로 보존되어 있다. 시도 유형문화재 제141호
보안사 삼층석탑	충청북도 괴산군 청안면 효근리 385-13	고적대장에는 사유전, 효근리 탑동 부락에 있다. 고 4척의 석불좌상 1개가 있고, 고 6척의 5층석탑은 상부 훼괴(毁壞) 笠石 3개가 산재한다.  田中十藏 촬영	 (사진: 문화재청 자료) 쓰러져 있던 것을 1957년에 주민들이 원위치(현 주소: 충북 괴산군 청안면 효근1길 23)에 복원했다고 한다. 보물 제1299호로 지정되어 있지만 이 탑을 보물로 지정할 만한 근거가 어디에 있는 지 의문이 아닐 수 없다. 또한 보물로 지정한 이상에는 이같이 버리다시피 보존하는 것은 부끄러운 일이다.

명칭	소재지	사진	현상
괴산 석탑	충청북도 괴산군	 田中十藏 촬영	소재 미상
괴산 오층석탑과 일본 신사	충청북도 괴산군	 田中十藏 촬영	 충북 괴산군 사리면 사담리 하도마을에는 일제강점기 당시 신사가 있었다고 하는데, 현재 사담리 산 1번지에는 봉학사(鳳鶴寺)사지5층석탑(시도유형문화재 제29호)이 있어 이 탑이 1921년 다나카가 촬영한 석탑으로 보인다. 당시의 사진과 비교하면 거의 그대로 보존된 것으로 보인다.

명칭	소재지	사진	현상
괴산 송덕리 삼층석탑	충청북도 괴산군 장연면 송덕리	 田中十藏 촬영	송덕리 267번지에 소재하던 이 석탑은 문화재청 도난문화재정보에 의하면, 1998년 11월 13일 도난을 당했다.  도난당하기 전의 모습(문화재청 자료)
괴산 송덕리 오층석탑	충청북도 괴산군 장연면 송덕리	고적대장에는 사지는 밭으로 변함, 5층석탑 1개 고 1장, 기부 종횡 각 3척 5촌 완전한 것으로 기록하고 있다.  田中十藏 촬영	 현재 송덕리의 논 가에 안내판도 없이 자리하고 있다.

우리 문화재 수난일지

1922년

1922년 1월 14일

조선미술전람회규정

조선미술전람회규정(고시 제3호)을 제정 공포하다. 출품 부문은 제1부 동양화, 제2부 서양화 및 조각, 제3부 서書이며 출품은 1점에 대하여 폭 2간을 넘을 수 없고, 또 제작 후 5년 이상을 경과한 것은 출품할 수 없다.

1922년 2월

이왕가미술공장 매도

광화문통에 있는 이왕가미술품제작소가 일본인에게 매도되다.[289]

그동안 이왕가와 일본인 실업자들 간에 교섭 중이던 이왕가미술제작소 매매가 이왕가의 승인을 얻음과 함께 총독부 측의 결제 등 일체의 수속을 종료하고 양자 대표 간에 매매의 계약을 체결되었다. 매도 가격은 29만원으로 매수자는 진남포의 도미타 기사쿠富田儀作 경성의 신 다츠마進辰馬 외 4명의 발기인이 되어 일본인을 중심으로 한 백만원의 주식회사를 조직하여 이 제작소를 매수하였다.

이는 원래 통감부시대에 송병준 등에 의해 한국의 전통적인 공예품제작소

---

289 「社會日誌二月,『개벽』제21호, 1922년 3월.

라 할 수 있는 '한성미술제작소漢城美術製作所'가 창설되었는데, 1913년 6월부터 이왕직에서 직접 운영하던 것을 1922년에 이르러 도미타 기시쿠富田儀作 등이 이를 인수하여 주식회사를 설립한 것이다.

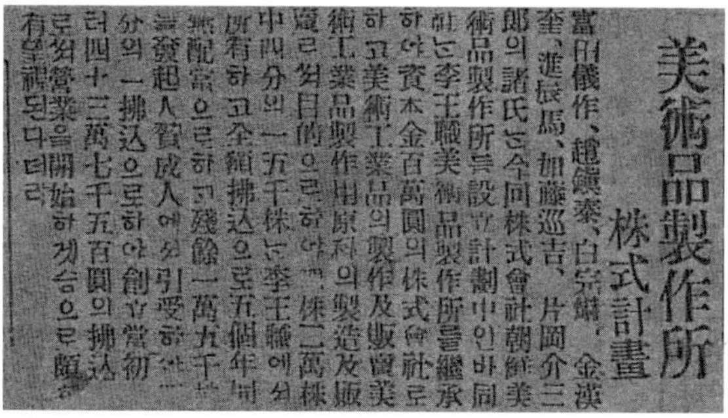

美術品製作所 株式計畫

富田儀作、趙鎭泰、白完爀、金漢奎、進辰馬、加藤巡吉、片岡介三郞의諸氏는今回株式會社朝鮮美術品製作所를設立計劃中인바同社는李王職美術品製作所를繼承하야資本金百萬圓의株式會社로하고美術工業品의製作及販賣美術工業品製作用原料의製造及販賣를[illegible]目的으로하야[illegible]株二萬株中四分의一五千株는李王職에서所有하고全額拂込으로五個年間無配當으로하고殘餘一萬五千株는發起人贊成人에셔引受하야[illegible]分의一拂込으로하야創立當初[illegible]四十三萬七千五百圓의拂込으로써營業을開始하겟슴으로頗有望視되다더라

미술품제작소 주식 계획 기사(『매일신보』 1922년 2월 15일자)

도미타 기시쿠富田儀作는 1858년생으로 1897년에 대만으로 건너가 석탄채취업石炭採取業에 종사하다가 1899년에 한국에 건너왔다. 경성(서울)에 거주하는 한석진이라는 사람을 표면에 명의인으로 하여 한국정부로부터 채굴허가를 받고 은율광산을 인수하여 경영하였다. 점차 사업을 확장하여 1907년에는 진남포에서 토지를 매입하여 삼화농장을 운영하였다. 1908년에는 삼화고려소三和高麗燒라는 도자기제조공장까지 운영하였다. 서울에서는 도미타상회富田商會라는 간판을 걸고 '조선고미술 공예품 진열관'을 운영하여 전국에서 도자기 및 각종 고미술품을 사들여 판매 전시하였다. 이 외에도 진남포주식회사 감사역, 진남포부협의회의원, 동양잠사회사 사장 등의 직함을 지닌 당시 일본인 사이에서는 가장 대단한 실업가의 한 사람으로 이름이 나 있었다.[290]

290 青柳網太郎, 『新朝鮮成業名鑑』, 朝鮮研究會, 1917; 朝鮮新聞社 編纂, 『朝鮮人事興信錄』, 朝鮮新聞社, 19; 朝鮮公論社 編纂, 『在朝鮮內地人紳士名鑑』, 朝鮮公論社, 1917; 佐佐木太平, 『朝鮮の人物と事業』, 京城新聞社, 1930.

1922년 3월

월광사지 원랑선사대보선광탑비의 박물관 이건

조선총독부 촉탁 사와 슌이치澤俊一는 고적조사위원회에서 결의된 월광사지月光寺址 원랑선사대보선광탑비圓朗禪師大寶禪光塔碑의 운반을 위해 1922년 2월 17일부터 3월 10일까지 현지 조사를 하고 돌아와 같은 해 5월에 복명서를 제출했다.[291]

1922년 2월 17일 경성을 출발하여 18일부터 25일까지 군청의 원조를 얻어 운반에 필요한 제반 준비를 하고, 3월 6일부터 비석을 반출을 개시 동일 이수, 비신을 산 아래로 옮기고 7일부터는 귀부를 이동했다. 이후의 일은 감독자에게 당부한 다음 사와 슌이치는 이튿날 8일 현지를 출발, 3월 10일 경성으로 돌아왔다고 한다.

월광사지 원랑선사대보선광탑비의 운반을 위한 제반 사무를 수행하는 기간에 탑정리 칠층석탑(중앙탑)과 송계리 사자빈신사지獅子頻迅寺址 석탑, 미륵리 석불 등을 촬영했으며 해당 비석은 예정 통로를 통하여 4월 25일 무사히 박물관에 도착했음을 보고하고 있다.

원소재지에는 1930년 3월 31일에 「월광사원랑선사대보선광탑비원소재지月光寺圓朗禪師大寶禪光塔碑原所在地, 다이쇼11년 3월 조선총독부박물관내 大正十一年 三月 朝鮮總督府博物館內로 이건移建했다」는 석표石標를 세웠다.

291 「月光寺址 탑비 取寄 및 사진 촬영 복명서」, 국립중앙박물관 소장 조선총독부박물관 공문서, 목록번호 : 96-135.

월광사지는 충북 제천시 한수면 송계리 에 있다. 이 사지에 있던 원랑선사탑비는 1922년 경복궁으로 옮겼다. 비문에 보이는 선사의 행적으로 볼 때 월광사는 신라 경문왕대(861~874)에는 이미 창사가 되었음을 알 수 있다.

원랑선사탑비 해체 상태(국립중앙박물관 소장 유리건판)

폐사에 관한 내용은 알 수 없으나 수습되고 있는 기와의 편년으로 볼 때 고려 말까지 법등法燈이 이어졌을 것으로 보인다.[292] 원랑선사는 신라말의 고승인 성주산문聖主山門 낭혜화상朗慧和尙의 제자로서 856년에 당에 유학하고 866년에 귀국하여 왕의 신임을 받아 선문禪門을 빛냈으며 헌강왕9년(883)에 입적入寂하니 원랑선사圓郎禪師라 추증追贈하고 탑명을 대보광大寶光이라 하였으며 진성여왕4

월광사지(국립중앙박물관 소장 유리건판)

탑비 운반 상황(국립중앙박물관 소장 유리건판)

292 장준식, 「중원지방의 석조부도」, 『충북의 석조미술』, 충북개발연구원 부설 충북학연구소, 2000, p.297.

년(890)에 탑비를 세웠다.[293]

『사탑고적고寺塔古蹟攷』에는 "고지古址"라 하고 "유탑급비有塔及碑"라 하고 있어 비록 사寺는 폐廢하였으나 원랑선사圓郎禪師의 부도와 비는 남아 있었던 것으로 기록하고 있다. 『조선고적도보』(도판번호: 1597-1600)에 실려 있는 이 탑비의 사진을 보면 이미 도괴되어 비신과 이수가 바닥에 굴러 떨어져 서로 분리되어 있으며, 또 이곳에서 탑비를 옮길 때 함께 수습 보존되어야 할 원랑선사의 부도에 관해서는 전해지는 바가 없다.[294] 고적도보에는 '월광사 부도잔석浮圖殘石'(도판번호: 1571)이라 하여 도괴된 일부 석재가 남아 있는데, 지대석地臺石

탑비 운반 상황(국립중앙박물관 소장 유리건판)

월광사 부도 잔석(조선고적도보)

293 葛城末治, 『朝鮮金石攷』, p.260.

294 「金石文에 關한 參考」, 『新世界』 제3권 1호, 1915년 1월, p.87, '忠州月光寺圓郎禪師大寶禪光塔碑銘' 조에 다음과 같은 내용이 있다.
"충청북도 충주의 동남5리 월악산 中腹에 在하니 고 약 12척의 석비인데 비신은 지면에 橫倒하고 傍에 귀부와 이수가 있으니 신라말기의 승 원랑의 탑비라 <중략>
비고 : 탑은 현재 不存하고 地는 월광의 址로 추정하다."

위에 안상석眼象石과 연화대蓮花臺 2석이 걸쳐 있을 뿐이다. 그 이상의 각 부재는 나타나 있지 않다. 유물도취로 인한 것으로 짐작된다. 이러한 행위는 1915년 이전에 이미 부도의 파괴 행위가 있었던 것이다.

이 부도의 반출에 대한 장준식의 현지 탐문조사에 의하면, 1989년 90세였던 고노古老로부터 반출 당시의 상황을 들었는데 고노에 의하면 부도탑의 반출을 위해 산상에서 선창(동창)까지 길을 닦아 가면서 환목丸木을 정자형井字形으로 깔고 그 위에 선로線路를 놓고 탄광에서 사용하는 선반차로 옮기는데 10여일이 소요되었다고 한다.[295]

1922년 3월 28일

《제2회 서화협회전람회》가 1922년 3월 28일부터 3일간 보성고보에서 개최되어 신작 60여 점, 고서화 40여점이 출품되었다. 총 관람자수는 3천 4백여 명이었다. 일부는 판매를 하였는데 이도영의 '금계'와 김은호의 '미인도'가 가장 고가로 팔렸다.

295 장준식, 「중원지방의 석조부도」, 『충북의 석조미술』, 충북개발연구원 부설 충북학연구소, 2000, p.296.

1922년 4월 30일

수원 팔달문(八達門), 홍화문(虹華門), 기타 보존 시설 조사

고적조사회 간사 오다 간지로小田幹治郎, 고적조사위원 우마즈카 제이치로馬場是一郞, 속 오사가小坂部薀, 고원 사와 슌이치澤俊一, 촉탁 오가와 게이키치小川敬吉 등이 1922년 4월 30일 수원성水原城 팔달문八達門, 홍화문虹華門을 비롯한 기타 고적의 보존 시설과 용주사龍珠寺를 시찰하고 돌아와 같은 해 6월 19일에 복명서를 제출했다.[296]

1922년 4월

사찰령의 폐지를 요구하는 건백서(建白書)

조선불교유신회 회원 류석규 외 2,284명의 연서로 사찰령의 폐지를 요구하는 건백서建白書를 조선총독에게 제출하다. "하루속히 사찰령을 폐지하여 불교 자체의 통제에 일임하라"는 주 내용의, 건백서의 내용 일부는 다음과 같다.

296 「팔달문八達門, 홍화문虹華門, 기타 보존 시설 복명서」, 『국립중앙박물관 소장 조선총독부박물관 공문서』, 목록번호: 96-135.

유신회원 2천2백명이 당국에 제출한 건백서의 일부

총독부에서 조선을 통치하게 된 후로 사찰령을 발포하야 삼십본산의 제도를 만들었는데 그 후로 본산주지 사이에는 각각 같은 권리를 믿고서도 지위를 다투기에 골몰할 뿐 아니라 본산주지는 말사주지를 압박하야 부질없이 서로 다투고서 서로 미워하고 원망하는 폐단이 생기었으며, 이에 따라 불교의 사업이라는 것은 말이 못되게 황폐되었은즉 당국에서는 속히 본산과 말사의 제도를 폐지하고 금후부터는 각 사찰에 자유를 주어 경성에 통일기관을 두고 모든 일을 해나가도록 하게 하여 주시기를 바란다는 것이더라.[297]

이어『동아일보』는 4월 25일자「불교유신회의 사찰령 폐지운동」이라 제하의 사설에서 "오인은 그 이유의 정당함을 인정하며 또한 그 악법惡法이 하루라도 빨리 폐지되기를 요망한다"고 논하고 있다.[298]

이 같은 사안이 발생하기 전의 사정을 살펴 볼 필요가 있다.

사찰령 반포 전에는 공의제도가 있어 산중 장노 등의 공론을 들어 절의 사무처리를 결정하였기 때문에 전횡영사행專橫營私行을 막을 수 있었으나, 절의 사무처리가 주지에게 위임되었기 때문에

寺刹令의 弊端을 말하고
불교계의 자유를 부르지저
이천이백명의 유신회원이
當局에 建白書를 提出

『동아일보』는 4월 21일자 기사

297『東亞日報』1922년 4월 21일자.
298『東亞日報』1922년 4월 21일, 4월 25일자.

일반승려들은 간섭의 여지가 없어지게 되고 말았다. 그리하여 왕왕 사중寺中의 수입, 사중寺中의 재산처리에 공정을 잃게 되었으며 그 중 주지의 수당, 여비 등이 비대해 지고 주지에 대한 불만은 날이 갈수록 높아졌다.[299] 따라서 임기 3년제인 주지들은 재선再選을 위해 극력 운동을 전개하면서 취임의 조건인 총독의 인가를 얻기 위해서 온갖 친일성親日性을 발휘했다.[300]

민족주의 학승들은 이러한 풍조에 반발했으며, 사찰의 실권을 장악한 주지들은 그들을 오히려 푸대접하면서 학승들은 공부방조차 얻기 어려운 처지로 되어가기 시작했던 것이다. 이렇게 되자 민족주의 학승들은 불교청년회를 조직하여 현행제도를 혁신하라는 운동을 전개하게 된다.

1919년 당시 경성불교고등강숙학생京城佛敎高等講塾學生 일동이 조선불교에 새로운 기운을 얻기 위하여 조선불교회를 조직하였다. 그러나 30본산 연합위원장인 이회광은 날마다 강숙학생들을 불러 이를 저지하였으나 뜻을 이루지 못하자 30본산에 통문을 보내어 고등강숙의 학생들이 한 단체를 조직하여 30본산 주지에 대하여 반항의 태도를 보이고 각 본산 주지의 지위를 위태하게 하고

---

299 高橋亨,『李朝佛教』, 國書刊行會, 1973, p.948.

300 林鍾國,『實錄 親日派』(反民族硏究所刊, 1991)에 의하면,
이러한 풍토에서 일어난 것이 친일 주지 강대련의 鳴鼓逐出사건이다. 수원 용주사 주지를 수차 중임한 강대련은 1915년 3월에 30본산 연합사무소가 설치되자 초대위원장을 맡았고, 이후 동 위원장 常置員(상무위원)등을 수차 중임 했다. 그는 만세열풍이 채 가시지 않은 1919년 11월에 아래와 같은 망언을 발설 하였다.
"일본 본원사의 法主는 작위를 받고 황실과 통혼도 한다. 이런 예에 의해서 조선왕실, 귀족의 여자를 일본승려나 조선승려와 결혼하게 한다면, 조선동화 및 불교감화에 그게 도움이 될 것이다"라고 하면서, 교화의 미명아래 帶妻를 권장하면서, 친일, 아부의 발언으로써 자신의 비중을 높이려는 것이였다. 이러한 의견서가 총독부에 제출되자 민족파 학승들에게서 큰 반발이 일어났다.

자하니 각 사찰에서는 즉시 경성 유학생들을 불러내리라고 하는 동시에, 고등 강숙의 강주講主에게도 무례한 문사로 사면을 강요하여 고등강숙을 폐지시키고 그 유지비를 압수하여 학생 일동은 비참하게 해산할 수밖에 없었다.

또한 당시에 전국 승려들의 의무금을 거두어 각황사覺皇寺를 개축하게 되었는데 원장의 지위에 있던 이회광은 건축 감독까지 장악하여 조동종 별원 일본 포교사를 건축고문으로 임명하여 일본 별원과 같은 양식으로 건축케 하였다. 이에 많은 승려들이 반대하였으나 권한이 이회광에 있어 어찌하지 못하고 그 불만만 쌓여갔다. 이러는 과정에서 이회광은 1919년 10월 2일로 조선의 불교를 개혁한다고 하며 일본승려 고토後藤瑞岩와 결탁하여 일본에 건너가 일선융화를 도모한다는 명칭 아래 전국에 있는 불교를 일본 묘심사妙心寺 임제종臨濟宗에 부속시키기 위해 운동을 했다. 그 음모가 발각되자 불교청년회는 물론이거니와 전국의 승려들이 일제히 분개하여 격렬한 공격이 빗발치듯하였다.[301] 이어 30

301 『東亞日報』 1920년 6월 24일자, 6월 27일자, 7월 2일자, 7월 3일자, 7월 4일자.
이회광은 처음 불교의 교육사업을 진흥한다고 하고 경상남북도의 팔본산을 모아 지방학림을 설립한다고 말하여 승낙을 얻고 1920년 5월에 대원사 주지 조영태, 청암사 주지 김대윤, 실상사 주지 진창수, 세 사람을 데리고 일본으로 건너가서 일본 총리대신을 방문하고 그 양해를 얻은 후 경도에 있는 묘심사에 들러 조선으로 돌아 왔는데, 이회광은 일본에서 건너온 후 1920년 6월 2일에 통도사의 김구하, 범어사 이담해, 김룡사 김혜옹, 고운사 이만우, 동화사 김월제, 은혜사 지석담, 지림사 김경운, 등 7명을 대구부 선종경북교당 안에 모이게 하고 말하기를 "이번에 회의를 연 본시는 조선불교의 종을 고치려 하는 것이라 원래 선교 양종이라 함은 종파 이름이 아닐 뿐 아니라 조선승려는 임제종태고파인즉 불가분 조선의 불교를 개혁하자면 종명부터 고치지 아니할 수 없다"고 하며 종명개칭 인가신청서와 이유서를 작성하여 조선 전국에 있는 살로 돌리어 날인을 받고자 하였으나, 일본 교토에서 발행하는 종교신문 中外日報에 '묘심사와 조선사찰'이란 제하의 이회광 일파가 조선사찰을 일본 불교에 귀속시키려 운동한 내막이 발표되었다. 그의 음모가 알려지자 대구에 모였던 7본산 주지는 물론 불교청년회에서 맹렬히 반대하며 비난을 하였다(『東亞日報』 1920년 7월 4일자 참고).

본산 주지회의소는 30본산연합사무소로 개칭하고 원장은 위원장으로 개칭하여 강대련이 그 위원장을 맡았다.

3 · 1 운동에 불교대표로 백용성, 한용운 등이 민족대표로 참가한 이후 한국불교는 한편으로 일제의 사찰령을 반대하는 운동과 다른 한편으로 내부의 불교유신운동佛敎維新運動을 전개하였다.

1920년 6월에 조선불교청년회朝鮮佛敎靑年會가 조직되어 동년 12월에는 30본산연합사무소에 다음과 같은 불교혁신건의안佛敎革新建議案을 제출提出하였다.

(1) 만사萬事를 공의公議에 붙일 것

(2) 연합규제聯合規制를 수정修訂할 것

(3) 사찰재정寺刹財政을 통일統一할 것

(4) 교육제도敎育制度를 혁신革新할 것

(5) 포교방법布敎方法을 개신改新할 것

(6) 의식儀式을 개신改新할 것

(7) 경성京城에 홍교원弘敎院을 세울 것

(8) 인쇄소印刷所를 만들 것

1921년 12월에는 한용운 등이 중심이 되어 조선불교유신회朝鮮佛敎維新會를 조직하고, 1922년1월에 200명의 대표가 모여 '정교분리政敎分離'를 결의했으며, 1922년 1월 7일에는 조선불교도총회가 개최되어 몇 몇 주지들이 전제專制라고 30본산연합제 폐지廢止를 결의했다. 이 결의에 찬동하는 통도, 범어, 해인, 석왕, 백양, 위봉, 봉선, 송광, 기림, 건봉사 등 10개 본산 주지는 30본산 연합에서 탈퇴하여 각황사에 조선불교 선교양종 중앙총무원을 설치하였다. 1922년 1월

10일에는 연합제 폐지에 반대한 주지들 별도로 회의를 가져지기도 했다.[302] 조선불교유신회에서는 불교혁신佛敎革新을 위한 여러 가지 개혁안을 제시하기도 했으나[303] 주지들은 음으로 양으로 방어수단을 강구함으로써 분쟁은 계속되었으며[304] 종단분열 이이제이以夷制夷 정략의 부산물인 사찰의 내분은 전선적全鮮的인 현상이 되어가기 시작했던 것이다.[305]

덕수궁 영성문 안에 경성여자보통학교가 들어서다.

경성여자보통학교는 원래 서대문 밖에 있었는데 1922년 4월 신학기부터 정동 영성문 안에 새로 지은 학교로 이전했다.[306]

오야 도쿠조大屋德城의 『조선지순례행朝鮮之巡禮行』(1930) 1922년 4월 2일의 일기를 보면, 평양에 재주하는 현문弦問이란 의사는 금강경의 문자로 7층탑을 묘사한 것을 한 폭 가지고 있었는데 "대원지원무자탈탈서大元至元戊子脫脫書"[307]라는 기록이 있다고 한다. 그리고 역시 평양에 재주하는 오후라가素封家에는 『여사제강麗史提綱』, 『평양지平壤志』, 『율곡집栗谷集』, 『주자어류朱子語類』, 『백씨문집白

302 『韓國佛教總覽』, 韓國佛教總覽編纂委員會, 1993.
303 신용하, 이광린 편저, 『사료로본 한국문화사』, 일지사, 1984.
304 高橋亨, 『李朝佛教』, 國書刊行會, 1973, p.949.
305 林鍾國, 『實錄 親日派』, 反民族研究所刊, 1991.
306 『東亞日報』 1922년 2월 26일자.
307 '大元至元戊子'는 高麗 忠烈王14년(1288)에 해당

氏文集』, 『이태백집李太白集』 등이 있었다고 한다.

1922년 5월 11일

평양, 봉산 및 영흥, 북청 남문 조사

세키노 다다시關野貞, 후시다 료사쿠藤田亮策, 다나카 쥬조田中十藏, 노모리 겐野守健, 사와 슌이치澤俊一 등이 1922년 5월 11일부터 22일까지 평양 낙랑 유적 및 고구려 고분 조사, 봉산군 정방산 성불사成佛寺의 건조물 보존상태 시찰하고, 5월 25일부터 6월 3일까지는 영흥, 함흥의 토성과 고분, 북청 남문의 수리공사 상태 조사를 각각 마치고 돌아와 6월 14일에 복명서를 제출했다. 1916년 8월 고적조사위원회의 결의로 착수했으나 물가폭등으로 인해 중단된 북청 남문의 보존공사 계속을 요망하는 내용의 의견서가 첨부되어 있다.[308]

308 「평양, 봉산 및 영흥, 북청 남문 조사 복명서」, 『국립중앙박물관 소장 조선총독부박물관 공문서』, 목록번호 : 96-135.

1922년 5월 19일

김해, 양산, 경주 유적 조사

고적조사위원 후지타 료사쿠藤田亮策, 고이즈미 아키오小泉顯夫, 우메하라 스에지梅原末治 등은 1922년 5월 19일부터 6월 1일까지 14일간 경상남북도, 충청남도의 고적을 조사한 후 1923년 8월 10일에 복명서를 제출했다. 김해패총金海貝塚, 양산패총梁山貝塚, 경주 발견의 석기와 고분 출토 이형異形 도질토기陶質土器, 사천왕사지四天王寺址, 망덕사지望德寺址, 황룡사지皇龍寺址 및 창림사지昌林寺址, 약목의 고분군, 부여 발견 유물 등에 대한 조사 보고서가 첨부되어 있다.[309]

김해 회현리패총 조사

김해 회현리에 소재한 패총은 봉황대 동쪽 기슭으로 긴 표주박형의 구릉 위에 위치하며 규묘는 동서 길이 120미터 남쪽 너비 약 30미터 정도 되었다. 1907년 8월 이마니시가 처음 발견한 것으로, 이래 1914년 도리이, 1915년 구로이타, 1917년 도리이에 의해 부분적인 발굴이 있었다. 1920년 9월에는 하마다濱田, 야쓰이谷井, 우메하라梅原 일행이 조사하여 토기, 골각기, 철부두편,옥류 등 상당한 유물을 발견하기도 했다.

이번의 조사는 1920년의 조사를 계속할 필요가 있다고 인정하여 조사를 하

309 「김해, 양산, 경주, 칠곡, 부여 유적 조사 보고」, 『국립중앙박물관 소장 조선총독부박물관 공문서』, 목록번호 : 96-135.

게 된 것이다. 이번의 재차 발굴 조사에서 토기편, 수골편獸骨片, 소어골편小魚骨片, 록각제병두鹿角製柄頭, 골족骨鏃, 골침骨針, 철제도자鐵製刀子 등 상당한 유물을 발견하였다.

양산 패총 조사

양산패총은 1921년 봄, 동지 공립보통학교장 하시모토 료조橋本良藏가 발견한 패총으로, 1921년 가을에 하마다가 학술적 발굴을 하려고 이곳에 이르렀으나 경주 노서리 고분(금관총)이 우연히 발견되어 그 조사에 종사하게 되어 단순 시굴에 그치고 조사를 중지하였던 것이다. 그 정사精査를 이번에 행하게 된 것이다.

패총은 양산군 양산읍의 남동 다방리 돌출한 구릉 정상부에 형성된 것으로, 이번 조사는 작년 하마다가 시굴한 곳에 인접한 곳을 발굴하여 토기, 골각기, 녹각기도자병鹿角器刀子柄 2, 골족 5개, 골침 2개, 토기 3종 등 다수의 유물을 발견했다.

경주 발견의 석기와 고분 출토의 이형 도질토기 조사

후지타 일행은 경주에 체재하는 동안 경주보통학교 교장 오사카 긴타로大坂金太郎로부터 석기 출토지의 표를 보고, 경주 월성 성벽 아래의 유적을 시찰하고 발굴하여 골각제품을 발견했다.

오사카 긴타로가 제시한 석기시대 출토지는, 경주면 반월성지 내와 성벽 아래, 내남면 남산성지 일대, 경주면 효현리 와룡동 부근, 경주면 서악리 금산재 부근, 견곡면 목가리 부근, 양북면 감포, 전동, 나정 제지역, 양북면 진리, 하서리 부근,

강서면 옥산리, 북천면 덕산리, 부군리, 모현리, 동산리, 화산리 지역, 내동면 명활산성 내, 내동면 구정리 부근, 외동면 영지리, 괘릉리 괘릉 부근 이다.

이 중 일부를 조사하여 이형도질토기, 석기 등 각종 유물을 채집했다.

양산 패총 출토 유물

사천왕사지 조사

후지타 일행의 조사 당시의 상태를 다음과 같이 기술하고 있다.

유지遺址는 모두 밭으로 변하고 그 속에는 후대에 만든 몇 개의 무덤이 있고 또한 북편 반쪽에는 인가가 들어섰으며, 대구에서 울산으로 가는 철도 노선이 그 일부를 통과하게 되어 원형의 파괴가 적지 않은데, 다행히 사지의 주요부를 형성하고 있는 당탑은 토단과 기타 모습을 보여주는 초석이 남아 있다. 남쪽으로 약간 떨어진 위치에 2개의 귀부가 반쯤 묻힌 상태로 남아있고, 부근에 산재된 고와류를 함께 살펴보면 본래의 규모를 추정하기에 과히 어렵지 않다.

<중략> 남쪽 서탑도 마찬가지로 토단의 높이가 4척 내외이고 초석은 13개가 남아 있다. 본 토단은 일찍이 주위가 붕괴되어 형태를 잃었기 때문에 주변초석은 대부분 도괴되어 겨우 서쪽 초석 하나에 불과한 상황이다.

<중략> 이 토단의 남쪽에 길이 약 6尺의 가공석이 가로 놓여 있는데 원래

2개가 남아 있었지만 최근 1개를 도난 당했다. 혹시 이것이 토단의 사면 주위에 흙이 유실되지 않도록 흙막이로 놓았던 것이 아닐까 생각된다.[310]

이 사지에 남아있는 고와류 전 등의 채굴이 심했음인지, "본 사지의 보존에 대해서는 주요토단의 소재지 모두를 본부에서 구입하여 전부 잔디밭으로 하고 초석의 도괴와 이동을 방지하는 설비를 갖추고 또한 고와류의 채굴을 금지할 필요가 있다. 그리고 제방에 사용한 당간지주는 속히 이것을 사지 부근에 재건하여 본 유지의 목표로 해야 할 것이다" 라고 그 보존방법을 제시하고 있다.

이 사지에서 발견된 유물로는 탑지塔址에서 발견된 증장천曾長天, 지국천持國天 등을 부조한 우수한 벽전甓塼, 사천왕사비 단편, 고와류, 문자와 등을 발견하게 되었다.[311]

사천왕사 금당지

310 藤田亮策 外 2人,「慶尙北道 忠淸南道 古蹟調査報告」,『大正11年度 古蹟調査報告 第1冊』, 朝鮮總督府, 1924, p.16~18.

311 藤田亮策 外 2人,「慶尙北道 忠淸南道 古蹟調査報告」,『大正11年度 古蹟調査報告 第1冊』, 朝鮮總督府, 1924, p.21.

사천왕사四天王寺는 고려조까지도 국가수호의 영장靈場으로 되어 그 말기 가까이까지 내려갔음은 삼국유사의 「지금불추단석至今不墜壇席」한 말로써 알 수 있으며, 조선 초 중기까지 그 건축이 남았음은 하륜河崙의 '혜리원서惠利院序'와 김시습金時習의 시들로 알 수 있다.[312] 사찰은 임진병화에 없어진 것으로 추정되고 있다.

사천왕사지는 1906년 이마니시今西에 의해 고와편古瓦片 등의 수집이 있었는데, "(사천왕사지에서)우미한 보상화의 모양이 있는 전磚과 십 수 개의 고와를 얻었다. 현재 도쿄대학 문과대학에 수장"이라고 기록하고 있다.[313] 1918년에는 보문리 고분 발굴과 더불어 경주 경편철도공사로 사천왕사지를 일부 조사하였으나 구체적인 보고서는 나오지 않았다. 그리고 조선총독부 중추원서기관장으로 있던 오다 간지로小田幹治郞가 1920년 11월에 양산부부총 발굴상황을 살피기 위해 갔다가 귀경 길에 경주 사천왕사지를 답사한 기록을 보면, 당시에 사천왕사지 경역의 대부분은 경작지화 되었고 일부의 초원에 수 개의 분묘가 있었다고 기록하고 있으며 사지의 상태에 대해서 다음과 같이 기술하고 있다.

사천왕사지 발견 비편(『조선고적도보』)

312 『慶州市誌』, 慶州市史 編纂委員會, 1971.

313 今西龍, 「新羅舊都 慶州의 地勢 及 遺蹟 遺物」, 『東洋學報』 第1卷 第1號, 東洋調査部, 1911, p.78.
"(사천왕사지에서)優美한 寶相華의 모양이 있는 磚과 십수개의 古瓦를 얻었다. 今 東京大學 文科大學에 收藏"이라고 기록하고 있다.

> 현재 불전佛殿의 기지基址로 생각되는 초석이 정렬하고 있는 장소를 중심으로 그 네 모퉁이에서 조금 떨어져 탑의 기지基址에 역시 초석이 존存하고 또 남으로 떨어진 곳에 2개의 귀부龜趺가 10수칸十數間 떨어져 병렬騈列하고 있다. 선년先年 탑기塔基 부근에서 녹유전綠釉塼을 발굴하여 총독부박물관에 수장했다. <중략> 귀부는 비의 좌석座石으로 어떤 비인지 알 수 없다. 일찍 이 사지에서 비의 파편破片을 습득拾得한 것으로 종 4촌 4분 횡 3촌 5분 가량 되는 것으로 '원아지遠雅志', '난이등蘭而等'의 문자文字가 각刻해 있다. 현재 총독부박물관에 있다.[314]

『조선고적도보』에는 "사천왕사지는 경상북도 경주군 내동면 낭산 남록에 재在하며, 총 4기의 탑지塔址가 있다. 탑 내에는 당초 사천왕상이 안치되어 불전을 옹호하고 있었다고 생각되는 것으로……" 라고 하는데, 이곳에서 사천왕상전四天王像甎, 유리전琉璃甎, 사천왕사문자와四天王寺文字瓦, 당초전唐草甎, 평와平瓦 등 무수한 와전을 발견하였다.

특히 이 도보에는 아유카이 후사노신鮎貝之進 소장(圖版番號 2147), 고다이라 료소小平亮三 소장(圖版番號 2148, 2149, 2151 외 19점), 모로가諸鹿央雄 소장(圖版番號 2153, 2155, 2158 외 30여 점), 도쿄제국대학 소장과 도쿄미술학교 소장이 수록되어 있다.

1915년 시정5주년공진회에 아유카이 후사노신鮎貝房之進은 사천왕사지에서 출토한 벽유도판신장상碧釉陶板神將像 1점을 출품하였으며 모로가 히데오諸鹿央雄는 천조와千鳥瓦, 귀면와鬼面瓦 등을 출품했다.

---

314 小田幹治郎,「慶州의 2日」,『朝鮮』, 朝鮮總督府, 1923년 1월, pp.108-109.

시정5주년기념공진회를 돌아 본 이나다 순스이稻田春水는 미술관 전시품에 대해 일본『고고학잡지』에 일부 소개하는 내용을 싣고 있는데, 아유카이 후사노신鮎貝房之進이 출품한 벽유도판신장상碧釉陶板神將像에 대해 다음과 같이 기술하고 있다.

> 도판陶板은 경주읍 사천왕사고허四天王寺古墟 발견의 신라시대 벽유도판신장상碧釉陶板神將像 1면面이 아유카미 후사노신鮎貝房之進 씨 출품出品이고, 여기에 설명을 붙여 놓기를, 경주읍의 동쪽 낭산의 기슭 좀 높은 보리밭에서 약10칸 가량 떨어진 4개의 대기석大基石: 큰 주춧돌이 잔존殘存해 있고 이 4개의 대기석大基石은 다시 수십 개의 소기석小基石: 작은 주춧돌으로 둘러 싸여 있으며 도圖는 이 4개의 대기석의 가운데 서남방의 한 대기석과 그 부근의 소기석을 가르키는 곳에 있는데(도는 생략) 이 신장상은 그 동남쪽 모서리의 작은 주춧돌 지하 2척 가량 되는 곳에서 발견된 것이고 도판은 네모서리에 모두 세워져 있었던 것으로 생각되지만 다른 모서리에서는 출토되지 않았으며 다른 대기석 부근은 소기석들을 모두 뽑아 비려서 아무것도 남은 것이 없고.[315]

라고 하고 있어, 이 기록대로라면 아유카이鮎貝는 신장상을 지표에서 발견한 것이 아니라 유물이 있을 것으로 예상되는 곳을 파헤치고 취득(도굴 ?)하였으며 당시 벌써 사지 일대가 많이 훼손되었음을 짐작케 하고 있다.

1916년에는 모로가 히데오諸鹿央雄가 이곳 사탑유지寺塔遺址로 생각되는 토단土壇의 남측에서 녹유사천왕전綠釉四天王塼을 발굴하여 일본고고학회에 소개하

315 稻田春水,「朝鮮共進會美術館の一瞥」,『考古學雜誌』第6卷 3號, 考古學會, 1915년 11월, pp.66-67.

였으며, 모로가諸鹿는 스스로 수 회 이곳을 방문하여 직접 발굴을 하기도 했지만 선동鮮童들을 시켜 꾸준히 수소문을 해왔다.[316] 이를 보면 정식적인 조사가 있기 전에 이미 학자들이나 수집가들에 의해 도굴이 성했음을 알 수 있다.

이 사천왕지는 결국 철도공사로 인하여 강당지의 일부가 잘리고 철로가 사천왕지의 유지를 가로지르도록 하면서 원형이 완전히 파손되고 말았다.

1936년에는 동해중부선 경주군 내동면의 공사현장에서 사천왕사의 초석이 발견되어 총독부 후지다 류사꾸藤田亮策가 급히 조사를 한 결과 사천왕사 경당지經堂址로 생각되는 곳에서 길이 1척 2촌 넓이 2척 8촌의 사천왕상의 하반부下半部 파편破片을 발견하기도 했다.[317]

망덕사지 조사

망덕사 유지는 사천왕사지와 도로를 사이에 두고 남천에 연한 대지를 점하고 있으며, 1기의 당간지주가 있고 당탑의 초석 등이 남아 있었다. "사지의 주요부는 이미 본부에서 구입을 완료하고 적당한 설비를 갖춰 관리를 엄격히 하여 현상의 유지를 가능케 하였다" 하고 있다.

망덕사지望德寺址에 대한 조사는 일찍부터 이루어져 일부의 토지를 구입하여 유지의 파괴를 어느 정도 방지하려고 했었다. 그러나 1922년 후지다藤田, 우메하라梅原, 고이즈미小泉 등이 유지의 현상 및 초석의 배치 등에 관한 조사가 이루어졌는데, 그 결과 원래 있어야 할 초석들이 파헤쳐져 원 위치를 이탈하였으며 고

316 「朝鮮 慶州發見釉塼」, 『考古學雜誌』 第6卷 8號, 考古學會, 1916년 4월.
317 『考古學』 第7卷 第3號, 東京考古學會, 1936년 3월, p.146.

와편들이 산란하여 도굴의 화를 짐작할 수 있다. 이곳에서 다수의 고와를 채집했다.[318] 또한 『조선고적도보』에는 이 유지에서 도굴한 문양이 있는 우수한 고와가 상당수 실려 있으며 고적조사원들에 의해 그들의 대학으로 반출한 것도 상당수가 있다.[319]

망덕사지 당간지주(1922년 후지타 촬영)

황룡사지 조사

황룡사지는 내동면 구황리에서 분황사의 남방 일대의 지역을 점하고 있다. 황룡사지는 그 규묘의 장대함은 경주의 사지 중에 첫 번째라 할 수 있다. 종래 여러 위원의 조사를 거쳤지만 그 전지역에 걸쳐 정밀조사는 아직 이루어지지 못하고 사지의 유물 배치

황룡사지 전방 토단 초석

318 藤田亮策, 「慶尙北道 忠淸南道 古蹟調査報告」, 『大正11年度 古蹟調査報告 第1册』, 朝鮮總督府, 1924, p.23~26 參照.

319 『朝鮮古蹟圖譜 第5册』, 圖版 2203, 2224, 2225, 2301, 2407 이 東京工科大學藏으로 되어 있다.

등을 살폈다. 이번 조사도 역시 일정상 단순한 일반 관찰에 그칠 수밖에 없었다.

창림사지 조사

후지타 일행이 이 사지를 방문한 목적은 그 일부에 남아 있는 도괴된 3층석탑 및 머리가 없는 양두귀부 등의 보존계획을 위한 것이었다.

> 3층석탑은 조각이 있는 기단석 일부가 나무울타리 밖에 널려 있고, 귀부는 경작지 중에 가로 놓여 있어서 오히려 부근에 있는 초석의 원위치를 가지고 있는 것으로 생각된다. 사지 전체에 산재한 다수의 초석을 정밀조사하여야만 본래의 규모를 알 수 있다고 느껴지지만 바쁜 중에 완전을 기하기 어려워 황룡사와 함께 다음번의 상세한 조사를 기대한다.
> 사지 오른쪽 논 속에 우수한 연판을 가진 석등 기대석이 있고, 연못가에 2, 3개의 석탑옥개석 등의 조각이 있다. 다수의 초석은 파내어져 모두 점차 이동되었던 것으로 보인다. 이것을 보존하기 위한 시설을 하루라도 빨리 만들어야겠다고 생각된다.[320]

고 하며, 이번 조사에서 본사의 연혁을 드러낼 만한 비교적 우수한 고와를 채집하였다.

---

320 「김해, 양산, 경주, 칠곡, 부여 유적 조사 보고」, 『국립중앙박물관 소장 조선총독부박물관 공문서』, 목록번호 : 96-135.

* 경주 창림사지(昌林寺址) 3층석탑

창림사昌林寺는 경주시 내남면 탑리의 남산기슭의 일명 탑곡塔谷이라 부르는 곳에 위치한 신라 최초의 궁전宮殿 옛터에 창건한 사찰이다.[321] 이곳 사지에는 폐탑, 석불, 귀부 등이 유존하여 사지임은 알 수 있으나 사명寺名이 밝혀진 것은 1918년 가을에 경주 재주在住의 오사카 긴타로大坂金太郎가 이곳에서 창림사昌林寺 사명寺名이 양각된 평와平瓦를 발견함으로써 창림사지임이 밝혀졌다.[322]

창림사가 언제까지 유존하였는지 밝혀진 것은 없으나 『고려사』 세가 권제4 현종12년 5월조에, "무자戊子에 상서좌승尙書左丞 이가도李可道에게 명하여 경주 고선사慶州高僊寺의 금라가사金羅袈裟, 불정골佛頂骨과 창림사昌林寺의 불아佛牙를 가져오게 하여 이를 모두 내전內殿에 안치安置하였다" 하는 기록이 보이는 것으로 보아 이 당시까지는 창림사가 그대로 유존하였던 것으로 보인다.

『신증동국여지승람 第21권』 '경주부' 조에,

금오산 기슭에 있다. 신라 때 궁전의 옛터가 있는데, 뒷사람들이 그 자리에 절을 세웠다. 지금은 없어졌다. 옛 비석이 있으나 글자가 없다. 원나라

321 『三國遺事』第一, 紀異一 新羅始祖 朴赫居世 條.
.... 이에 그 아이를 혁거세왕이라 이름하였다.
.... 이에 당시 사람들은 다투어 치하하기를 "이제 천자가 이미 내려왔으니 마땅히 덕이 있는 왕후를 찾아 배필로 삼아야 할 것이다" 했다.
이날 사량리에 있는 알령정가에 鷄龍이 나타나서 왼쪽 갈비에서 어린 계집애를 낳았다.
..... 남산의 서쪽 기슭(지금의 창림사 터)에 궁궐을 짓고 이들 두 성스러운 아이를 받들어 길렀다.

322 大坂金太郎, 「慶州に於ける廢寺址の寺名推定に就て」, 『朝鮮』, 朝鮮總督府, 1931년 10월, p.84.
* 大坂이 발견한 瓦는 東京帝國大로 搬出하였다.

> 의 학사 조자앙趙子昂의 창림사비 발문跋文에 이르길, '이것은 신라 중 김생이 쓴 그 나라의 창림사비인데, 자획이 깊이 법도가 있어 비록 당나라의 이름난 조각자라도 그보다 썩 나을 수는 없었다. 옛말에 어느 곳엔들 재주가 있는 사람이 나지 않으랴 하였더니 진실로 그러하구나' 하였다.

하여 원나라 사신이 올 적마다 으레 창림사비의 탁본을 얻어 갔다고 한다.

이규경李圭景의 『오주연문장전산고五洲衍文長箋散稿』 '김생의 사실에 대한 변증설' 조에 의하면, 위의 『신증동국여지승람』에 전하는 이야기는 원나라 조맹부趙孟頫의 「동경서당집고첩東京書堂集古帖」에 쓴 기록이라 한다. 또 "노수신盧守愼의 『야성야록』에 전하기를, '일찍이 창림사비를 썼는데 조맹부가 그 탁본을 보고, 한 획과 한 글자가 다 왕씨王氏의 서법에서 나왔으니 당나라 사람의 명각名刻도 이보다 나을 수 없을 것이다' 하였으므로 그 뒤부터 이름이 온 천하에 알려져서 원나라 사신이 왔을 적마다 으레 그 탁본을 얻어 가곤 했다" 하였다.

『신증동국여지승람』에 김생이 쓴 창림사 비문은 없어지고 '금폐今廢'라고 한 점으로 보아 적어도 『신증동국여지승람』이 간행된 1530년 이전에 폐사가 되었음을 알 수 있다.

1824년 추사 김정희金正喜는 경주 남산 서록의 포석정 근방의 유적을 답사하던 중 창림사의 폐탑을 한 석공이 깨뜨리고 있는 장면을 목격하고 거기서 《무구정광대다라니경無垢淨光大陀羅尼經》 머리 부분과 《무구정탑원기無垢淨塔願記》를 비롯한 각종 유물을 발견 수습收拾하였다. 추사가 정육鄭六에게 보낸 서첩書帖에,

동쪽 우리나라 사람의 것으로 신라와 고려 사이의 옛 비석은 모두 구양순 필법이어서 곧장 산음으로까지 거슬러 올라갈 수 있다. 금글씨로 경經을 베낀 것이 있는데 신라 때 글씨가 더욱 옛스러워 고려 때 글씨는 미칠 수가 없다. 일찍이 동경東京: 경주의 폐탑 속에서 나온 것으로 묵서墨書한 광명다라니경光明陀羅尼經을 보았는데 한 글자도 손상損傷이 되지 않고 어제 쓴 것과 같았다. 곧 당나라 내중大中 연간에 쓴 것으로 김생金生의 이전 육칠십 년 사이에 해당되는데, 필법筆法이 극히 고아하여 마땅히 문무文武, 신행神行, 무장鍪藏 여러 비와 더불어 갑을甲乙을 논할 만하며 김생도 마땅히 일주一籌를 사양할 것이다.[323]

도괴된 석탑 모습(『남산의 불적』)

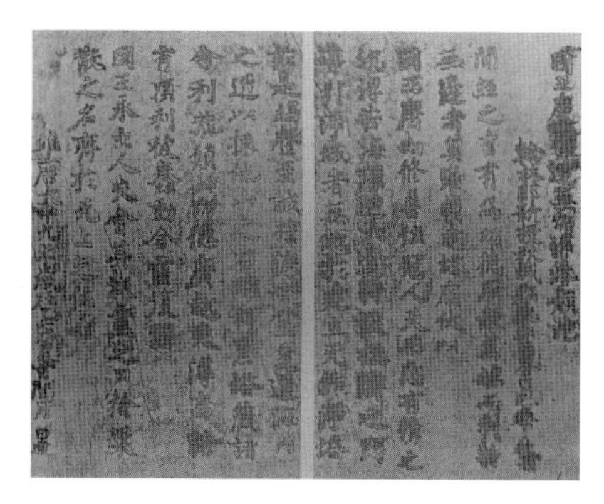

창림사무구정탑원기 김정희임사본

라고 하며 탑 속에서 발견 당시에 보존상태가 양호하였음을 알려 주고 있다.

323 秋史, 「書贈鄭六」, 『阮堂全集 卷六』.

또 원기는 동판에 새긴 것인데 추사가 손수 쌍구雙鉤를 본떠서 따로 첩帖을 만들고 원기願記의 여백餘白 좌단左端에 '김정희인金正喜印'을 찍고 첩帖의 말미末尾에 발견 전말顚末과 반출품搬出品의 종류를 명시해 두었다.[324]

이 기록에 의하면 다라니경은 한 질이었는데 둥근 통에 들어 있었고 개원통보, 거울, 불좌 등이 있었다.[325] 이 첩帖은 원래는 김돈인金敦仁의 구장舊藏이었다가 아유카이 후사노신鮎貝房之進이 소장所藏하고 있었다고 하는데[326] 후에 국내의 손孫 모씨가 입수하였다는 소문이 있다.

그리고 스에마츠 야스카즈末松保和는 아유카이 후사노신鮎貝房之進 소상所藏의 첩에 남아 있는 원기國王慶膺造無垢淨塔願記의 '유당대중구년세재을해維唐大中九年歲在乙亥'을 들어 이는 신라 문성왕文聖王: 諱는 慶膺17년(855)에 해당함을 밝히고 있다. 따라서 창림사탑은 855년경에 건립되었음을 알 수 있다.

1918년에 발간한 오쿠다 게이운奧田耕雲의 『신라구도新羅舊都 경주지慶州誌』에,

> 창림사의 거탑이 파괴되어 넘어져 있는 것을 보면, 석石에 천부天部의 조각이 있고 그 수법이 유려하다. 이 지방 일대를 탑리라 부르는 것은 이 탑이 있었기 때문이다. .... 옛날 신라의 서성 김생의 글씨로 된 비가 있었으나 지금은 실失하고 귀부만 존存한다.

324 末松保和,「新羅昌林寺無垢淨塔願記について」,『靑丘學叢』第15號. 大板屋號書店, 1934.

325 "甲申春 石工破慶州昌林寺塔 得藏陀羅尼經一軸 盛銅圓套又有銅板一 記造塔事實 板背並記造塔官人姓名 又有金塗開通元寶錢 靑黃燔珠 又鏡片銅趺爲鑄銅者所壞 軸面黃絹金畵經圖."

326 末松保和,「新羅昌林寺無垢淨塔願記について」,『靑丘學叢』第15號. 大板屋號書店, 1934.

라고 기록하고 있다.

창림사지비로사나불좌상
(경주박물관)

1922년 5월에 후지타藤田, 오가와小川, 우메하라梅原에 의해 창림사지에 대한 정식조사가 이루어졌는데, 창림사삼층석탑은 남산 일대에서는 그 규묘가 큰 것이나 애석하게도 원위치에서 도괴倒壞되어 석재가 산란하고 그 일부는 잃어버려 주요한 부분은 파손되었다. 그리고 사지의 오른쪽 논에는 우수한 연판蓮版을 가진 석등 기대석이 있고 연못가에 2-3개의 석탑 옥개석 등의 조각이 흩어져 있었으며 다수의 초석은 파헤쳐져 모두 이동되어 있어 도굴꾼들의 흔적을 발견 할 수 있었다.[327]

이후에 탑 석재의 도난에 대한 주의를 했음인지 1922년에 간행한 『최근조선사정요람最近朝鮮事情要覽』(조선총독부)에는 탑 주위에 목책木柵을 설치한 것으로 게재되어 있다. 1939년에 발간한 『일본미술연감』 11월조에는 '1939년 및 1940년에 수리예정인 건축물'에 창림사3층석탑이 포함되어 있는 것으로 보면 복원에 대한 시도가 있었던 것으로 보이는데 예산부족임이었는지 이루어지지 못하고 해방 이후 1978년에 와서야 수리 복원을 하였다.

사지의 석불은 남쪽 기슭에 반정도 매몰되어 있었는데, 그 수부首部를 잃어버리고 우장右掌이 결실된 것을 경주분관에 옮겼다. 그 외 사지 아래의 수전水田중에 있던 석등연대石燈蓮臺와 석탑기단측석石塔基壇側石 신중상神衆像 등도 경주분

327 藤田, 外2人, 「慶尚北道 忠淸南道 古蹟調査報告」, 『大正11年度 古蹟調査報告 第1册』, 朝鮮總督府, 1923, pp.28-29.
『朝鮮古蹟圖譜 第5册』에 昌林寺址 發見 瓦로, 小平亮三(도판 2477, 2598), 諸鹿(도판 2478, 2480, 2627)의 것이 실려 있다.

창림사지석탑

관으로 옮기게 되었다.[328]

창림사석탑에서 50미터 정도의 아래쪽에는 수부首部를 잃어버린 쌍두귀부雙頭龜趺가 하나 있다. 앞의 『신증동국여지승람』과 『동경잡기』에 기록한 김생 서書의 창림사비의 귀부로 추정되고 있으며 제작년대는 8세기 후반의 것으로 추정되고 있다.[329] 잃어버린 수부首部 중에서 1누頭는 발견하여 경주박물관으로 옮겼다. 1931년 9월에 후지시마 기이지로藤島亥治郎가 찍은 사진을 보면 창림사비의 귀부 주위에는 목책木柵이 둘러져 있었으나[330] 현재는 목책木柵마저 치워버리고 아무런 보호장치 없이 귀부 옆에는 민묘民墓가 들어서 있다.

1966년 6월에는 창림사지 옆의 못 매립공사를 하면서 수십편의 경석비편經石碑片

328 小場恒吉,『慶州南山の佛蹟』, 朝鮮寶物古蹟 圖錄 第二, 朝鮮總督府, 昭和15년 3월. p.15~19.

329 李浩官은 「統一新羅時代의 龜趺와 螭首」, 『考古美術』 154, 155合本(1982년 6월)에서, 景德王代를 전후하여 활약한 김생의 전성기인 8세기 초로 보기에는 어려움이 많음을 지적하고 있으며,
藤島亥治郎은 「慶州를 중심으로 한 新羅時代碑論」『考古學雜誌』 23-11(1933년 11월)에서, "三國史記에 의하면 景雲二년 聖德王10년에 태어난 僧으로 景德王前後에 활약한 일로서 本龜趺를 보면 技巧의 點에서 景德王前後에 제작된 것으로는 다소 의문이 있다" 라고 하여 귀부의 제작년대를 경덕왕대(742~764) 이후로 보고 있다.
『三國史記』 卷第48, 金生條에, "김생은 부모가 한미하여 집안을 알 수 없으나 景雲二年(711)에 낳았다. 그는 어려서부터 글씨를 잘 썼는데 일생에 사는 학문은 공부하지 않고 나이 80이 넘어서도 붓을 놓지 않고 글씨를 썼으며......" 라고 하고 있어 그가 711년에 태어나 790년대에 몰했다고 본다면 그의 글씨는 경덕왕대 이후에 오히려 더 성숙되었을 것으로 보인다.

330 藤島亥治郎, 「慶州を中心とせる新羅時代 碑論」, 『考古學雜誌』 23-11, 1933년 11월, pp.18-19.

이 발견되어 경주박물관에 보관하였다.

창림사지 귀부

1922년 5월 27일

경주 집경전(集慶殿) 옛 터 비각(碑閣) 등 수선 조사

조선총독부 고적조사과 촉탁 후지타 료사쿠藤田亮策가 1922년 5월 27일부터 28일까지 경주 집경전集慶殿을 조사했다. 집경전지集慶澱址 전체의 보존 여부와 관련하여, 사료 조사를 통한 연혁, 규모, 양식 등의 연구와 실지 조사를 한 뒤 조선시대 구적舊蹟으로 조사 보존할 가치가 있다는 의견을 밝히고 있다.[331]

1922년 5월 29일

창녕 신라 진흥왕척경비眞興王拓境碑 조사

창녕 진흥왕척경비眞興王拓境碑는 아유카이 후사노신鮎貝傍之進 박물관위원의 말에 최근 한 민간인이 비두 3, 4자를 결손缺損했다는 이야기가 있어, 고적조사위원 후지타 료사쿠藤田亮策가 1922년 5월 29일에 신라 진흥왕척경비眞興王拓境

331 「경주 집경전(集慶殿) 옛 터 비각(碑閣) 등 수선 조사 복명서」, 국립중앙박물관 소장 조선총독부박물관 공문서, 목록번호 : 96-135.

진흥왕척경비 비각

碑 보존 상황을 조사했다.

이 비는 1917년 3월 15일 고적급유물대장 제115호로 등록하고 1918년 창녕사적보존회가 철조책을 설치하여 일반인의 출입을 막았는데 이와 같은 일이 있어 후지타는 조사 후 신라 진흥왕척경비의 비두碑頭가 결손된 것에 대해 귀중한 고적이므로 비각碑閣을 세워 보호할 필요가 있다는 의견을 제시하고 있다.[332]

1922년 5월 30일

칠곡군 약목면 요존(要存) 임야 조사

경상북도 칠곡군 약목면의 면장이하 22명이 복성동의 고분군 소재지에서 석재채굴을 위하여 요보존림해제要保存林解除를 청원請願해옴에 따라 고적조사위원 후지타 료사쿠藤田亮策가 1922년 5월 30일에 이 지역의 고분군을 급히 현장조사를 하게 되었다.

이곳의 대소 고분은 100여 기가 넘었다. 특히 큰 고분은 경徑 10간間에 달하는

332 「창녕 신라 眞興王拓境碑 조사 복명서」, 『국립중앙박물관 소장 조선총독부박물관 공문서』, 목록번호 : 96-135.

것도 4기나 되었다. 그러나 완전한 것은 1기에 불과했으며 100여 기가 넘는 대부분은 도굴 파괴되었다. 당시 면서기의 말에 의하면, 러일전쟁 후 이 지역에 내지인內地人(일본인) 석공石工, 토공土工 기타 부랑배 다수인多數人이 들어와 석재를 채취하고 한편 도굴을 했으며, 이 유물들은 부산, 대구방면으로 팔려갔다는 것이다. 현장을 조사할 때에는 그 일대에 토기파편이 산란하고 봉토가 유실되고 석실이 밖으로 나타나 그 참상을 말로 표현할 수 없을 정도로 비참했다고 한다.[333]

1916년경에 산림과山林課에서 조사한 약목면若木面 복성동福星洞의 고분 상태를 보면 "직경直徑 6, 7간間 4기 및 3, 4간間 무려 35기 대반 발굴大半發掘" 이라고 하고 '비고備考'에는 "을종요존예정림乙種要存豫定林" 이라 기록하고[334] 있는 점으로 보아 앞의 면서기의 말과 같이 이 일대는 러일전쟁 이후 일제의 힘을 배경으로 한 일본 불법자들에 의해 모조리 파괴 도굴 당한 것이다.

후지타는 1922년 7월 10일자로 조사 결과를 복명했다. 약목면 복성동 산림일대의 석재 채취를 위해 요보존림 해제를 요구한 것에 대해 실지 답사한 결과, 요보존림으로 보존해야할 뿐만 아니라 속히 징밀 조사하여 고적 및 유물대장에 등록해야 한다는 의견을 밝히고 있다.[335]

333 藤田亮策, 「慶尙北道 忠淸南道 古蹟調査報告」, 『大正11年度 古蹟調査報告 第1冊』, pp.30~32.

334 『朝鮮寶物古蹟調査資料』, 朝鮮總督府, 1942.

335 「칠곡군 약목면 요존(要存) 임야 조사서」, 『국립중앙박물관 소장 조선총독부박물관 공문서』, 목록번호 : 96-135.

1922년 5월

조선왕실 의궤 반출

2006년에 '조선왕실의궤환수위원회'가 출범되고 2006년 10월에 환수위는 직접 일본궁내청을 방문하여 명성황후국장도감의궤, 대례의궤 등을 열람했다. 그런데 의궤 뒷면에는 '대정11년(1922) 5월 조선총독부 기증'이란 날인이 있었다고 한다. 이 사실만으로 보면 1922년 소선총독부가 일본 궁내청 황실도서관에 조선왕실의궤를 기증함으로써 반출되었다는 것을 확인 할 수 있다. 그러나 조선왕실의궤가 1922년 조선총독부가 반출했다는 내용만 전할 뿐 일본 황실 내 도서관으로 흘러간 경위조차 베일에 싸여 있었다.

오대산 선원보각에 비장하였던 조선왕실의궤에 대해서도 의혹이 남아 있다.

1913년 시라토리가 오대산사고에 남아 있던 사고본을 도쿄로 반출한 상황에 대해『월정사 사적기』에는 다음과 같이 기술하고 있다고 한다.

> 1914년 3월 3일 총독부 소속 관원 및 평창군 서무주임 오게구치桶口 그리고 고용원 조병선 등이 와서 본사(월정사)에 머무르며 사고와 선원보각에 있는 사책史册 150짐을 강릉 주문진으로 운반하여 일본 동경제국대학으로 직행시켰다. 그 때 간평리의 다섯 동민이 동원되었는데 3일에 시작하여

11일에 역사役事를 끝냈다.[336]

『월정사 사적기』에 나타난 일정은 착오로 보이나, 당시 "사고와 선원보각에 있는 사책 150짐"을 옮겼다는 것은 실록뿐만 아니라 다른 것도 도쿄로 옮겼다는 이야기가 되는 것이다.

아사미 린타로淺見倫太郎는 「구정부의 비장한 기록(2)」 이란 글에서,

> 장서는 선원각과 별관에 충실하였더니 선원각에 저장한 것은 이왕가의 계보와 제종의 의궤류 기타 정부의 인쇄한 것과 개인의 인쇄물을 납본한 것이니 이 사판도 2, 3백부에 달한다 하나 모두 영조 이후의 인본으로 인정할 만한 것에 불과하고 이 사각의 실록은 지금은 도쿄제국대학에 보관하여 있으며[337]

라고 하며, 실록의 소재는 밝히고 있으나 의궤 등의 행방에 대해서는 구체적으로 밝히지 않고 있다. 원래 실록을 제외한 의궤 380책, 기타서적 2,469책 있었다고 하는데 아사미의 기술은 훨씬 못 미치는 수량이다.

마에마 교사쿠는 『고선책보』 제1권 예언에서, "오대五台의 목록은 구형舊形이 보존되어 있어서 입본入本의 순서 연대가 추지推知된다. 이 본은 후에 모두 경성에 가져가서 총독부에 모아둔 것 같이 듣고 있는데 그 잡서雜書는 하나도 총독부의 해제에 오르지 않았다. 어떻게 된 것인지 모르겠다"[338]고 기술하고 있어 더

336 李龜烈, 『한국문화재 수난사』에서 재인용.
337 『每日申報』 1916년 10월 4일자.
338 前間恭作, 『古鮮册譜』 제1권 序文, 東洋文庫, 1944, 例言.

욱 의문을 갖게 한다. 1913년에 실록을 반출할 때 의궤와 기타 서적 일부를 함께 반출한 것으로 추정케 하는 대목이라 할 수 있다. 1914년 참사관분실은 오대산사고의 도서를 서고에 이전했다. 1916년에는 『조선도서대장』을 작성했는데 여기에 나타난 목록에 의궤목록이 들어 있었다고 한다. 이 목록에 부여된 도서번호와 이번에 반환된 의궤의 표지에 부착된 번호지의 도서번호가 일치하는 것으로 보아[339] 조선왕실의궤는 실록과 함께 반출된 것이 아님이 확인된 것이다.

조선왕실의궤는 조선왕실의궤환수위원회의 꾸준한 노력에 의해 2011년 10월 노다 요시히코野田佳彦 총리가 방한하면서 『대례의궤』 등 3종 5책을 반환했다. 그리고 2011년 12월에 조선왕실의궤 등 도서 147종 1,200책을 '인도' 형식을 취하여 반환받았다. 서책 대부분은 이토가 반출한 것으로 알려져 있다.

1922년 6월 5일

경성미술구락부 설립

1922년 6월 5일에 자본금 3만원으로 주식회사 경성미술구락부가 설립되었다.

고미술품의 수요가 증가하고 골동 매매가 늘어나면서 매매가의 통일성과 체계적인 매매 기관의 필요성이 생기게 되었다. 이러한 필요성에 의해 경성미술구락부가 탄생하게 되었다. 경성미술구락부를 설립하자는 논의는 1921년에 이

339 김정임, 「조선왕조 의궤의 현황과 반출 경위」, 『되찾은 조선왕실 의궤 도서』, 국립중앙도서관, 2011.

토 도이치로伊藤東一郎, 아가와 시게로阿川重郎, 사사키 쵸지佐佐木兆治가 모여 처음 논의가 되었다. 수차 모임을 가지면서 합의에 도달하자 1922년 3월에 충무로에 사옥 신축공사를 시작하였다. 사사키 쵸지佐佐木兆治는 경성미술구락부 창립 이전의 경매 사정을 다음과 같이 회고 하고 있다.

아카오赤尾 씨의 경매회를 기점으로 한참 뒤에 출현한 것이 바로 삼팔경매소三八競賣所로, 하야시 츄자부로林仲三郎라는 사람이 경영을 담당했다. 그는 학식을 갖추지 못했으나 담력 있는 인물로 명치정에 삼팔경매소를 만들어 어떠한 물품이든 가리지 않고 판매를 했다. 마침 대정 초기부터 북경과 상해로부터 골동을 공수해 오는 사람들이 생겨났는데 그들이 가져온 것들을 삼팔경매소를 통해 경매에 부쳐졌다. 대략 그 당시에는 천원을 환전한 금액으로 중국행 여비를 충당할 수 있었으며, 중국 골동 경매시장이 지속적으로 열릴 정도였다. 삼팔경매소는 이후 주식회사가 되었으며, 이께다 쵸베이池田長兵衛씨가 사장으로 취임하여 수년간 유지되었으나, 1919년경에 해산했다. <중략> 이께다 씨에게는 골동에 대한 감정 능력이 없었기에 삼팔경매소의 해산을 막을 수 없었던 것이 아닌가 생각이 든다.

1915년경부터 필자는 원금여관을 빌려 가끔 경매와 골동매립회를 개최했다. 당시까지는 삼팔경매소나 원금여관에서 매립회를 개최한 경우에는 매번 동업자에게 5부의 수수료를 지급했는데, 동업자는 당초 경매에 관심이 없었는지 그의 판매고는 총 매상의 1할 5부에서 2할 정도의 수준에 지나지 않았다. 그로부터 3, 4년 뒤에 고미술 동업자들의 공동경매소를 동양척식회사의 옆 식목상인 아카보시赤星의 공간을 빌려 열게 되었다. 1919년이라는 이 시기에는 1년 동안 8만원의 매상을 올렸다. 가나야金谷라는 경성부윤의 유품 매립회를 진행했던 것도 이때의 일로, 이 매립회에서는 총액 2만여 원의 매상을 올려 유족이 크게 기뻐했다. <중략> 사후에 개최된 그의 매립회는 성황을 이루어 구입 당시 가격의 수 배에 달하는 매상을 기록했다.

그로부터 1920년 가을에 이르기까지 미술구락부를 설립하자는 취지의 이야기가 나왔으며 1922년에 창업을 하게 되었으나, 이 시기에 우노宇野라는 인물이 솔선하여 조직한 번다회番多繪라는 동업자 단체와 대치하기도 했다. 그러나 회사 창립 이후 결국 합병되어 오늘에 이르고 있다.[340]

1921년 통계를 보면 서울의 한국인 고물상은 점포를 가진 자가 약 300을 헤아리고 점포를 가지지 아니한 행상인을 합하면 8, 9백에 달한다고 한다.[341] 이는 단순히 서울에서 활동하는 수에 불과한 것이다.

행상인들은 영세한 자본으로 시골 벽지를 다니면서 생필품부터 고미술품까지 닥치는 대로 사들여 서울로 가지고 올라왔다. 행상인들이 사들인 물품은 사용 용도에 따라 처분되었다.

일본인들의 고물상들은 대계 충무로, 을지로, 수포동 등 3개소로 나누어져 있었다.

이키다池田란 자를 중심으로 3인이 형성한 충무로의 경성경매주식회사가 있었으며, 일본인 4명으로 구성한 을지로의 경성고물경비시장조합과 회원 22명으로 구성된 수표정고물상조합이 있었다.

후에 이것이 늘어남에 따라 1918년에는 모두 통합하여 고물상조합을 결성하

---

340 佐佐木兆治,『京城美術俱樂部創業20年記念誌』, 株式會社 京城美術俱樂部, 1942.
341 동아일보, 1921년 4월 28일자.

였는데 충무로에 사무실을 두고 조합장은 야키 곤쥬로八木權十郎가 추등 되었다. 이들 고물상들이 중심이 되어 고물 경매가 이루어졌다. 고물상을 하고자 하는 사람은 조합사무소에 조합규약에서 정하는 가입금 2원, 수수료 10전 및 당월에 해당하는 조합비를 납부하고 조합장의 날인을 받은 영업 희망서와 기타 경력서를 첨부하여 경성부를 경유하여 관할경찰서에 제출하는 것으로 되어 있다.[342]

고물상의 허가도 까다롭지 않고, 이 영업은 다른 영업과 달리 약간의 경험만으로도 발전의 여지가 있어 상당수가 고물상으로 등록 허가를 얻었다. 그래서 1918년에는 조합원의 수가 고물상 허가를 받은 일본인 수만 400여 명이나 되었다.

고가구나 골동을 전문으로 하는 골동상도 마찬가지 고물상으로 허가를 받아 영업을 하였는데 골동을 전문으로 하는 일본인 골동상들은 거의 을지로(황금정)에 집중해 있었다. 그 크기는 적어도 상점을 가지고 있는 것으로는 요시다吉田상점, 아토阿藤상점, 니시지마西島상점, 리츠다津田상점과 기타 25개 내외의 점포가 있었다. 충무로에는 이케우치池內, 이토伊藤의 상점이 있었고 그 외 오쿠라大倉상점, 모리 카쓰지森勝次, 타카키 토쿠야高木德哉 등이 골동을 취급하고 있었다.[343]

고물 경매라는 것은 워낙 광범위하여 서화 골동의 경우에는 정당한 매매가를 형성하기 어렵기 때문에 행상 거간들에 의해 수집되어 바로 골동상점으로 넘어가는 것이 대부분이었다. 원래 고가구 골동 등은 일정한 가격이 있는 것이 아니기 때문에 오직 고물조합의 경매소에서 입찰에 의해 가격이 정해지는 것은 매매가격의 불확실성을 면하기 어려웠다. 또한 서화 골동의 수요와 골동상의 수가 늘어나면서 보다 체계적이고 단독적인 서화 골동경매의 필요성이 절실하게 되었다.

342 阿部辰之助, 『大陸之京城』, 京城調査會, 1918, pp.666~668.
343 阿部辰之助, 『大陸之京城』, 京城調査會, 1918, p.423.

경성미술구라부의 설립 목적은 “각국에 있는 신고서화 골동의 위탁판매, 제종의 집회장에 사용할 위석대업爲席貸業, 이상에 관련하는 제반의 엄무” 라고 하고 있다.[344]

창립당시 주주는 총 85명인데, 전문적인 골동상으로는 취체역을 맡은 자 5명 뿐이다. 나머지 대부분은 한일합방 이전에 한국에 건너온 자들로, 아가와 시게로阿川重郎를 비롯하여 일본의 한국통치 기반조성을 위한 대토목공사에 종사하여 막대한 재물을 축적한 토목 건축업자들이다.

초대 사장 이토 도이치로伊藤東一郎는 전문 고미술상을 운영하면서 경성미술구락부를 이끌다가 1년 만에 사망을 하였나. 상무역을 맡은 모리 이사치로毛利猪七郎는 군인 출신으로 러일전쟁 당시 개성방면을 수비하였다. 개성에서 출토되는 고려자기를 목격하고 퇴역 후에 전문적으로 서울과 개성을 왕래하면서 영업을 하였다. 그도 역시 1년 후에 죽고 말았다. 이어 경성상업회의소 회두인 와타나베 데이이치로渡邊定一郎가 사장에 취임하였다. 와타나베 데이이치로渡邊定一郎는 1913년에 한국에 건너와 황해도 천좌농장의 지배인으로 있다가 1918년에 황해사라는 토목회사의 부장 겸 경성토목건축협회 상담역을 하였다. 후에 경성상업회의소 회두를 역임하였다. 와타나베는 사장에 취임하자 상무를 없애는 대신 지배인을 두고 육군간호학교 출신의 오타 오추키치太田尾鶴吉를 앉혔다.[345]

경성미술구락부는 그 설립은 6월 5일에 했으나, 정식 경매활동은 미술구락부 건물이 완공된 1922년 9월부터 시작되었다.

1922년 9월에 출범한 경성미술구락부는 그해 12월까지 9회에 걸쳐 전시 경매를 하였으며, 총 1만 7천원의 이익을 보았다고 하니 자본금 3만원으로 발족

344 中村資良,『朝鮮銀行會社要錄』, 東亞經濟時報社, 1923.
345 佐佐木兆治,『京城美術俱樂部創業20年記念誌』, 京城美術俱樂部, 1942.

하여 3개월의 실적으로는 상당한 거래가 성사되었다고 할 수 있다.

경성미술구락부는 서울에서 미술품 매매에 관련한 기관 내지는 단체라 할 수 있다. 이후 한국의 고미술품은 주인인 한국인이 주도하지 못하고 일본 상인들에 의해 좌지우지되어 상업적 가치가 부여되었다.

* 굴출과 매출

골동상점이 등장한 후 당시 골동매매의 단계를 보면, 굴출과 매출 그리고 거간, 골동상점, 수집가로 이어진다. 무덤을 파헤치는 도굴꾼을 '호리꾼' 이라 불렀는데, 한자어로 '굴掘'을 일본어로 발음하여 '호리' 라고 한데서 비롯되었다. 그리고 무덤을 파헤쳐 부장품을 꺼내는 것을 '굴출掘出' 즉 '호리다시' 라고 불렀다. '호리다시'의 또 다른 뜻으로는 '뜻하지 않게 찾아낸 진귀한 물건', '값싸게 손에 넣은 물건' 즉 뜻하지 않는 곳에서 생각지도 않던 진귀한 물건을 헐값으로 손에 넣었다는 뜻으로도 사용되었다. 또 가가호호를 찾아다니며 물건을 사는 골동상을 '매출買出' 즉 '가이다시'(일본어로 '사낸다'는 의미)라고 불렀다. 이들은 사탕을 들고 촌구석을 찾아다니며 어린애들을 꾀어 대대로 물려오는 가보들을 빼어 냈다. 처음 사탕 맛을 본 철부지들은 다투어 고물을 가져다주어 그저 줍다시피 하였다.

가이다시가 한창 기승을 부릴 때는 전국 방방곡곡 그들의 손이 미치지 않는 곳이 없었다고 한다. 당시만 해도 일반인들은 골동에 대해 잘 모르고 있었기 때문에 거의 헐값에 골동을 사곤 하였는데, 헐값에 진귀한 골동을 손에 넣으면 붕어사탕을 건졌다며 으스대었다고 한다. '붕어사탕' 이란 가이다시들 사이에만 통용되는 은어로, 가이다시들이 종종 붕어모양을 한 사탕으로 철모르는 아이들을 꼬득여 값비싼 골동을 뽑아내곤 했기에 생겨났다고 한다.

가가호호를 다니며 수집한 것을 가이다시들은 주로 푸대 같은 것에 물건을 싸서 넘기는데 가장 고급은 거간들에 의해 1차 수거가 있고 나머지는 좌상坐商들에게 넘기거나 골동가게에 넘겼다.

굴출은 처음 일본인이 시작하였으나 차츰 한국인을 그 수하에 수명씩 거느렸으며, 한국인 수하들은 그 도굴 기술을 물려받아 나중에는 한국인 도굴꾼들이 판을 치게 되었다.

이들과 골동상점 또는 수집가를 연결하는 자가 거간이다. 거간居間은 매매업자의 중간에서 소개하고 제반의 일을 주선하여 매매가 성립되면 이에 따른 일정의 구전을 받는다. 거간들은 '굴출'과 '매출'로부터 물건을 사들여 수집가나 골동가게에 넘기는 역할을 하였기 때문에 골동에 대한 상당한 식견이 있어야만 했다. 보통 대수장가들은 이들 단골 거간을 한두 명씩 두고 값을 후하게 치루면서 수집을 하기도 하였다.

* 경성미술구락부의 경매 방법

경성미술구락부의 체계를 보면 회사의 업무와 운영은 골동상들이 맡고, 감사역은 자본주들 측에서 맡도록 하였다.[346] 경매의 방식은 골동상점이나 동호인 또는 개인이 미술품을 출품하면 경성미술구락부에서는 수집가들에게 이를

346 제1회에는 伊藤東一郎, 佐佐木兆治, 毛利猪七郎, 祐川宇吉, 大石理一의 5명이 선임되었는데, 伊藤東一郎가 대표역을 맡고, 毛利猪七郎가 상무로 선정되었다. 감사역에는 阿川, 荒井初太郎, 松本民介, 城臺一六의 4명이 맡았다.

공고했다. 대체로 첫날은 미술품을 전람하고, 마지막 날은 경매에 붙여 수집가들이나 대리인이 경매에 참가하는 방법으로 공개적으로 진행했다. 간혹은 '고미술품교환회'라 하여 회원들 끼리 각자 수장한 물품을 피차 값을 쳐서 서로 교환하기도 하였다. 이 경우에는 세금이 부과되지 않았다.

경성미술구락부에서는 경매를 하기 전에 거의 목록을 미리 제작 하였다.[347] 목록이라는 것은 출품자의 이름과 작품에 대한 간단한 설명과 우수품에 대한 도판을 함께 싣고 있다. 출품자가 이름을 밝히기를 꺼릴 경우에는 밝히지 않거나 또는 '모씨'로 표시하였다.

또 목록에는 '세화인'의 이름을 밝히고 있는데, 세화인은 모두 골동상 내지는 거간으로 이루어졌으며 출품자와 수집가를 연결하는 중계인 역할을 하며 경매를 대리하였다. 이들은 수집가들을 직접 찾아다니며 미술품을 경매장에 출품할 것을 권하기도 하고 스스로 찾아오는 출품자와 사전에 물품에 대한 최저 경매가를 설정하고 출품 목록이나 도록을 만든다. 세화인은 경매가 열리기 전에 목록을 들고 각기 자기의 단골 고객을 찾아가 상담을 한다. 고객과 상담을 하여 사야할 물건을 미리 정하고 예정가를 설정하여 작전을 세우게 된다. 작전이 끝나면 세화인은 자신의 고객을 대신하여 경매에 붙게 된다.

세화인들은 물품의 관리 판매 등을 그들 계산 하에 하되 출품자의 판매 수수료에서 세금, 구락부 수수료, 도록 제작, 기타 경비를 제하고 남는 이익을 그들

347 경성미술구락부에서 제작한 도록 및 목록은 국립중앙도서관의 고전운영실, 개인문고실, 국립중앙박물관 개인기증실, 기타에서 필자가 실견한 것만도 50부가 넘는다. 그런데 발행년도를 밝히지 않은 것도 상당수가 있지만 발행년도가 나타난 것으로는 모두 1930년대 이후였다. 더 많은 자료를 보지 못해서 좁은 소견인지는 모르지만, 목록과 도록제작은 1930년대에 와서 시작한 것으로 보인다.

끼리 분배를 하였다. 세화인은 경매에서 낙찰시키면 출품자와 산 사람에게 각각 25%의 수고료를 받는다. 이는 어디까지나 겉으로 들어난 것이고 경매라는 것은 그날의 분위기에 따라 상당한 변화가 있기 때문에 파는 사람과 살 사람으로부터 얼마나 흡족하게 하였느냐에 따라 얼마든지 더 많은 수고료를 받기도 한다. 그런데 출품자와 약속한대로의 예정가격 이하를 받으면 세화인이 그만큼 손해 배상을 하여야 한다. 손해를 보지 않기 위해 이들은 대체로 출품자와 약속한 최저 경매가 보다는 살 고객과 높은 가격으로 상담을 하게 된다. 그렇기 때문에 경매가를 형성하는데 이들의 역할이 상당했던 것이다.

경성미술구락부가 한창 호황을 이룰 때는 1년에 십 수회 경매가 이루어졌는데 전국의 골동상이나 수집가는 물론이고 일본에서 건너온 골동상까지 가세하여 일대 장관을 이루었다고 한다.

간송 전형필이 서화 골동 수집이 한창일 때는 미술구락부에서 일본인들조차 감히 따라올 수 없을 정도로 고가로 수집하였다. 대체로 골동이라는 것은 먼저 경매된 경매가가 기준이 되어 다음 물건의 가치가 정해지기 마련이다. 간송의 고가 수집은 다음 경매에 영향을 미쳐 경매가가 턱없이 올라가기도 하였다.

世話人

佐々木聚古堂 電話③二八六六番
吉田賢藏 電話③二二〇六番
新保喜三 電話③六九一五番
太田尾鶴吉 電話③四二二〇番
朝鮮美術館 吳鳳彬 電話③二二一二番
翰南書林 電話③三三六番
劉用植

출품목록이나 도록에는
세화인의 명단을 게재하고 있다

1920년대에 연적 하나가 20전 30전 하던 것이 1930년대 후반에 와서는 10원 수백 원으로 폭등하였으며, 고려화병 하나가 1920년에 200원 하던 것이 1930년에 500원 하였고 1940년대에 들어와서는 5천원 1만원에 달했다. 조선백자의 경우에는 1930년 초에 수 원

하던 것이 1940년에 들어와 2600원에 팔리기도 하였다.[348]

1920년대 후반기에 오게 되면 고려청자 시대는 끝나고 조선백자의 거래가 활발하였다. 물론 고려자기의 거래도 있었으나 우수한 것들은 일본으로 반출되었거나 개인 소장으로 돌아가 거래가 드물었던 것이다. 반면에 조선백자에 대해서는 아사카와 노리타가淺川伯敎, 아사카와 타쿠미淺川巧 형제와 야나기 등에 의해 그 가치가 상승되면서 거래가 활발하게 이루어졌다.

1922년 6월 25일

근정전 진열품 도난

1922년 6월 26일자 물품 회계 관리 속 나가시마 센이치로中島善一郎가 조선총독에게 보고한 '근정전진열품 도난 보고'[349]에 의하면, 1922년 6월 25일 오후 4시부터 26일 오전 11시 사이에 박물관 근정전 진열품 일부가 도난당했다.

1922년 6월 26일 오전 11시에 고적조사과 사무촉탁 후지타 료사쿠藤田亮策과 고이즈미 아키오小泉顯夫가 진열장 정리를 하기 위해 근정전 정문 입구를 열고 안으로 들어가 보니 경북 경주 보문리고분 유물과 개성군 청교면 양릉리고분의 발굴품을 수장한 진열장에 이상이 있음을 발견하고 조사한 결과 목록과 같

348 佐佐木兆治,『京城美術俱樂部創業20年記念誌』, 京城美術俱樂部, 1942, p.21.
349 「大正11년도 이후 진열물품 관계」,『국립중앙박물관 수장 조선총독부박물관 공문서』, 목록번호 : 97-진열12.

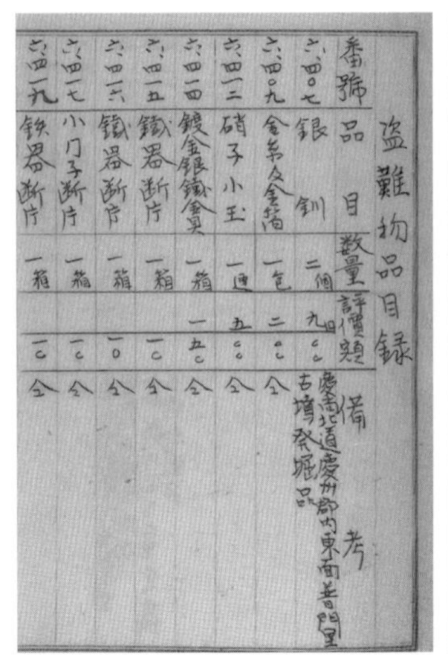

盗難物品目録

番號	品目	數量	評價額	備考
六、四〇七	銀釧	二個	九〇	慶尚北道慶州郡内東面普門里古墳発掘品
六、四〇九	金糸及金箔	一包	二〇	仝
六、四一二	硝子小玉	一連	五〇	仝
六、四一四	鍍金銀鐵金具	一箱	一五〇	仝
六、四一五	鐵器断片	一箱	一〇	仝
六、四一六	鐵器断片	一箱	一〇	仝
六、四一七	小刀子断片	一箱	一〇	仝
六、四一九	鉄器断片	一箱	一〇	仝

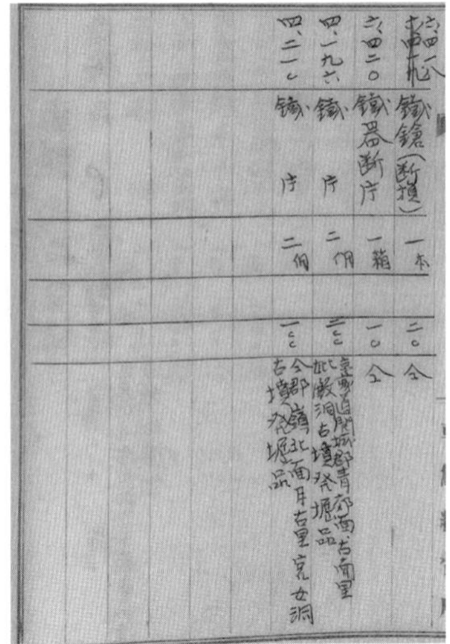

番號	品目	數量	評價額	備考
六、四一八	鐵鐎(断損)	一本	二〇	仝
六、四二〇	鐵器断片	一箱	一〇	仝
四、一九六	鐵片	二個	二〇	慶尚北道聞慶郡青郊面古南里加岩洞古墳発掘品
四、二一〇	鐵片	二個	一〇	仝郡鎮北面月古里宮女洞古墳発掘品

도난물품 목록

이 도난을 당한 것을 확인했다.

1922년 6월 26일 고적조사과 사무촉탁 후지타 료사쿠가 조사한 도난 목록은 표와 같다.

1922년 6월

해남군 옥천면 탑동리의 매탑 사건

1922년 6월에 해남군 옥천면 탑동리에서는 동리사람들이 의논하여 마을에 있는 탑을 일본인에게 현금 80원에 매도한 사실이 경찰서에 탄로되어 그 탑을 반환하여 원래 장소에 갔다두라는 명령을 내려졌다. 『매일신보』 1922년 8월 8일자에는 다음과 같은 기사가 있다.

賣塔事件
연고잇는탑을
내디인에게팔어셔

매탑 사건. 연고가 있는 탑을 내지인에게 팔어

해남군 옥천면 탑동리에서는 동리민이 협의하고 동리에 있는 탑을 내지인에게 현금 8십원에 매도한 사실이 소관 군청 경찰서에 탈로되어 그 탑을 반환하여 그 전 장소에 세우라는 엄명이 내렸는데 매수자는 동민에게 향하여 최초의 매수대금 팔십원과 운전비 1천 3백원을 청구 하였으나 그 문제는 나중 문제요 그 탑을 근본 장소에 옮기라는 성화같은 명령인바 하여간 그 동내 인민의 능력으로는 도저히 운전할 수 없는 고로 군경찰서에서는 옥천면 전부에다 명령을 발포하였으므로 요사이 옥천면에서는 의론이 분분하다더라(해남).

해남 옥천면 탑동의 석탑은 1922년 6월에 매매계약이 이루어져 7월 30일 목포로 운반되면서 경찰에 발각되어 학무국장에게 보고가 올라가게 되었다.

1922년 8월 10일자로 전라남도지사가 학무국장에게 보낸 '고적발견 처치에 관한 건'[350]에 의하면, 이 석탑은 해남군에서 7월 30일 고물 대석탑의 석을 우차 십 수 대로 분재하여 해남읍내를 통과하여 마산면을 경유하여 목포로 운반, 그 운반을 중지시키고 원 석탑의 소재지에 출장 조사를 했다.

그 조사 내용을 보면 석탑의 위치는 원래 영암군 옥천면 탐동으로, 1907년 6월 행정구역 정리할 때 해남군에 속하게 되었다. 탑 관리는 원래 탑 동리민이

350 『국립중앙박물관 소장 조선총독부박물관 공문서』 大正10 14년도 매장물 관세 大正11年度 全羅南道 海南郡 發見 石塔 所在 佛像 其他 목록번호 : 97-발견07.

매년 춘추 도로 수리할 때 청소를 하고 매년 음력 1월 15일 동민 중에 3일전에 제관 5, 6인을 정해 각호로부터 각출하여 제를 올렸다. 1916년부터는 미신이라 하여 동민들이 협의하여 폐지했다고 한다.

탑소재는 옥천면 청신리(탑동) 동단으로 탑의 높이는 22척, 기단석 넓이 사방 6척이다. 그 경과를 보면 1922년 6월 16일 오후 4시경 목포부 온금동 거주 마석진(32세)이 동리 김정렬과 매매를 교섭, 김은 동민들과 협의하여 팔기로 약속하고 밤에 동리로부터 약 10정 떨어진 강진군 경계 최인수 방에 숙박하고 같은 날 밤에 동민들이 전부 모여 협의를 했다. 다음날 대표자 김정렬, 이경화, 김창안 등 10명이 마석진을 면회하여 1922년 6월 17일 매도 계약을 했는데 매도증서는 다음과 같다.

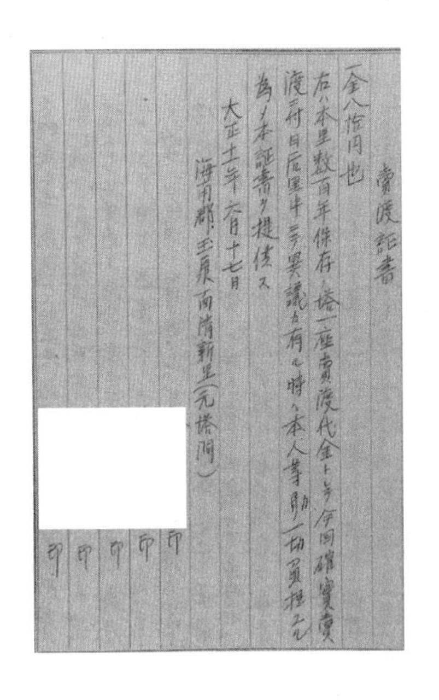
賣渡証書
一金八拾円也
右ハ本里数百年保存ノ塔一座賣渡代金トシテ今回確實賣渡ス付日后里中ヨリ異議ヲ有スル時ハ本人等ニ於テ一切負担ス
為メ本証書ヲ提供ス
大正十一年六月十七日
海南郡玉泉面清新里(元塔洞)
印 印 印 印 印

매도증서賣渡證書

일금팔십엔야一金八十円也

우右의 본리本里 수백 년 보존의 탑1좌 매도대금으로 금회 확실매도確實賣渡의 부일付日 후 리중里中으로부터 이의異議가 있을 시 본인 등이 일체 지는 것으로 본 증서를 제공提供함.

대정11년 6월 17일

해남군 옥천면 청신리(원 탑동)

김정렬金正烈 외 10인 印

목포부 마석진馬錫珍 전殿

이 계약을 한 후 마석진은 바로 목포로 돌아가 6월 21일 대금을 휴대하고 대금

80엔 건네주고 익일 부근 인부 8인을 고용하여 일단 운반하고자 했으나 당지 인부로는 도저히 불가능하여 익일 목포로 돌아와 4일 후 목포로부터 인부 8인에 4인을 더해 12명과 해남읍내 뢰목운송부로 우차 12대로 운반한 것으로 나타나 있다.

1922년 10월 24일부로 전남도지사가 학무국장에게 보낸 '고적 발견 처치에 관한 건'(학제722호)[351]에 의하면, 1922년 8월 21일부로 조회한 해남 옥천면 청신리 소재 석탑은 본월 중에 운반 완료하고 내부 발견품의 매장물은 법규에 따라 경찰서에서 몰수 보관하고 있다고 보고를 하고 있다.

석탑 내의 매장물에 대해서는 1922년 12월 18일 전남도지사가 학무국장에게 보낸 '고적 발견 처치에 관 한 건' 에서 밝히고 있는데 다음과 같다.

學第七二二號
大正十一年十二月十八日
全羅南道知事
學務局長 殿
古蹟發見處置ニ關スル件
大正十一年十月十三日附ヲ以テ御照會相成候管下海南郡玉泉面淸新里所在石塔ヘ其後郡及警察官憲監督ノ下ニ關係里民ヲシテ復舊工事中ノ處本月十一日ニ全ク原形ニ復セルヲ以テ一面關係里民及買受人等ニ對シテハ嚴重ナル譴責ヲ與ヘ且ツ將來里民ニ於テ該石塔ヲ永久保存スル様注意致置候條御了知相成度此段及報告候也
追テ石塔内ヨリ發見セラレタル古物ハ左記ノ通小包郵便ヲ以テ及送付候也
記
一、佛像 一（頭部ヨリ折レテ二ツニナリタルモノ）

'고적 발견 처치에 관한 건' 공문

> 대정11년 10월 13일부로 어조회 관하 해남군 옥천면 청신리 소재 석탑은 그 후 군 및 경찰관헌 감독하에 관계 리민으로 복구공사 중에 처해 본월 11일 전부 원형으로 복구함으로, 한편 관계리민 및 매수인 등에 대하여 엄중한 처벌을 주어 장래 리민에 해 석탑을 영구보존하게 주의 처치를 마침. 추 석탑 내에서 발견한 고물은 좌기와 같이 소포 우편물로 송부합니다.

351 『국립중앙박물관 소장 조선총독부박물관 공문서』 大正10~14년도 매장물 관계 大正11年度 全羅南道 海南郡 發見 石塔 所在 佛像 其他 목록 번호 : 97-발견07.

옥천면 탑동리석탑

기

불상 1

주珠 3(황색옥 1개, 청색옥 2개)

주용기珠容器 1靑銅製蓋付[352]

이상으로 1922년 6월에 시작된 석탑 반출 사건은 다시 반환되어 10월에 복구 작업을 완료하고 석탑 내에서 발견한 유물은 총독부로 송부하는 것으로 사건은 종결되었다.

청신리는 1914년 행정구역 폐합에 따라 탑동리와 도리, 흑천리의 각 일부 지역을 병합하여 청신리라해서 옥천면에 편입되었다.

현재 국립문화재연구소 자료에는 "탑동리塔洞里 전기학 씨 집 마당에 높이 450cm, 지대석 길이 240cm인 석탑이 있는데 원래 오층석탑이나 현재는 4층 옥개석까지 남아 있다" 라고 기록하고 있다.

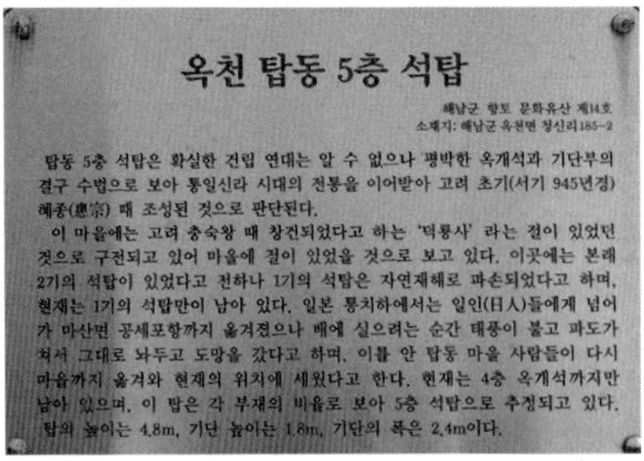

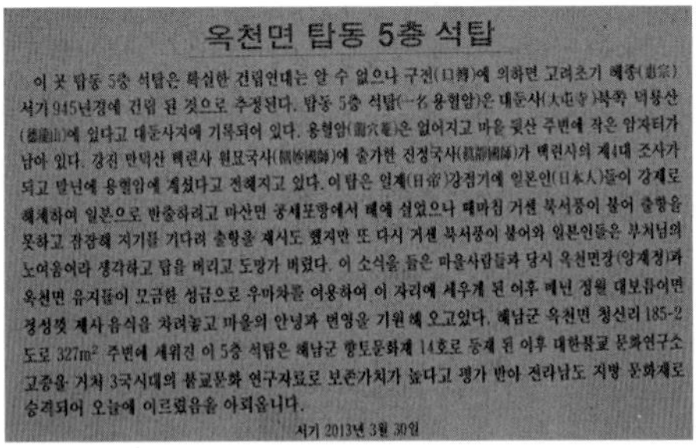

352 『국립중앙박물관 소장 조선총독부박물관 공문서』 大正10~14년도 매장물 관계 大正11年度 全羅南道 海南郡 發見 石塔 所在 佛像 其他 목록번호 : 97-발견07.

옥천면 탑동 5층석탑의 안내 입간판에는 다음과 같이 기록하고 있다.

안내판의 내용에 원래는 석탑 2기가 있었다고 하는데 이 석탑 뒤편에는 석탑편을 비롯한 석편들이 보이고 있어 이를 증언하고 있다

다른 한 기의 석탑재

1922년 6월에는 전매국專賣局 관사를 건축할 때 경희궁 동쪽 21,500평을 매각했다. 1937년 3월에는 남방 도로면을 또다시 매각하면서 일반부지로 넘어 갔다.[353]

1922년 8월 10일

길주성 각 문 훼철

길주의 성문루 중 동문은 1917,8년경에 철거하고, 서문鎭朔門, 남문百勝樓, 북문拱北樓의 3문루는 1922년 8월 10일에 경쟁 입찰에 붙였다. 그 결과 서문은 영북

길주 길주성 서문(1911년 鳥居龍藏 촬영)

353 京城府,『京城府史』第2卷, 1934, pp.353-354.

면 이용규에게 130원에, 남문은 성진 히메노 쵸타로姬野長太郎에게 1백원에, 북문은 길성면 오카모토岡本에게 30원에 낙찰되었다.[354]

1922년 9월

고불상 발견

전주 대정정 1정목에서 고물상을 하는 나가이 사다이치中井貞一는 청주 방면에서 발굴한 돌부처를 매입했는데, 이 석불은 높이 6치 가량의 입상으로 전면에는 붉은 바탕에 금분을 칠하고 문자를 새겼는데 알아볼 수는 없다고 한다.[355]

함흥 문묘(文廟) 소장 목판 조사

고적조사위원 이케우치 히로시池內宏는 1922년 9월에 함흥 문묘文廟 소장 목판 및 장서를 조사하여 그 목록을 작성했는데, 목록에는『논어언해論語諺解』,『사략史略』,『독사수필讀史隨筆』,『동강집東江集』을 비롯한 목판 약 5,000매와『주역周易』,『추강집秋江集』을 비롯한 262종 1,460여 책의 제목이 기재되어 있다.[356]

354『東亞日報』1922년 9월 4일자.
355『每日申報』1922년 9월 11일자.
356「함흥 문묘文廟 소장 목판 조사서」, 국립중앙박물관 소장 조선총독부박물관 공문서, 목록번호 : 96-125.

고물상점의 고불상

『매일신보』 1922년 9월 22일자에는 다음과 같은 기사가 있다.

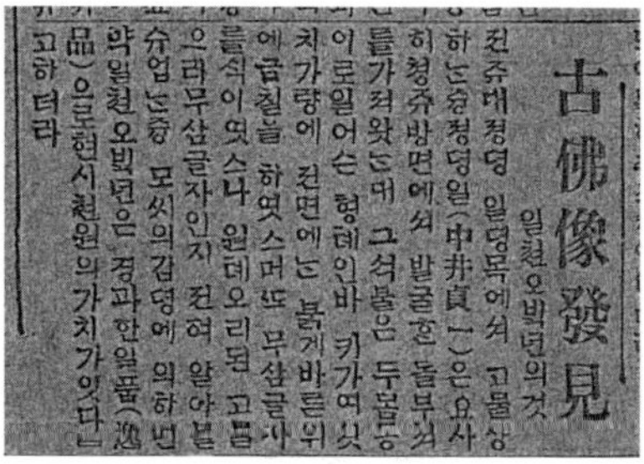
古佛像發見
일쳔오빅년의것
젼쥬대졍뎡 일뎡목에셔 고물상하는즁졍뎡일(中井貞一)은요사히쳥쥬방면에셔 발굴한돌부쳐를가져왓는대 그셕불은두몸동이로일어슨 형태인바 키가여섯치가량에 젼면에는 붉게바른위에금칠을 하엿스며또 무삼글자를식이엿스나 원톄오리된 고믈이라무삼글자인지 젼혀 알아볼슈업는중 모씨의감뎡에 의하면약일쳔오빅년은 경과한일품(逸品)으로현시쳔원의가치가잇다고하더라

고불상 발견

일천오백 년의 것

전주 대정정 일정목에서 고물상 하는 시게이 사다이치中井貞一는 요사이 청주 방면에서 발굴한 돌부처를 가져왔는데 그 석불은 두 몸동이로 일어슨 형태인바 키가 여섯 치 가량에 전면에는 붉게 바른 위에 금칠을 하였으며 또 무삼 글자를 색이였으나 원체 오래된 고물이라 무삼 글자인지 전혀 알아볼 수 없는 중 모씨의 감정에 의하면 약 일천오백 년은 경과한 일품으로 현시 천원의 가치가 있다고 하더라.

1922년 10월 5일

《이조도자기전람회》

1922년 10월 5일부터 7일까지 황금정 조선귀족회관에서 조선민족미술관 주최의 이조도자기전람회가 개최되었다. 이는 조선민족미술관 최초의 주최로 개최 첫날인 10월 5일 아침부터 참관자가 답지하여 오후 2시까지 수천명이 관람하였다고 하니, 개최 전부터 상당히 관심거리였음을 알 수 있다.

이 전람회는 회관내의 제1실에는 시대별로 조선 초기, 중기, 후기, 말기 등의 순으로 경성 부근의 관악산, 북한산, 경복궁, 불암산 등의 요적窯跡 및 고적 등에서 수집한 자기와 분원 및 지방 요지에서 수집한 자기편을 진열하였다. 제2실에는 역시 그런 자기와 사기도장, 가형家形, 동물형 등의 문방구, 주기酒器, 기구器具, 식기 등을 진열했다.

조선민족미술관은 1924년에 개관을 하게 되는데 그에 앞서 이 전람회를 개최한 것이다.

전시장 모습(『매일신보』 1922년 10월 6일자)

위 사진 중앙이 야나기 무네요시(류종열)이고 그 옆이 아사카와 노리타카淺川伯巧다. 앞에 보이는 도자기 중 왼편은 '철회호급로문호鐵繪虎及鷺文壺'로 『조선고적도보』 제15권 도판 6372로 실려 있는 뛰어난 작품으로 스미이 다츠오住井辰男의 구장품이다. 중앙은 '청화진사연화문호'로 이 항아리는 아사카와 노리타카의 구장품으로 일본에 있는 조선백자 중 명품도자기라 할 수 있다. 이 둘은 후에 아카보시 고로赤星五郎의 손에 들어갔다가 1964년에 아타카 에이치安宅英一가 개인적으로 구입하였던 것이다.[357] 1986년에 오사카시립동양도자미술관에 기증되었다.

청화진사연화문호

철회호급로문호(鐵繪虎及鷺文壺)

357 大阪市立東洋陶磁美術館,『美の求道者 安宅英一の眼-安宅コレケツヨン」展圖錄』, 2007. 도판 163과 164로 수록되어 있다.

1922년 10월 28일

중추원사무분장규정이 다음과 같이 개정訓令 第54號하다.[358]

제1조 조선총독부 중추원에 서무과 및 조사과를 둔다.

제2조 서무과에서는 서무 및 회계에 관한 사항을 관장한다.

제3조 조사과에서는 구관 및 제도조사 및 사료수집 편찬에 관한 사항을 관장한다.

1922년 10월

야마다 사이지로(山田財次郎) 수집품 구입

1922년 10월 고적조사과장 오다 쇼고小田省吾는 귀중한 유물을 개인의 손에 버려두는 것은 위험하다고 생각하여, 후지타藤田 감사관과 세키노의 노력과 평양복심원 검사장 세키구치關口의 주선으로 야마다 사이지로山田財次郎의 수집품을 총독부에서 구입했다.[359]

야마다 사이지로山田財次郎는 평양 일대에서 가장 먼저 낙랑 및 고구려 유물을 수집한 대수장가이다. 1913년 세키노關野 일행이 평양의 낙랑유적을 조사할 당시에 평양의 대수집가 야마다 사이지로山田財次郎의 수집품을 열람했는데, 그 종류는 오, 전, 도기, 동족, 철족, 도검, 도자, 모矛, 전錢, 동인, 석인, 봉니, 옥석, 석기 등 그

358 『朝鮮總督府官報』 1922년 10월 28일자.

359 關野貞 外 5名, 『樂浪時代の遺蹟』, 朝鮮總督府, 1927, p.6.

수는 무려 수천점이 넘었다. 뿐만 아니라 세키노는 『낙랑시대의 유적』을 집필하면서 야마다 수집 유물을 많이 싣고 있다. 그 만큼 야마다의 수집품을 생략하고는 낙랑 유물을 연구할 수 없을 정도로 귀중한 유물을 많이 수장하고 있었다.

야마다 사이지로山田財次郎는 1908년 평양공소원 서기와 1913년부터 평양복심원 서기로 재직하였다. 그는 일찍부터 평양 일대에서 출토(도굴)되는 고고미술품 수집에 손을 대어 직접 다니면서 수집을 하기도 하고 선동들을 모아 와편, 전, 봉니 등을 수집하기도 하였다. 야마다 사이지로山田財次郎가 고와를 수집하였을 때에는 그의 독점무대로 평양부내의 각처에서 수도공사나 하수공사에서 와가 파내어져 길바닥에 내버려져 있으면 야마다山田는 눈깔사탕을 가지고 현장에 가서 와전과 교환을 하였다고 한다. 그 후 고와가 돈이 된다는 것을 알게 된 인부들은 싼값에는 수집가의 손에 넘기지 않았다고 한다.

오야 도쿠죠大屋德城가 한국 여행을 하고난 후에 저술한 『선지순례행』의 1922년 3월 31일자의 기록을 보면,

> 대서인 야마다 사이치로山田財次郎씨가 혼자 힘으로 수집한 물건들을 볼 수 있었다. 자택에 진열한 낙랑고와 진열소를 보았다. 문에 들어서면 한 대의 전, 고구려와 등이 가득하였다. 그 수는 무려 기천幾千 기만幾萬에 달했다. 주인의 설명을 들으니 대동강 대안對岸에서 출토한 한 대의 고경, 낙랑태수의 봉니는 진중의 진珍이다. 한 대 낙랑군치지의 유적을 추적하는 귀중한 사료다.[360]

---

360 大屋德城, 『鮮地巡禮行』, 東方獻刊行會, 1923, p.17.

朝鮮古蹟硏究
日本學者間에

平壤山田財次郎이라는人의生前十數年間에亘하야蒐集한古朝鮮遺物數千點는先月中總督府古蹟調査課에서收하야同博物館內에陳列하게되얏는대蒐集品中에는樂浪太守의封泥(樂浪太守章)文字가鮮明한瓦當이有하야約二千年前의古代物로朝鮮古史의硏究上有力한材料가된다하며尙且昨年九月中慶州에서發見한金冠其他發掘品도學術上貴重한參考品으로目下京都帝大考古學大家濱田博士의調査中에屬하얏고昨年中發見한學務局古蹟調査課長인小田省吾氏가全羅南道順天郡松廣寺에서偶然히發見한「般若經」一冊도高麗朝의名僧大覺國師가刊行한佛書의一로時代는八百二、三十年前것인데日本에서도僅히二、三의寫本이有할뿐이오朝鮮에서는只今까지發見된것이絶無한狀態이라朝鮮佛敎硏究上에珍品임으로目下東京帝大池內博士에依하야熱心硏究中이라는대卽諸方面에서發見과硏究에依하야朝鮮의史實이漸次日本學者에依하야明瞭하게됨은注目할事이더라.

이처럼 그는 저택에 진열실까지 마련해놓고 고고유물들을 수집하였던 것이다. 세키노도 1913년 10월에 국내성 일대의 고적을 조사하고 돌아오는 길에 야마다의 수집품을 돌아보았다. 당시 세키노는 야마다의 수집품을 보고 "무려 수천 점"에 달했다고 하니,[361] 1922년에 오야가 본 야마다의 수집품을 "기천 기만" 이라 하는 것도 무리가 아닐 것이다.

대동강면 토성리에서 처음 봉니를 발견한 것은 1918년경으로 야마다가 2과를 수집하였다. 그의 수집품 중 '낙랑태수장樂浪太守章' 외 1과의 봉니로서 민간인의 봉니 수집으로서는 최초라 할 수 있다. 1922년도 「조선총독부박물관 진열품 구입목록」에 '야마다 사이치로山田財次郎소장 낙랑태수 봉니 외 150건 구입에 관한 건'이 보이며, 「산전재차랑 조사 수집품 하조송부목록」 에는, '평남 대동군 대동강면 석암리, 토성리, 평천리, 안학궁지 평양부근 출토품, 1922년 8월' 이라고 기록하고 있다.

또 『동아일보』 1922년 12월 7일자 기사에는,

---

361 關野貞, 『考古學 講座 瓦』, 雄山閣, 1936, p.28.
362 「1922년도 진열품 구입 결의」, 『국립중앙박물관 소장 조선총독부박물관 공문서』, 목록

평양 야마다 사이치로山田財次郎라는 사람의 생전 십수 년 간에 구하여 수집한 고조선 유물 수천 점은 선월先月 중 총독부 조사과에서 수收하야 동박물관내에 진열하게 되얏는데 수집품 중에는 낙랑태수樂浪太守의 봉니 '樂浪太守' 문자가 선명한 와 등이 유하야 약 2천 년 전의 고대물로 조선 고사의 연구상 유력한 재료가 된다.

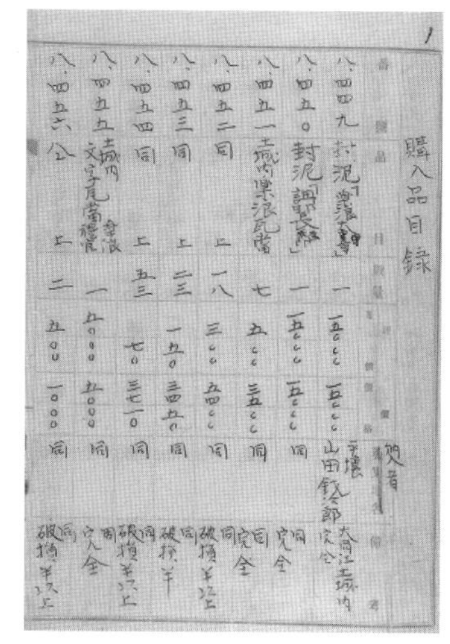

購入品目錄

番號	品目	數量	單價	價格	賣渡者	摘要
八四四九	封泥「樂浪大尹章」	一	一五〇〇	一五〇〇	平壤 山田釱次郎	大同江土城内 完全
八四五〇	封泥「[illegible]」	一	一五〇〇	一五〇〇	同	同 完全
八四五一	土城内 樂浪瓦當	七	五〇〇	三五〇〇	同	同 完全
八四五二	同 上	一八	三〇〇	五四〇〇	同	同 破損半以上
八四五三	同 上	二三	一五〇	三四五〇	同	同 破損半
八四五四	同 上	五三	七〇	三七一〇	同	同 破損半以上
八四五五	土城内 文字瓦當「樂浪禮官」	一	五〇〇〇	五〇〇〇	同	同 完全
八四五六	仝 上	二	五〇〇	一〇〇〇	同	同 破損半以上

1922년 10월 30일자로 기재된 야마다로부터 구입한 '구입품 목록'540

라고 하고 있다.

야마다의 수집품은 세키노의 부탁을 받은 평양고등법원 검사장 세키구치 나카바關口半의 권유로 1922년에 총독부박물관에 양도하였다. 그 수집품들은 후지타 료사쿠藤田亮策와 가야모토 카메지로榧本龜次郎에 의해 정리되어 약목록이 작성되었다. '야마다 사이지로山田財次郎수집품 목록'[363]을 보면, 박물관 수입번호受入番號 8849~8913으로 기록되어 있으며 그 수는 '樂浪太守章' 봉니를 비롯한 총 3,499점으로 나타나 있다. 그러나 이 속에는 '일괄' 등으로 표시된 것을 1점으로 헤아렸기 때문에 실제 숫자는 이보다 훨씬 많다고 볼 수 있다.

번호 : 97-구입03.

363 朝鮮總督府博物館,『博物館報』第3號, 朝鮮總督府博物館, 1932.

경주고적보존회 유물 진열 상황

1922년의 10월에 일본 천왕의 친족인 강인노미야 코토히토閑院宮 裁仁가 경주를 방문했을 때 죽당생竹堂生이란 필명을 쓰는 사람의 10월 12일의 경주고적보존회 진열관 상황을 다음과 같이 기술하고 있다.

보존회관의 진열관, 고대의 문물을 가옹可擁
송문으로부터 보존회 앞까지 증첩層疊하여 납열搭列하았너라. 시간은 이미 12일 오전 11시 이미 잠간 휴식을 한 후 (경주)군수의 안내와 총독부 촉탁 모로가諸鹿 씨의 설명으로 간인노미야閑院宮 전하께서 순람하시는데 경주의 고적보존회는 1911년 10월에 처음으로 그 계획을 하여 1913년 5월에 이를 발표하고 사업에 착수한 후 작년 8월에 이르러 조직을 변경하여 재단법인으로 하고 회의 기초를 견고히 하여 사업추진을 도모하였다 함으로부터 동회 진열관 온고각으로 들어가니 석기시대 유물로 석족, 석부, 석도, 석검, 환석 등이 있어 그 중에는 마제품 및 타제품이 있는데 이것이 거개 경주 지방의 유적에서 수집한 것으로 전기 경주재주 모로가諸鹿 씨가 수집 출품한 것이라 하며 그 중에는 간도지방에서 수집하여 온 것도 있었다. 그 다음에는 토기와 도기를 진열하였는데 토기에는 적색의 황갈색 또는 회백색이 다종하며 도기는 그 질이 견치堅緻하여 철과 같고 색은 회색 또는 회흑색으로 종류가 파다頗多하여 항아리, 잔 등이 대부분이나 형태가 자못 변화에 부富하여 표면에는 간단한 선을 그렸으며 혹은 기이한 약화略畵를 음각하였는데 이런 등은 모두 상고의 유물로 불교 전

래 후의 도기로는 골호骨壺 등이 대부분이라 한다.[364]

그리고 흥륜사지, 황룡사지, 사천왕사지, 보문사지, 창림사지, 월성지 등지에서 발견한 삼국시대와 신라통일시대의 귀와鬼瓦와 옹와甕瓦로 다종을 진열하였는데 문자를 각한 것이 적지 않고 사천왕사지에서 발견하였다는 옹와에는 노리瑙璃를 시한 것도 있고 경주 남산 계곡에서 발견하였다는 금동아미타불상과 금동석가불상은 신라통일기와 고려초기의 유물이라 한다. 건평 약 60여 평으로 된 온고각 본관 내 진열품을 견필見畢하고 동관의 서행관이 되는 별관으로 내려가니 경주 서악리에서 가져왔다는 미륵석상은 삼국시대의 조자造作인듯하다 는데 두부와 양완兩腕을 잃었고 그 외에는 석가여래석조좌상이며 석사자 등 건평 약 25평의 장내에 즐비櫛比하며 그 다음에 종각 내에 걸려있는 봉덕사 거종을 앙견仰見하니 실로 조선 내에 최대한 범종이란 말은 일찍이 들었으나 그와 같이 위대할 줄은 초견이다. 어찌되었든지 명문에 의하면 신라 제35세 경덕왕이 부 성덕왕을 위하여 동 12만근으로 대종을 주조코자 하였으나 유시무종有始無終으로 승하한 후 그의 자 혜공왕이 유명에 의하여 즉위 7년 만에(771) 주성하였으니 구경이 7척5촌이오 구 둘레가 23척4촌이며 두께가 8촌으로 종 내에 들어가 양팔을 펼쳐도 닿는 곳이 없다하며 표면은 보상회문을 현現하고 사면에 천인을 배치하였는데 봉덕사가 중간에 이르러 북천北川에 륜몰淪沒함으로 읍면 5리 허許에 있는 영묘사靈妙寺에서 이현移縣하였다가 거금 380년에 성읍 남문 내로 이치하여 구옥構屋에 걸었더니 그 후 봉덕

364 竹堂生, 「경주행(5)」, 『매일신보』 1922년 10월 25일자.

사를 중건하고 이 종을 잉수환현仍收還縣하였던 것을 대정4년 10월에 동관同館으로 이현하였는바 전기 명문은 당시 한림랑 김필해金弼奚씨의 서序한바이라 하며 고대유물을 가히 추상할바로 전하께서는 유물을 열심히 수람하시던 끝에 신종을 일견하고는 모로가諸鹿씨로 하여금 일차 타종케까지 하였으니 전하는 말과 같이 가히 종성이 십리 사방에 들리겠더라.

도처마다 고적이오. 고적마다 경탄할 뿐

천년왕사의 청량함을 말하는 봉덕사신종을 뒤로 보존회 진열관정원 내에 배치한 유물을 보니 원 경주제지장의 부근에 선도顚倒되있던 것을 대정4년 봄에 동 정내에 이치하였다는 팔각석등은 어느 때의 만든 것인지 미상하나 대臺에는 천부의 상을 각하고 상부에 연좌蓮座를 작하였으며 또 개석의 내부에는 연판蓮瓣을 3중으로 각하여 그 제작이 심히 우수하며 그 외에도 경주부근의 산록, 전답 중, 혹은 성지에서 발견한 불상의 단석과 탑기단, 탑비塔扉, 탑개 등이 다수하여 이로써 그 당지當地 미술의 발달을 가히 상상하겠더라. 관내의 것을 다 보았으며 진열관 후정에 점심點心이 배역配役된 모양이다.[365]

경주고적보존회의 진열관을 돌아본 간인노미야閑院宮은 보존회 사업의 발전을 위해 금 2백원을 기부했다.[366]

당시 박물관 부근에는 군청, 경찰서, 지방법원지소 등 관공서가 집중되었던 관계로 시바다柴田여관, 조일관 등의 일본여관, 상점 등이 많았다. 이 중에는 다나카田中사진관, 구리하라栗原골동상과 구루마車골동상이 있었다.

---

365 竹堂生, 「경주행(5)」, 『매일신보』 1922년 10월 27일자.
366 『每日申報』 1922년 10월 14일자.

다나카田中사진관 주인은 여가를 이용하여 경주 산야 등을 다니면서 고적과 석불 등의 사진을 촬영 많은 학자들에게 제공하기도 하였다. 두 골동점에는 각종 기와 등을 진열하여 많은 내방객들이 찾는 곳이다.[367]

경주에 여행을 오는 일본인들은 으레 이 두 골동점을 찾아 기와 한 두 점씩을 사가곤 하였다.

호피 헌상

1922년 10월 2일에 불국사 근처의 산에서 범 한 마리를 잡았다. 이것을 마침 경주를 방문한 간인노미야閑院宮한테 헌상을 하였다. 『매일신보』 1922년 10월 6일자에는 다음과 같은 기사가 있다.

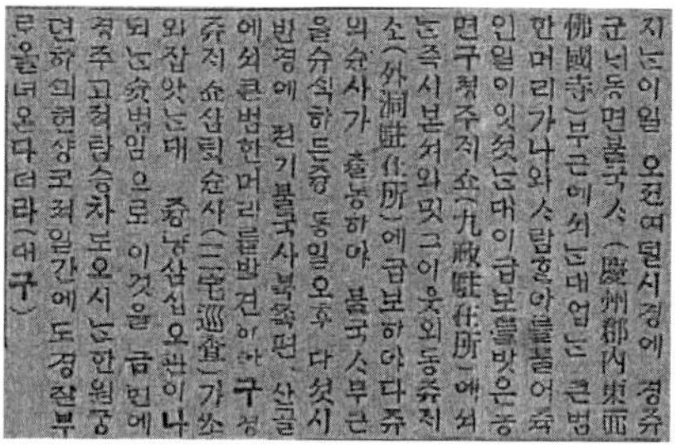
지난이일 오젼여덜시경에 경쥬군ᄂᆡ동면불국ᄉᆞ(慶州郡內東面佛國寺)부근에셔ᄂᆞᆫ대업ᄂᆞᆫ 큰범한머리가나와ᄉᆞ람ᄒᆞᆫ아를물어쥭인일이잇섯ᄂᆞᆫ대이급보를밧은동면구졍주재소(九政駐在所)에셔ᄂᆞᆫ즉시본서와밋그이웃외동쥬재소(外洞駐在所)에급보ᄒᆞ야다수의슌사가출동ᄒᆞ야 불국ᄉᆞ부근을슈색ᄒᆞ든즁 동일오후 다섯시반경에 뎐기불국사북쪽편 산골에셔큰범한머리를발견ᄒᆞ야구졍쥬재소삼택슌사(三宅巡査)가쏘와잡앗ᄂᆞᆫ대 즁량삼십오관이나되ᄂᆞᆫ숫범임으로 이것을 금번에경주고적탐승차로오시ᄂᆞᆫ한원궁뎐하의헌상코져일간에도경찰부로올녀온다더라(대구)

> 간인노미야閑院宮께 호피 헌상, 경주 불국사 근처서 잡은 것.
>
> 지난 2일 오전 8시경에 경주군 내동면 불국사 부근에서 난대 없는 큰 범 한 마리가 나와 사람 1명을 물어 죽인 일이 있었는데 이 급보를 받은 구정주재소에서는 본서와 이웃 외동주재소에 연락하여 다수의 순사가 출동하여 불국사 부근을 수색하던 중 동일 오후 5시 반경에 불국사 북쪽편 산골에서 큰 범 한 마리를 발견하여 구정주재소 미야케三宅순사

367 小泉顯夫, 『朝鮮古代遺跡の遍歷』, 六興出版, 1986, pp.160~163.

가 쏘아 잡았는데 중량 35관이나 되는 숫범이므로 이것을 금번에 경주 고적 탐승차로 오시는 한원궁 전하께 헌상코저 일간에 도경찰부로 올려온다더라.

1922년 10월 경성부는 정부로부터 사직단과 인접지를 합해 6만 6,619평을 이관 받아 우회도로를 건설하고 가옥, 벤치, 휴게소와 조명등을 설치하고 단풍과 벚나무 등을 심어 공원화 했다. 현재 사직공원이라 부르는 것이 바로 이것이다.

1932년 7월 매동공립보통학교 이축공사가 시삭되사 공원 용지 중 북쪽의 500평을 이 학교 부지로 삼았다.[368]

1922년 11월 12일

금산사 미륵전

금산사 미륵전 낙성식

전북 김제군 금산사의 장전 및 미륵전을 1919년부터 수선에 들어가 1922년 11월 10일 준공을 하여 12일 낙성식을 거행했다.[369]

368 서울특별시 시사편찬위원회,『국역 경성부사』 제1권, 2012, p.67.
369『每日申報』1922년 11월 13일자.

1922년 11월 20일

경상남도 창원 고분 조사

조선총독부 촉탁 가토 간카쿠加藤灌覺가 1922년 11월 20일부터 4일간의 일정으로 창원 지역 철로 부설 예정지 내 고분군에 대한 조사를 마치고 돌아와 11월 23일에 복명서를 제출했다. 철로 부설 예정지 내에 가락국駕洛國 맹승상孟丞相 분묘라 칭하는 것이 존재하지만 조사 결과 철도 부지로 사용해도 지장 없다는 내용이 기재되어 있다.[370]

1922년 11월

조선미술공예품진열관 설치

도미타상회富田商會 주인 도미타 기사쿠富田儀作는 남대문안 패밀리호텔 자리에 '조선미술공예품진열관'을 설치하여 11월 28일부터 일반에게 공개하였다. 조선미술공예품진열관은 전국에서 도자기 및 각종 고미술품을 사들여 전시 판매하였다. 진열관 정원에는 전국 각지에서 옮겨온 석조물을 진열하고, 실내 진열관에는 불화, 불상, 도자기, 칠기류, 목공류, 회화 등 각 시대를 망라하여 각종

370 「경상남도 창원 고분 조사 복명서」, 『국립중앙박물관 소장 조선총독부박물관 공문서』, 목록번호 : 96-135.

유물을 진열하였는데 어떤 것은 1천원이 넘는 것도 있었다고 한다. 1922년 11월 29일자 『매일신보』 에는 그의 진열관에 대해 다음과 같은 기사를 싣고 있다.

> 조선 고대 미술품, 진열소는 파밀리호텔 안에다
>
> 시내 남대문통 3정목 부전의작 씨의 경영하는 조선미술공예품진열관 이전은 남대문안 파밀리호텔 자리에 설치되었다함은 기보한 바이어니와 지난 28일부터는 내부의 찬란한 광경을 일반에게 공개하여 관람시키기 비롯하였는데, 진열하여 놓은 것은 소선 고내의 미술공예품과 최근의 미술공예품 등으로 그 수효가 4천여 점에 달하여 불화, 불상, 도자기, 나전세공, 통도기, 곡옥, 편물, 기타의 고대 일용품을 4, 5방에 나누어 놓았고 또한 문 안으로 들어서면 순 조선인형들이 더욱 가관이며 그 중에는 가격이 10환짜리도 있고 혹은 2, 3백환이나 되는 고가의 물품도 있는바 모두 실용에 극히 적당한 것들인데 부전 씨는 동양대학 교수 류종열 씨 외 매우 사이가 친숙하며 공동되는 점이 다수하여 이번 계획에 류씨도 많이 진열하였다하며 또한 장차로는 내지 오사카 등지에도 진열소를 설치하고 조선의 고대 예술품을 소개할 계획이라더라.

도미타상회의 조선미술공예품진열관은 이전에 있던 진열관을 확장 신설한 것으로,[371] 진남포의 '삼화고려소三和高麗燒' 에서 제작한 도자기와 '주식회사 조선미술품제작소' 에서 제작한 공예품을 이곳에 진열하여 판매하였다. 특히 이 진열관을 통해 전국 각지에서 고미술품을 대량적으로 수집하고 판매한 수량은 막대하다 할 수 있다.

---

371 『富田儀作傳』(富田精一, 1936)에 의하면, 1921년 10월에 조선 고미술 공예품진열관을 설치했다고 한다.

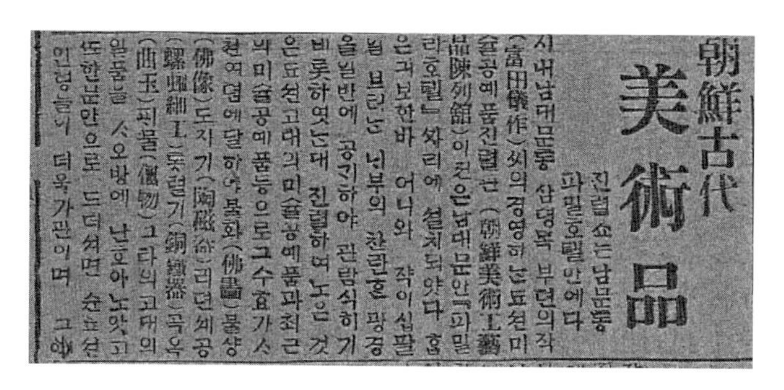

朝鮮古代 美術品

진렬쇼는 남문통 파밀호텔안에다

시내남대문통 삼뎡목 부뎐의작(富田儀作)씨의 경영하는 됴션미술공예품진렬관(朝鮮美術工藝品陳列館)이 전은남대문안 『파밀라호텔』 자리에 설치되얏다 흠은 귀보한바 어니와 작이십팔일브터는 니부의 찬란한 광경을 일반에 공개하야 관람식히기 비롯하엿는대 진렬하여노은 것은 됴션고대의 미술공예품과 최근의 미술공예품등으로 그 수효가 수천여뎜에 달하야 불화(佛畫)불상(佛像)도자기(陶磁器)라뎐세공(螺鈿細工)동텰기(銅鐵器)곡옥(曲玉)피물(皮物)그타의 고대의 일품들 ㅅ오방에 난호아 노앗고 또한 [illegible]만으로 드러셔면 [illegible] 인형들이 더욱 가관이며 그[illegible]

'혜원 풍속도'로 널리 알려진 『혜원전신첩』(국보 제135호)도 이곳을 통해 간송 전형필이 구입을 했다.

『조선고적도보』 제14책에는 도판 5977~5980으로 '주유노', '단오수변희희도', '사죽유락도', '주막도'가 실려 있는데, 이 모두 혜원의 풍속화첩인 『혜원전신첩』에 있는 것이다. 이 화첩은 1931년 《조선명화전람회》에 출품 전시되어 일본인들에게도 널리 알려진 것이다.

선유도船遊圖(『혜원전신첩』)

이것을 간송 전형필이 거금을 주고 힘들게 구입하였다. 화첩 끝에 간송이 몇 해를 벼른 끝에 큰돈을 들여 수장한 내력을 다음과 같이 위창 오세창이 발문에 붙였다.

"세상에는 혜원의 그림을 소중히 여기되 더욱이 그 풍속을 그린 것을 소중히 여기는데 이 화첩에는 30면이나 되는 많은 양이 있다. 모두 옛 풍속 인물화로서 일반 생활의 하나하나 모습이 종이 위에서 약동하니 눈부시게 큰 구경거리이다. 또 복식도 지금 이미 없어진 것이 거의 반 넘어 담겨있다. 이 화첩에 의거하면 겨우 현재 남아 있는 것은 그 줄거리로서 이것을 가히 이어 줄만한 것이다. 이 화첩에는 일찍이 큰 상인인 도미타富田 씨의 손에 들어가서 여러 차례 촬영을 거치고 혹은 지극히 작게 축소되어 담배갑에도 넣어지기도 한 까닭에 사람마다 모두 얻어서 함께 감상할 수 있었다. 세상에서 보기 드문 그림으로 세상이 모두 함께 보배로 여길 수 있는 물건을 만들었으니 또한 기특하지 않는가.

간송 전군이 꼭 원첩만을 얻고자 벼른 것이 몇 년이더니 이에 많은 돈을 아끼지 않고 이것을 사드려서 진귀한 비장품을 삼았나. 나는 지금 빌어 감상하고서 곧 화첩의 끝에 이것을 쓴다. 병자년 초봄(음력 1월) 초승에 위창노부 오세창은 쓰노라."[372]

원래 포장은 어떠했는지 알 수 없으나 간송의 소장이 된 후 새로이 제첩製帖하면서 첩미帖尾에 위창 오세창의 제발을 첨가하였다.

도미타 기사쿠富田儀作는 1923년에 특산품 소개판매를 위해 오사카大阪에 조선관을 설치하고 이곳을 통해 조선의 고미술품을 판매하기도 했다.[373] 또한 야마나카상회山中商會를 통해 미국 등지에도 상당량을 판매하기도 했다. 1928년에 미국을 여행한 후지타 료사쿠藤田亮策의 기록에는 다음과 같은 내용이 들어 있다.

조선의 유물이 가장 많이 이출移出되고 또 가장 진중珍重히 여기는 것은 미국이다. 어느 박물관이든지 조선의 공예미술품을 진열하지 않은 곳이 없었다.

---

372 韓國民族美術研究所, 『澗松文華』 55, 1998.
373 富田精一, 『富田儀作傳』, 1936.

기타 대소박물관 이외에 개인의 수집품 중에 볼 만한 것이 적지 않다. 양에 있어서는 오히려 박물관 보다 우월한 것이 있다. 그러나 내가 미국을 방문한 때는 마침 하기 피서계절이었으므로 개인의 소장품을 관람할 기회가 없었던 것이 유감이다. 그러나 보스톤미술관의 도미타富田씨와 야마나카상회山中商會 제씨의 담화로 조선고기, 고물 즉 청동기, 초상화 등이 다수 이입되어 개인이 소지하였다는 말을 들었다. 명치40년 전후에 가장 많이 발굴된 고려시대의 유물은 대부분의 불란서와 같이(9월호 본문참조) 개인의 수중에 비장된 것이 많은 모양이다.

경성의 도미타富田 씨가 다년 고심 수집한 고려, 이조의 제품諸品, 특히 이조의 의장衣裝, 기구器具 등은 목공, 칠공, 금공에 호개好個의 참고품이라, 다시 수집하기 어려운 귀중품인데 대부분을 보스톤 야마나카상회山中商會에 매각하여 금일에는 동 상회 창고에 비장되었다.[374]

1922년 12월 4일

조선사편찬위원회규정

1922년 12월 4일 '조선총독부령 제64호'로 '조선사편찬위원회규정'을 공포했다. 그 내용은 다음과 같다.[375]

374 藤田亮策, 「歐米博物館과 朝鮮下」, 『朝鮮』 165호, 朝鮮總督府, 1929년 2월.
375 朝鮮總督府朝鮮史編修會, 『朝鮮史編修會事業概要』, 1938.

조선사편찬위원회규정

제1조 조선총독부에 조선사편찬위원회를 둔다. 위원회는 조선사의 편찬 및 조선 사료의 수집을 담당한다.

제2조 위원회는 위원장 1인과 위원 약간 명으로 조직한다. 위원장은 조선총독부 정무총감이 겸임한다. 위원은 학식 있는 자 중에서 조선총독이 위촉한다. 전항에 규정한 이외의 위원은 조선총독부 내부의 관리 중에서 조선총독이 임명하거나 또는 위촉할 수 있다.

제3조 위원장은 회무를 총괄한다. 위원장 유고시에는 위원장이 지정한 위원이 그 사무를 대행한다.

제4조 위원회에 편찬주임을 두고 위원 중에서 위원장이 임명한다.

제5조 위원회에 고문을 둘 수 있다.고문은 조선총독이 위촉한다.

제6조 위원회에 간사 약간명을 두고 조선총독부 내부의 고등관 또는 위원 중에서 조선총독이 임명한다. 간사는 위원장의 지휘를 받아 엄무를 관장한다.

제7조 위원회에 서기 약간 명을 두고, 조선총독부 내부의 판임관 중에서 조선총독이 임명하거나 또는 위촉한다. 서기는 상사의 지휘를 받아 엄무에 종사한다.

1922년 12월 5일

평안북도 영변군 남신현면 만합사萬合寺를 폐지하다.[376]

1922년 12월 28일

조선사편찬위원회 위원 임명

1922년 12월 4일 '조선총독부령 제64호'로 '조선사편찬위원회규정'에 의거해 역사에 조예가 깊은 조선과 일본인 학자를 선발하여 각각 고문과 위원직에 임명함으로써 그 조직을 완비하였다. 아리요시 주이치有吉忠一 정무총감은 위원장이 되고, 12월 28일자로 고문을 비롯한 위원들을 위촉하였다 그 명단은 다음과 같다.[377]

위원장	有吉忠一	정무총감
고문	李完用	조선총독부중추원 부의장
고문	朴泳孝	조선총독부중추원 고문
고문	權重顯	자작
위원	篠田治策	이왕직 차관
위원	李軫鎬	총독부 학무국장
위원	生田淸三郎	조선총독부 중추원 서기관장
위원	小田省吾	총독부 사무관

376 『朝鮮總督府官報』 1922년 12월 5일자.
377 『每日申報』 1923년 1월 9일자.

위원장	有吉忠一	정무총감
위원	劉猛	조선총독부 중추원 참의
위원	魚允迪	조선총독부 중추원 참의
위원	鄭萬朝	이왕직 典祀
위원	今西龍	京都제국대학 조교수
위원	山崎眞雄	조선총독부 중추원 서기관
위원	李能和	총독부 편수관
위원	尹寧求	
위원	李秉韶	
간사	山崎眞雄	조선총독부 중추원 서기관
간사	金東準	조선총독부 중추원 서기관
간사	稻葉岩吉	조선총독부 중추원 서기관
수사관	稻葉岩吉	중추원 촉탁
수사관	藤田亮策	총독부 편수관
수사관	洪憙	중추원 촉탁
수사관	金東準	중추원 서기관
수사관보	高橋琢二	촉탁
서기	玄陽燮	중추원 雇員

같은 해

경주 용장사지(茸長寺址) 3층석탑(보물 제186호)의 수난

이 사지는 경주 월성군 내남면의 용장리에 소재하는 것으로, 『삼국유사』 권4 '현유가' 조에,

유가종의 조사인 고승 대현大賢은 남산의 용장사에 살고 있었다. 그 절에는 돌로 만든 미륵보살의 장육상丈六像이 있었다. 대현은 항상 이 장육상을 돌았는데, 이 장육상도 역시 대현을 따라서 얼굴을 돌았다..........경덕왕 때인 천보天寶12년(754) 여름에 가뭄이 심했다. 이에 대현을 내전으로 맞아들여 금강경을 강연하여서 단비를 내리도록 빌었다.

라는 기록이 있어 용장사의 창건은 경덕왕대를 전후하여 있었을 것으로 추정되고 있다.[378] 『삼국유사』에는 그 위치는 명확히 밝히지 않고 있으며, 『동경잡기』에도 "재금오산在金鰲山" 라고 하여 그 정확한 위치를 기록해 두지 않았다. 그래서 내남면 용장리의 용장곡에 유존히는 시지寺址 중에서 이느 곳이 정확한 용장사인지 알지 못하였는데, 1920년 가을에 이시가와 에쓰조石川悅三란 일본인이 이곳 사지에서 '용장사茸長寺' 라는 명문銘文이 있는 기와를 발견함으로서 이곳 일대가 용장사임이 밝혀지게 되었다.[379]

도괴된 석탑(『남산의 불적』)

이 사찰이 언제 폐사가 되었는지에 대해서는 명확하지 않으나, 『신증동국여

378 高裕燮은 [朝鮮塔婆의 樣式變遷各論, 續](『佛教學報』 3, 4집 합집 1966년 12월, 東國大佛教文化研究所, p.3)에서 용장사지에 있는 遺構로서 이보다 오랜 세대로 올려 볼 것이 있지 않음으로서 대략 경덕왕대를 전후한 시기로 보고 있다.

379 大坂金太郎, 「慶州に於ける新羅廢寺址の寺名推定に就て」, 『朝鮮』, 朝鮮總督府, 1931년 10월, pp.81-82.

최근의 모습

지승람』 '경주부' 조[380]와 『동경잡기』 '매월당梅月堂' 조[381]와 '용장사茸長寺' 조[382]에 의하면, 17세기 후반에 와서 어느 때인가 폐허가 된 용장사지에 다시 당우를 짓고 법등을 이어왔음을 알 수 있다.

정시한의 『산중일기』의 기록[383]을 보면 그동안 사세가 기울었지만 조그만 암자가 조선 후기까지는 이어왔으며 이때까지는 주변의 사지가 그런 대로 정돈된 상태였다고 볼 수 있다.

현재 이 사지에 남아 있는 대표적인 석조물은 삼층석탑과 석조불상, 마애불이

---

380 용장사, 금오산에 있다. 시승(詩僧) 설잠(雪岑)이 일찍 이 절을 짓고 살았다.

381 곧 용장사의 옛터로 김시습이 놀던 곳이다. ..... 매화를 찾고 숲을 물으면서 항상 읍조리고 취하며 스스로 즐겼다하였으니 세상에서 전하기를 매월당이라 하는 것은 금오산에서 매화와 달을 취했다는 뜻이다(매월당 조).

382 어느 때부터 황폐되었는지는 알 수 없으나 섬돌은 아직 남아 있다. 경술년(1670)봄에 부사 민주면이 관찰사 민시중에게 품의하고 여러 경내(境內)의 인사들과 도모하여 사우(祠宇)를 이곳에다 처음으로 짓고, 장차 김시습이 손수 그린 진짜의 초상을 모사(摹寫)하여 봉양하고 중을 모아 수호하려 했으나 공사를 마치지 못하고 체직(遞職)되었다(용장사 조).

383 손자 경신 및 경수 나귀와 같이 간신히 험한 길을 넘어 10여리를 가서 매월당에 이르렀다. 매월당 뒤쪽에 있는 금오산의 돌봉우리는 금강산과 비슷함이 있었고 깔고 앉은 땅은 높이 끊어져 있었다. 매월당 김시습이 일찍이 암자를 지어 항상 거처하였고 비록 다른 곳에 가더라도 이곳을 고향으로 하였었다. 암자 이름은 용장암(茸長庵)으로 민주면이 부윤으로 있으면서 암자 옆에 세간의 집을 지어 매월당이라 부르고 진영(眞影)을 벽에 걸고 스님에게 4계절 제사를 올리게 하여 관아 둔전(屯田) 1석락(一石落)을 지급하였기 때문에 지금도 그대로 따라서 행한다고 하였다. 수좌(首座) 사밀과 옥현 스님이 점심식사를 대접하여 식사를 한 뒤에 사당에 들어가 삼가면서 화상(畵像)을 구경하니 용모가 맑고 빼어나 살아있는 것 같으므로 저절로 감회가 일었다.

남아 있다. 삼층석탑은 사지의 건물지로 추측되는 곳에서 동북방으로 등산로를 따라 올라가면 바위정상 봉두암반상峰頭巖盤上에 있다. 탑은 하층기단을 생략하고 직접 자연암석 위에 상층기단을 세우고 그 위에 3층의 탑신을 올려놓았다.

이 탑은 1922년 탑 내의 보물을 훔치기 위해 불법자들이 도괴하여 옥개석, 탑신 등이 모두 암석 사이에 흩어져 떨어지고 기단 양측의 측석側石이 깨어지기에 이르렀다.[384]

「조선고적조사보고서」에는 1922년 도괴된 것으로 다음해 가을에 복구하였다고 하는데 불법자들이 석탑과 불대좌를 파괴하고 사리장엄구를 절취해 갔다. 1923년 이들 탑상을 다시 복구하였으나 1932년에 재차 파괴되어 동년 11월에 다시 복구하였다.[385]

현재 상륜부는 잃어버리고 탑신 곳곳에 파괴된 상처가 남아 있는데 이것은 1922년 도괴 시에 입은 것이라고 한다.

1960년 9월에 또다시 재건하였는데 이때 부근에서 금동소불이 발견되었다.

---

384 小場恒吉, 『南山の佛蹟』, p.51.

385 小場恒吉, 『南山の佛蹟』, pp. 32~37.
1923년 8월 13일자 학무국장이 경상북도지사에게 보낸 [慶州遺物 保存 件]에는, "...... 今夏 경주남산 유물 유적 조사중 경주군 내남면 용장리 소재의 傳 茸長廢寺의 後峰에 있는 3층석탑 及 불탑은 … 최근 파괴의 참상을 보아 찬으로 유감으로 생각함"金禧庚 編, 「韓國塔婆研究資料」, 『考古美術資料』第20輯 1969 考古同人會刊 이라고 하고 있다.

충청북도 옥천군 고적 및 유물 조사

고적조사위원 오하라 도시타케大原利武가 1922년에 충청북도 옥천군에 위치한 고적 및 유물의 번호, 명칭, 종류 및 형상 크기, 소재지, 소유자의 주소 성명, 현황, 유래 전설, 관리보존 방법 등을 조사했다. 조사방식은 1916, 1917년경에 조선보물고적조사자료(대장) 같은 방식으로 기재하고 있다. 해당 고적유물의 관련 도면 및 성지城址에서 발견된 토기의 탁본 등이 첨부되어 있다.[386]

조사서에는 조사 연월일이 기재되어 있지 않으나, 국립중앙박물관 소장 유리건판에 오하라 도시타케大原利武가 촬영한 사진과 대조해 보면 1922년에 조사한 것임을 알 수 있다. 유리건판 사진을 보면 오하라는 옥천군 유물을 조사하면서 영동군의 일부 유물도 조사한 것으로 보이는데 조사 기록은 남기지 않았지만 사진을 일부 남기고 있어 중요한 자료라 할 수 있다.

오하라의 조사서와 유리건판 사진을 대조하여 석조물을 중심으로 오늘날의 현상을 살펴보면 대략 다음과 같다.

386 『국립중앙박물관 소장 조선총독부박물관 공문서』, 목록번호: 96-220.

명칭	조사 당시의 현상	사진(유리건판) 및 견취도	현재
죽향리 석탑	충북 옥천군 옥천면 죽향리 (원 읍내) 석탑은 2개의 입석 및 보륜이 추락하여 가까이에 적(積)함, 입석笠石의 우각(隅角) 결손한곳이 많음. 사지는 옥천읍내 산복의 조태옥(趙泰鈺)의 경작지 내에 있으며, 사지에는 조사자가 붙인 충북 제86호의 고 약 2척2촌의 죽향리석사자소석주가 3개가 있으며 하부는 토중에 매몰되어 있다.	 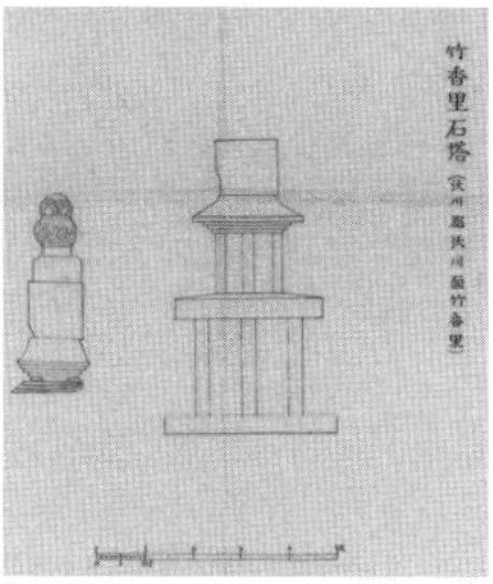	현재 죽향초등학교에 있다. 죽향리 탑선골 절터에 있던 것을 일제강점기에 죽향초등학교로 옮겼다. 
용암사 석탑	충북 옥천군 옥천면 삼청리 화강암제 2기로, 1기는 완전 조금 기울어졌으며 총고 14척 다른 1기는 북탑의 일부로 생각되며 탑신 1개 입석(笠石) 2개는 사의 정전에 있다. 유래 전설: 이 석탑은 현 위치로부터 남방 약 15칸의 곳에 있었는데 모 씨 분묘를 만들기 위해 이전(移轉)했음 용암사 와즙 1동 약 3칸 반 목제도금불상이 있음, 사의 배후의 거암에 석가입상을 양각, 석탑 2기 있다. 승 3인이 거주	 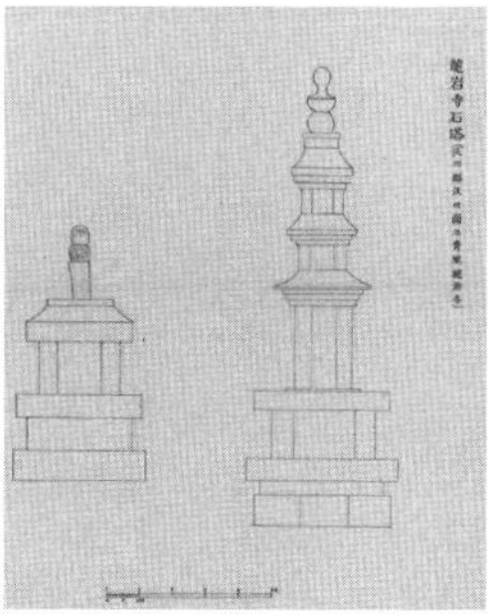	용암사는 충북 옥천군 옥천읍 삼청리 산 51-4에 위치하며, 현재 지정유물로는 보물 제1338호 쌍탑과 충북 유형문화재 제17호 마애여래입상이 있다. 

명칭	조사 당시의 현상	사진(유리건판) 및 견취도	현재
용암사 석탑	용암사석불 화강암 천연석에 양각, 고 8척3촌	1922년에 오하라 도시타케(大原利武)가 촬영한 용암사석탑 사진을 보면 석탑의 상태가 불안하고 일부의 석탑 부재가 결손된 상태를 보이고 있다.	 용암사 쌍탑과 마애여래입상
증약리 부도	충북 옥천군 분북면 증약리 부도동 현상: 수년전 내지인 모가 이 부도를 대전으로 운반해 가고 또 사리를 훔쳐갔으며, 그 후 다시 본면에 환부(還付)하여 현 위치에 안치, 원 위치는 이로부터 동방 30칸 가량의 곳에 있었다고 한다. 유래 전설: 이 부도 부근을 사지로 전하나 그 위치 및 사명 불명	 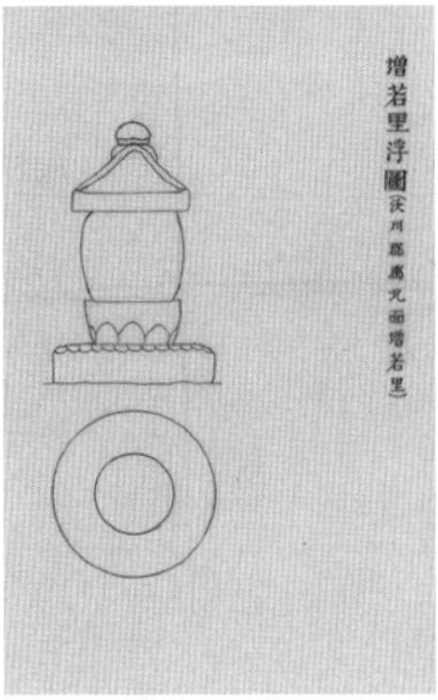	 현재 옥천경찰성에 있다. 원래 옥천군 군북면 증약리 부도골 절터 입구에 있었다고 하는데 일제 때 증약리 옛 면사무소로 옮겼다가 다시 현재의 옥천경찰서로 옮김 현재 옥처경찰서 정원에는 옥천군 동이면 청동 절터에서 일제강점기에 옮겨왔다는 석탑 1기가 있다. 유래는 알 수 없으나 1, 2층 탑신, 옥개석, 기단부인 지대석이 남아 있다. 

명칭	조사 당시의 현상	사진(유리건판) 및 견취도	현재
거포리 석탑	옥천군 청서면 거포리 3중석탑으로 입석(笠石) 1개, 탑신 2개 분실, 보륜 존함 가까이에 석불(두부 결손 분실) 거포리석불 총고 1.05척, 연좌 고 0.4척 두부를 결실하고 우측 어깨와 우측 무릎 등이 결손되었음	  巨浦里石塔(沃川郡青西面巨浦里)	『고적대장』 사지조에는 사명 불상 거포리부락 서북방 약 50칸 수전(水田) 중에 있다고 한다. 사지는 청성면 거포리 거흠마을 북서쪽 500미터 산등성이에 있는데 이곳을 절터골이라 부르고 있으나 사의 유래에 관한 기록이 보이지 않는다. 청성면 거포리 거흠마을 절터골에서 옮겨왔다고 하는 석재 일부가 청성면사무소 뜰에 있으나 거포리 석탑과는 거리가 멀다. 오하라(大原)가 촬영한 사진에는 두부를 잃은 작은 석불이 나타나 있는데, 현재 그 행방을 알 수 없다.
지전리 석탑	옥천군 청산면 지전리 島村儀一 총고 4.84척	  芝田里石塔(沃川郡青山面芝田里)	1922년 조사 당시에는 일본인 시마무라 기이치(島村儀一)의 집 담벽 쪽에 있는 것으로 나타나 있는데, 현재 행방을 알 수 없다.

명칭	조사 당시의 현상	사진(유리건판) 및 견취도	현재
청량사 부도	옥천군 청산면 삼방리 총고 3.4척 완전 청량사지(淸凉寺址) 정지는 水田으로 변하였으며 약 70, 80평 약 20년 전에 폐사가 되었다하며 사에 황금도금불상 3체가 있었다고 한다.		부도의 행방을 알 수 없다.
이원리 석탑	충북 옥천군 이내면 이원리 총고 약 9척 충북 옥천군 이내면 용방리 여규원 소유 3중으로 위 상륜 일부 존함, 笠石, 대석 등의 우각(隅角) 다소 결손	 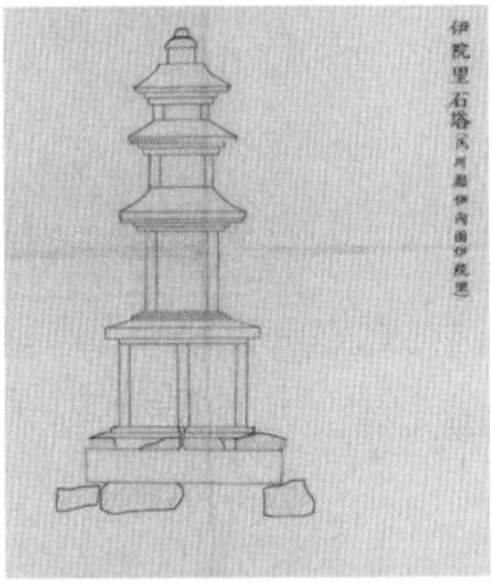	 현재 충청북도 옥천군 이원면 이원리 582-3에 소재하며 1922년 당시와 같은 모습을 보여 주고 있다. 1982년 12월 17일 충청북도유형문화재 제120호로 지정되었다.
법화리 사지 석탑과 석조여래좌상	충청북도 영동군 용산면 법화리		1922년의 사진에 나타난 석탑과 석조여래좌상의 행방을 구체적으로 알 수 없다. 현재 용산면 법화리 184 법장사에 석탑재가 일부가 남아 있다 하나 자세히 알 길이 없다.

명칭	조사 당시의 현상	사진(유리건판) 및 견취도	현재
영국사 망탑봉 삼층석탑	충청북도 영동군 양산면 누교리 산 139-1		영국사에서 동쪽 500미터 되는 일명 망탑봉에 위치한다. 
영국사 석종형 승탑과 구형 승탑	충청북도 영동군 양산면 누교리 산 139-1		
영국사 승탑	한국 충청북도 영동군 양산면 누교리 산 139-1		 영동 영국사 승탑(보물 532호)은 원각국사탑으로 알려져 있다.

명칭	조사 당시의 현상	사진(유리건판) 및 견취도	현재
이리사지 삼층석탑	충청북도 영동군 양산면 가곡리		 비봉산(飛鳳山) 이리사지(伊利寺址)에 있던 것을 해방 후 양산초등학교 교정으로 이건(移建)하였다
마니사 석등	충청북도 영동군 양산면 죽산리		소재 불명

우리 문화재 수난일지

1923년

1923년 1월 1일

남대문정차장이 경성역으로 개칭되다.[387]

1923년 1월 8일

제1차 조선사편찬위원회

1922년 12월에 조선사편찬위원회규정에 따라 위원 임명과 함께 조직이 완성되어, 1923년 1월 8일 '제1차 조선사편찬위원회'를 조선총독부 제1회의실에서 개최하였다. 이때 참석자는 위원장 아리요시 주이치有吉忠一 이하 고문, 위원, 간사, 서기 등 전원이 출석한 가운데 위원회의 조직에 참여한 도쿄제국대학 교수 구로이타 가쓰미黑板勝美도 함께 했다.

이 날 임석한 사이토齋藤實 총독은 다음과 같이 인사말을 하였다.

> 총독 인사
>
> 이번에 조선사 편찬 사업을 개시하는 데 즈음하여 인사 한 말씀드리겠습니다. 우리 조선의 문화는 그 연원이 매우 깊고 정치, 문예, 산업 등에서 각각 특색을 발휘하고 있습니다. 오늘날까지 해온 수사修史 사업 중에 볼만한 것

387 『東亞日報』 1923년 1월 1일자.

이 없는 것은 아니지만, 전토에 산재해 있는 수많은 자료를 집대성하고 학술적 견지에서 극히 공평하게 편찬된 것이 없다는 점은 매우 유감으로 생각합니다. 더구나 그 많은 자료가 점차 인멸되어 하루가 늦어지면 그만큼 귀중한 자료가 산일하여 문화의 자취를 잃게 될 현상입니다.
우리 총독부는 종래에도 되도록 문화 방면의 시설에 마음을 쓰고 구관 조사를 시작했으며 고적 조사 등 제반 사업을 진행시키고 있었습니다. 또한 이미 역사에 관한 편찬 등에도 힘을 기울여 왔는데, 이번에 또 위원회를 조직하여 새로이 계획을 세워 수사修史 사업을 개시하게 되었습니다. 그래서 조선의 학자 제군을 비롯하여 사정에 정통한 분들의 원조를 받을 필요가 있으며, 또 내지의 역사 전문가들에게 의뢰하여 현대에 적합한 조선사를 편찬하고자 하여 양 방면에서 고문, 위원들을 촉탁한 바입니다. 아무쪼록 일치 협동하여 이 사업이 예정한 대로 완성될 수 있도록 노력해 주시기를 바라마지 않습니다.

위원장 아리요시 주이치有吉忠一의 인사말은 다음과 같다.

이번에 조선사편찬위원회가 조직되어 부족한 제가 위원장의 자리를 더럽히고 제1회 위원회를 열게 된 것을 본 위원은 영광으로 여기는 바입니다.
본 위원회에서 편찬하고자 하는 조선사는 총독 각하의 인사 말씀에도 나왔다시피 조선 전토의 자료를 집대성하고, 각 방면에 걸쳐 매우 공평한 학술적 견지에서 진행시켜 나가야 할 것이므로 본 위원회는 이 태도를 주지하여 편찬에 임하지 않으면 안 될 것입니다. 따라서 오늘은 먼저 사료 수집 및 편찬 방침 등에 대해 신중히 심의하기 바라며 점차 세세한 항목으로 나아가고자 합니다.

이런 종류의 사업은 햇수를 정하지 않으면 허송세월하기 쉬운 일입니다. 그러므로 총독 각하께서 맨 처음 생각하시기는 5개년 계획이었습니다만, 대가이신 구로이타黑板, 나이토內藤 두 박사님과 상의한 결과 아무리 노력하더라도 5개년으로는 도저히 완성하기 곤란하다는 의견이었으므로 본 사업은 10개년을 기하여 반드시 완성하기로 하였습니다. 그런 마음가짐으로 이 일에 착수해 주시기 바랍니다. 이에 관해서 최초 3년을 사료 수집에, 다음 5년을 사료 수집과 편찬 기고起稿에, 최후 2년을 고본稿本 정리에 충당하면 어떨까 생각합니다.

더욱이 이 사업은 조선에서 매우 중요하며 또한 학술적으로 가장 공평하지 않으면 안 되는 것이므로, 사료 수집은 첫째 이 사업의 출발점이며 이에 대한 내외의 양해와 동정에 의해 비로소 원만하게 수행될 것입니다. 따라서 위원 제군은 물론 고문 제군도 이 방면에 먼저 진력해주셔서 본 사업이 예정대로 진척되기를 희망하는 바입니다.

또한 본회가 조직된 것에 대해 이 분야에서 유명하신 구로이타黑板, 나이토內藤 두 박사님께서 이제까지 보여주신 각종 진력에 대해 위원회를 대표하여 감사의 뜻을 표합니다.

위원장은 인사말에 이어 사업수행의 취지, 사업기간, 방법 등을 설명하고 의사진행에 들어가 두 가지 안을 심의 했다.

의안 제1 : 조선사편찬위원회 의사내규 결정의 건

의안 제2 : 편찬강령 결정의 건[388]

---

388 朝鮮總督府朝鮮史編修會,『朝鮮史編修會事業概要』, 1938(시인신서 편집부 옮김, 1986).

1923년 1월 15일

평안북도 선천군 산면 보광사寶光寺와 평안북도 정주군 곽산면 자운사慈雲寺를 폐지하다.[389]

1923년 2월 6일

신계사 대화재

2월 6일 금강산 신계사神溪寺에 불이 나 용화전龍華殿 52간이 전소되다.[390]

金剛山神溪寺大火災

육일하오칠시에불이나서

륙십이간의룡화뎐을소실

『동아일보』 1923년 2월 12일자

신계사는 1911년에도 화재를 당하여 최대의 건물 2동이 소실되었는데, 1911년 화재를 당한 이후 사찰 규모에 대해서는 『매일신보』 1915년 5월 2일자의 「동양명승 금강산」에 다음과 같은 기사가 있다.

389 『朝鮮總督府官報』 1923년 1월 15일자.

390 『東亞日報』 1923년 2월 12일자.

신계사 전경

신계사는 신라 법흥왕6년 4월 보운조사普雲祖師가 창설한 이래로 수회 화재를 당하여 지난 1911년에도 최대한 건물 2좌가 오유에 귀하였고 현재 최대한 건물은 용화전, 대향각이 있으며 기타 대웅보전, 극락전, 나한전, 용선전, 단하각, 칠성각 등이 있으며 모두 불상을 안치하고 사승은 보통 약 30명이다.

신계사적神溪寺蹟은 최근의 화재에 소실한 고로 사적 등은 근거할 것이 없을 지라도 대웅보전의 앞에 있는 5층석탑은 신라 법흥왕시에 건립한 것이라 하고 이외 대종, 중종이 있고, 부속사원은 6이 있으니 법기암, 보운암, 상운암, 문수암, 발연사라 각사의 승니는 2, 3명씩 재주하되 보관암에는 16명이 유하더라.

1911년 이후 남아있던 신계사 최대의 건물인 용화전龍華殿이 이번에 불탄 것이다.

1923년 2월

조선총독부 신청사가 준공되는 대로 광화문을 헐기로 결정되다.[391]

불상 도둑 체포

南山寺金佛을

훔쳐 백원에 팔어

평남 맹산군 원남면 주포리에 사는 고창순은 1920년 음력 4월에 덕천군 덕천면 남산사南山寺에 안치한 불상 1체를 절취하여 원산에 있는 일본인에게 백원을 받고 팔았는데 이 사실이 늦게 발각되어 원산경찰서원에게 체포되었다.[392] 이미 3년이나 지난 후라 도난당한 불상을 찾았는지는 미상이다.

391 『東亞日報』 1923년 2월 8일자.

392 『每日申報』 1923년 3월 2일자.

1923년 3월 2일

전라북도 익산군 웅포면 고창리 숭림사 산내 말사 성불암成佛庵을 폐지하다.[393]

1923년 3월 5일

시사주간잡지 「농명東明」 세2권 제10호가 경찰에 압수되다.[394]

1923년 3월 23일

경북 영천군 사찰 조사

오가와 게이키치小川敬吉는 1923년 3월 23일부터 경북 영천군에서 3일간 환성사環城寺, 불굴사佛窟寺, 백흥사白興寺, 은혜사의 유물 상황을 조사를 하고, 사찰 건물 배치도, 사진 등을 첨부하여 1923년 4월 10일자로 복명을 했다.[395]

393 『朝鮮總督府官報』 1923년 3월 24일자.

394 『東亞日報』 1923년 3월 5일자.

395 「1923년 경상북도 영천군의 환성사(環城寺), 불굴사(佛窟寺), 백흥사(白興寺) 조사 보고」, 국립중앙박물관 소장 조선총독부박물관 공문서, 목록번호 : 96-139.

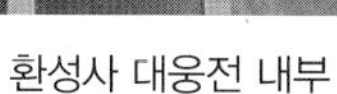

환성사 대웅전 내부

영천 은혜사 영산전 내부

1923년 3월 26일

평안북도 영변군 북신현면 보현사 말사 신흥암新興庵을 폐지하다.[396]

1923년 3월

동양척식주식회사 소유 토지는 26,403,000평이며 개인 별 대 토지소유자는 민대식 6,999,000평, 민규식 4,317,000평, 민응식 4,143,000평, 민천식

396 『朝鮮總督府官報』 1923년 3월 26일자.

3,558,000평, 이준 3,033,000평, 윤덕영 2,949,000평, 조명구 2,904,000평, 민병석 2,793,000평, 백인기 2,703,000평 등이다.[397]

개벽사開闢社 발행 어린이 잡지 「어린이」 제1호가 발행되다.[398]

이왕직에서 홍릉비석洪陵碑石 이면裏面에 「大正 12年 3月 11日 建立」이라 음기陰記하다. 연호를 「大正」이라고 한 것은 이완용이 제창한 것이라고 한다.[399]

1923년 4월 1일

「개벽」 4월호(慶南文化號)가 경찰에 압수되다.[400]

서화협회 제3회 전람회가 경성부 수송동 보성고등보통학교에서 열리다.[401]

397 『東亞日報』 1923년 3월 10일자.
398 『東亞日報』 1923년 3월 25일자.
399 『東亞日報』 1923년 3월 8일, 9일, 10일, 12일자.
400 『東亞日報』 1923년 4월 4일자.
401 『東亞日報』 1923년 4월 1일자.

1923년 4월 28일

경주 양북면 장항리 5층석탑 파괴

장항리獐項里의 사지는 경주 월성군 양북면에 소재하며 석굴암이 있는 토함산에서 오솔길을 따라 내려가면 좌우에 계곡을 끼고 있는 낮은 대지에 위치한다. 이 동리를 일명 탑정리라 부르고 있어 이곳 폐사지에 남아 있는 탑과 연관된 동리명임을 알 수 있다. 이곳 사지는 사찰의 이름을 알 수 없어 동리의 이름을 빌어 장항리사지로 부르고 있다. 이 사지에 대해 고유섭 선생은,

> 신라 왕도王都의 동악東岳인 토함산의 동쪽, 마을 이름을 탑정塔亭이라고 부르고 있는 신긴징곡山間長谷 사이에 한 폐사지가 있어 사전寺傳, 사칭寺稱 따위는 전함이 없으되 신라통일 초대初代의 우수한 불상대좌석佛像臺座石이 유존하고 있으며 정정亭亭 5층의 석탑 양기가 동서에 상용相聳한 특수가람의 유구遺構로서 주의할 만하다.[402]

하여 일찍부터 주목되어 왔다.

이곳 폐사지에 남아 있던 2기의 5층석탑은 『조선보물고적조사자료』에 의하면, 동탑은 일찍이 도괴되어 탑재가 계곡 아래로 떨어져 있었으며 서탑은 사지에 온전히 남아있었다. 그러나 이 서탑도 불법자들의 손아귀를 벗어나지 못했다.

---

402 高裕燮, 「한국 탑파의 연구」 경주 장항리 폐사지 동서 5층석탑 條, 『고유섭전집 1』.

장항리 서탑 도괴 상태(1929년 8월 사진, 『조선건축사론』)

1923년 7월 10일자(경북학 제696호) 경북도지사가 조선총독에게 보고한 '장항리석탑 파괴에 관한 건'[403]의 공문에 의하면, 6월 30일부 경주군수로부터 양북면 장항리 탑정부락 소재의 5층탑 1기를 어떤 자가 파괴하였다는 '고발서'를 첨부하고 있다.

경주군수 박광렬이 보내온 '고발서'에 의하면, 경주군 양북면 장항리(원 탑정리)의 통일신라시대 5층석탑을 1923년 4월 28일 오전 2시경에 어떤 자가 탑 속에 장치한 보물을 훔치기 위해 파괴하고 달아났다.

1929년에 후지시마 가이지로藤島亥治郎가 촬영한 사진(제137도 1929년 8월 촬영)을 보면 동쪽으로 무참히 넘어져 있다.[404]

이 탑의 도괴에 대해 스기야마 신조杉山信三의 기록에는 이 쌍탑은 일찍이 도

403 「大正 11년-13년 고적보존철」, 『국립중앙박물관 소장 조선총독부박물관 공문서』, 목록번호 : 96-101.

404 藤島亥治郎, 「朝鮮建築史論(其二)」, 『建築雜誌』 第44輯 第534號, 1930.

굴배들에 의해 1925년에 도괴되어 계곡에 부재가 흩어져 있던 것을 1932년 그 중 서탑 만을 복원한 것이라고 하고 있다.[405]

「보물고적대장 지정 문서」[406]에도,

도괴된 동탑 탑신

> 장항리사지
>
> 금당지, 동서 양탑이 유존하며
>
> 신라시대 산사식山寺式 사원의 전형적 유지遺址이다. 현재 동탑은 도괴되어 있고 서탑은 복원 재건, 동서 양탑 156척의 거리를 두고 금당지 사이에 있다. 서탑은 대정14년에 도괴되어 소화7년 복구하였다. 동탑, 상하 2성기단 중 하성기단 일부가 남아있고 다른 부분은 동방 계곡 아래에 전락해 있다.

라고 기록하고 있다. 이 기록에서 서탑의 도괴시기를 대정14년(1925)이라고 하는데, 이는 1923년 7월 10일자(경북학 제696호) 경북도지사가 조선총독에게 보고한 '장항리석탑 파괴에 관한 건'에 나타나 있는 바와 같이 대정12년(1923)의 오기이다.

스기야마 신조杉山信三가 서탑의 도괴시기를 대정14년(1925)이라고 하는 것은 「보물고적대장 지정 문서」에 나타난 것을 그대로 따랐기 때문인 것으로 보인다.

더욱 분명한 것은 오가와 게이키치小川敬吉의 기록에는 오가와가 1923년 6월

---

405 杉山信三,「朝鮮の石塔」, 1944, p.149.
406 『국립중앙박물관 소장 조선총독부박물관 공문서』, 목록번호 : 96-230.

10일에 경주 양북면 용당리의 감은사지를 답사하기 위해 가는 길에 "토함산에 올라 남으로 내려오면서 탑정리의 파탑破塔을 보고, 계류를 따라 동행하여 양북면사무소에 이르렀다"[407]는 기록이 보이고 있다.

1923년 4월

일본 내무성 경보국에서는 근래 한국의 시국이 불안하여 그 사상이 점점 악화하는 경향이 있다 하고 그 대책을 연구하기 위하여 금년에 27만원의 예산을 편성, 과격사상過激思想에 관한 참고자료를 수집하여 적절한 취체방법을 세울 것이라고 한다.[408]

1923년 5월 1일

조선총독부 사무관 오다 쇼고小田省吾가 조선사편찬위원회 위원에 임명, 이왕직 차관 시노다 지사쿠篠田治策가 동 위원에 촉탁되다.[409]

---

407 小川敬吉, 「感恩寺址に就て」, 『朝鮮佛教』 第23號, 朝鮮佛教社, 1926년 11월
408 『東亞日報』 1923년 4월 18일자.
409 『朝鮮總督府官報』 1923년 5월 1일자.

1923년 5월 2일

경상북도 영천군 청통면 봉서암鳳棲庵, 영천군 지곡면 정수암淨水庵, 경산군 와촌면 불굴사佛窟寺, 경산군 와촌면 천성암天成庵을 폐지하다.[410]

1923년 5월 15일

경상북도 성주군 가천면 안국사安國寺가 폐지되다.[411]

1923년 5월 17일

총독부 신청사의 상동식

5월 17일 오전 10시에 경복궁 안에 신축 중인 총독부 신청사의 상동식上棟式을 거행했다. 사이토 총독과 총독부 각부 과장과 그 외 본부의 직원과 각 관공서 대표자, 그 외 유력자, 신문 기자 등이 열석한 가운데 상동식을 가졌다.[412]

---

410 『朝鮮總督府官報』 1923년 5월 2일자.
411 『朝鮮總督府官報』 1923년 5월 15일자.
412 『每日申報』 1923년 5월 18일자.

『매일신보』 1923년 5월 16일자

조선의 정궁 경복궁에 총독부 신청사를 신축하면서 경복궁 전체를 유락지화 하고자 하고 있다. 『매일신보』 1923년 5월 3일자에는 다음과 같은 기사가 있다.

> 경복궁 경회루의 운명. 역사적 배경과 미술적 가치를 가지고 또 경치가 비상한 이곳은 총독부 신축 준공 후에 어찌되랴나. 한양 30만 시민에게 유락지로 공개 <중략>
>
> 조선총독부의 청사가 낙성됨에 따라 경회루의 사활이 결정될 것이다. 들으라 정무총감의 말을, 현금 경복궁 안에 신축하는 조선총독부청사는 대정14년에 준공될 터인데 경복궁은 자리로 역사적 배경을 많이 가진 곳이오. 그 속에 있는 건물들은 모두 미술적으로 가치 있는 것이오. 그 중에도 경회루와 같은 것은 여름의 연꽃과 가을의 단풍으로 천연한 절경을 갖추어 경성에서 유수한 경개가 있는 곳인바 장래 총독부가 그곳으로 옮겨가게 된 후에

경회루는 여하한 방법으로 그 운명이 결정될 것인가 이에 대하여는 누구나 알고자 하는 것이오. 더욱이 시민 일반이 오락과 소창한 곳이 적은 것을 유감이라 하여 공원설비를 속히 할 것을 절규하는 경성시민에 취하여 큰 문제의 하나이나 총독부 당국의 의향을 아지 못하여 궁궁이 여기더니 이번에 동경으로부터 오래간만에 임지에 돌아온 유길 정무총감은 기자의 질문에 대답하되 "당초 총독부 편에서 계획하기는 신청사가 낙성이 되면 경회루 부근에는 총독과 정무총감의 관사를 지으려고 하였습니다. 그러나 이것은 역사와 미술의 두 방면으로 가치가 많으며 또 일반이 오락과 완상할 공원의 설비가 부족한 것을 한탄하는 경성시민에게 경회루와 같은 곳을 개방치 아니하고 관리의 저택을 짓는다하는 것은 불가할 줄로 생각합니다. 이것은 아직 총독의 승낙을 받지 아니한 나 한사람의 의견에 지나지 못한 것이어니와 관리의 관사는 지금 신무문 근방에라도 무방할 것인 즉 경회루는 어디까지나 인민에게 공개하도록 설비하며 보관하는 것이 좋을 것이외다. 아직 공식으로 발표될 기회에는 이르지 아니하였으나 유길의 의견으로는 장래에 경회루를 공원으로 만들 것을 주장하며 실행하려 합니다" 하더라.

경무총감은 다시 말을 계속하여 "경회루를 공원으로 만들어 시민에게 공개할 의견은 앞에서 말한 것과 같이 다만 경회루에 그칠 것이 아니라 신청사가 준공되어 지금 왜성대에 있는 총독부를 옮겨 가면 현지의 총독부터와 총독관저 부근 일대를 또한 공원으로 개방하여 남산공원을 확대하여 가지고 장충단 훈련원, 사직단 등을 모두 공원으로 일신하게 만들면 장래 경성시민에게는 유락할 장소로 부족함이 없을 것이오. 한편으로 지금 경성시가라는 것은 너무 규모가 협소하여 크게 발전될 여지가 없는 즉 장래에는 용산과 청량리 방면까지 시가의 구역을 연장하여 남산은 시가의 중앙이 되도록 도시계획을 하려는 방침이외다. 그리고 다른 날 경성은 지금 경도보다 도회로 유수한 곳이 될 것이외다" 하야 시민의 편익을 목적하며 경성도시발전에 대한 큰 포부의 한 끝을 보이더라.

1923년 5월 21일

경산군 발견 금동석가불입상

1923년 6월 16일자 경산경찰서장이 조선총독에게 보낸 '유물발견 굴출에 관한 건 보고'에 의하면, 대구부 동성정 이순화기 1923년 5월 21일 오전 11시경 경산군 고산면 고모동 산(경부선 부산기점 72리 지점의 산)에서 철도공사용 토사를 채굴하던 중 불상 1개를 발견, 구두로 신고를 했다.[413]

보고서에는 발견한 도금석가불입상 1체에 대한 '유래 전설'에 대해 부근 부락민의 말을 인용하는 바, 경북 달성군 수성면 모가 자식이 없어 해당 장소에 소사小祠를 세워 불상 3체를 안치하고 기도를 했었다. 그 후 10년이 지나 1체는 자택으로 가져가고 1체는 고산면 가천동 거주 승려 모가 가져가고, 1체는 철도 개통 근처에 있었는데 그 후 풍우로 단애붕괴斷崖崩壞되어 불명되었다고 하는데 이번에 발견된

413「大正12년도 경상북도 경산군 발견 금동석가불입상」, 국립중앙박물관 소장 조선총독부 박물관 공문서, 목록번호 : 97-발견07.

것이 전기의 것이 아닌가 추정하고 있다.

보고서에는 신문기사도 싣고 있는데, 1923년 6월 2일자(이 기사의 출처가 나타나 있지 않음) '경산에서 금불金佛 발견' 이라는 제목의 기사로 그 내용은,

경산군 발견 금동석가불입상

> 5월 21일 오전 10시경 대구-경산 간 철도개량 공사구역 경산군 고산면 고모동 부산기점 72리의 지점의 암서산 파쇄破碎 중의 인부 이순화가 크기 5촌4분여의 신라금불 하나를 발견하여 경산서에 신고했다.
>
> 동지 고노의 말에 의하면 약 40년 전에 연성군 수성면에서 자기가 자식이 없음을 걱정한 불신자가 3체의 금불을 가지고 와 이곳에 안치하고 염불삼매念佛三昧에 탐거耽居하다가 3체내 1체는 가져가고, 1체는 모사의 주직 모가 가져가 버리고 1체는 이곳 암석산굴에 안치하였는데 수년전 큰 비로 매몰되었다고 한다.

라고 하며 보고서와 동일한 내용을 담고 있다.

『동아일보』 1923년 6월 7일자에는 다음과 같은 기사가 있다.

> 철도공사 중에 금불을 발견, 신라시대의 고물
>
> 경부선 대구와 경산간 사이의 철로공사 중에 금부처 하나를 발견하였다. 인부

鐵道工事中에
金佛을 發見
신라시대의 고물

경부선대구와경산간(大邱慶山
間)사이의 텰도길을다시곳치는
공사중에서신라(新羅)의고적인
금부쳐(金佛)하나를발견하얏다
한다 인부리순화(李順化)사경
산군고산면두모동(慶山郡孤山
面頭毛洞)근쳐부산긔뎜(釜山起
點)칠십이리마될되는곳의 바위
산을따뉴허트리다가다섯치반가
량되는 금부쳐하나를 발견하야
이것을 당디경찰서에 계출한후
보관케하얏는데 그부쳐의 맨드
러노흔품이 신라(新羅) 시대의
것이 분명하다하며 더욱동서에
서는 조사중인바 지금으로부터
사오십년전에 달성군(達城郡)사
는모가자식이 업슴으로 부쳐세
개를가져다가 그곳에두고 념불
을하며오든바 그후도 둘은차젓
스나 하나는 도모지분명치못하
엿섯는데 이것이 그때그부쳐인
지알수업다더라(대던)

이순화가 경산군 고산면 두모동 근처의 부산기점 72리 되는 곳의 바위산을 무너트리다가 단가량 되는 금부처 하나를 발견하여 이것을 당지경찰서에 신고한 후 보관케 하였는데 부처는 신라시대 것이 분명하다하며 더욱 동서에서는 조사중인 바 지금으로부터 4, 5십년 전에 달성군에 사는 모가 자식이 없음으로 부처 3개를 가져다가 그곳에 두고 염불을 하여오던 바 그 후로 둘은 차졌으나 하나는 도무지 분명치 못하였었는데 이것이 그때 그 부처인지 알 수 없다더라.

1923년 5월 30일

우메하라(梅原) 촉탁 강연

30일 오후 3시반에 총독부 제2회의실에서 교토제대 촉탁 우메하라씨의 『조선고고학상에 견見한 고대의 일선관계』란 제목으로 강연이 있었다.[414]

414 『每日申報』 1923년 5월 30일자.

1923년 5월

잃었던 불상 찾음

경상남도 밀양군 표충사 승려 변영호는 공주군 의당면에 있는 동혈사에 유숙 중 그 절에 있는 불상을 훔쳐가 경부선 조치원 정거장 부근에 사는 일본인에게 팔아먹은 일이 발각되어 불상은 즉시 소관경찰서에서 도로 찾아 피해사에게 돌려보냈다.[415]

야마나카상회는 1923년에 구미 각국의 고미술품을 수집하여 5월에 오사카 미술구락부에서 《동서고미술품전》을 개최하였다.

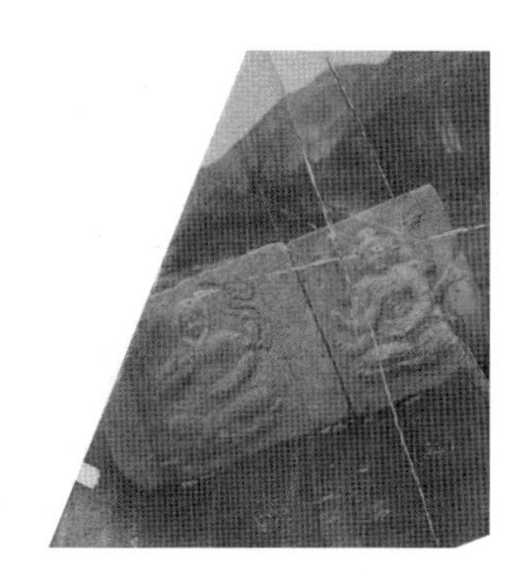

1923년 6월 7일

석불 부조 발견

1923년 6월 7일 경주 거주의 일본인 다카세 요시타로高瀨喜太郎란 자가 경주군 내남면 탑리 119번지 논에서 부조석불을 발견했다.[416]

415 『東亞日報』 1923년 5월 29일자.
416 「대정 12년도 경상북도 경주군 동양척식주식회사 소유지 발견 석불(石佛)」, 국립중앙박

1923년 6월 20일

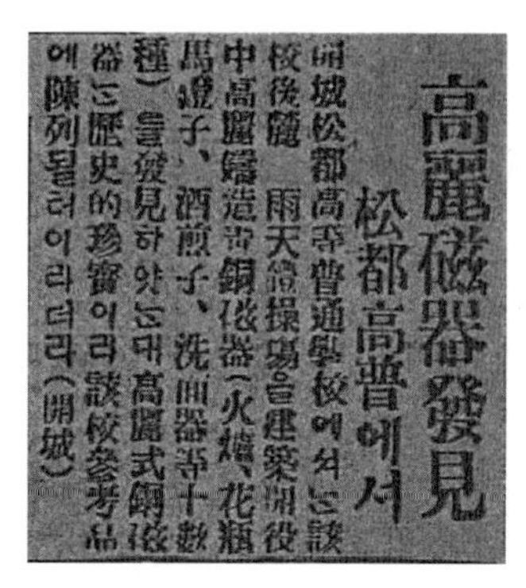
高麗磁器發見
松都高普에서
開城松都高等普通學校에서는該校後麓 雨天體操場을建築開役中高麗鑄造의銅磁器(火爐、花甁、馬鐙子、酒煎子、洗面器等十數種)를發見하얏는데高麗式銅磁器는歷史的珍寶이라該校參考品에陳列될터이라더라(開城)

『매일신보』 1923년 6월 21일자

유물 발견

6월 20일에 개성 송도고등보통학교에서 운동장 터를 닦던 중 금으로 만든 바가지와 술병 1개 대야 3개, 화병 한 개, 향로 1개, 화로 1개, 등1개 등 8점이 나와 개성경찰서에 보관 하였다가 그 후 보안과의 지시로 8월에 총독부로 보내게 되었다.[417]

1923년 6월

공주에서 진귀한 전(塼) 발견

1923년 6월에는 공주읍내 심상고등소학교의 경지境地내에서 지형공사를 하던 중 다수의 전塼이 발견되어 세키노關野의 주목을 받게 되는데, 세키노는 10월에 조선총독부박물관에서 이 진귀한 전을 보고 감사관 후지다 료사쿠藤田亮策에게 물어 최근 공주에서 발견된 것으로 경성의 골동상 아마이케天池 모某로

물관 소장 조선총독부박물관 공문서, 목록 번호 : 97-발견07.
417 『每日申報』 1923년 8월 21일자.

부터 구입한 것이라는 것을 알게 되었다. 그래서 이러한 양식의 전을 구하기 위하여 10월 29일 경성을 출발하여 조치원에서 하차, 자동차로 도청에 닿았다. 도지사 김관현을 면회하여 이런 진귀한 전의 출토지를 물어 당지의 골동상 구라모도藏本 모某에게 갔으나, 아마이케天池는 이미 세키노보다 한 열차 전에 도착하여 잔여의 전편을 모두 사서 가 버린 것에 대해 놀라지 않을 수 없었다고 한다. 이 구라모도藏本의 말에 의하면, 1923년 6월경 공주심상고등소학교 동북 모퉁이에서 출토하였는데 대략 100여 매枚 정도 되었다고 한다. 그 중 완전한 것 십 수 개는 천지가 경성으로 운반하여 8개는 조선총독부박물관에 팔고, 나머지는 노미타 기사쿠富田儀作가 운영하는 진열관에 팔았다고 한다.[418]

세키노는 "이러한 전의 양식은 근년 남경에서 출토된 양梁시대의 전과 완전히 일치하는 것으로 그 수법은 양으로부터 수입한 것이 명백하다" 라고 하며 1924년 5월『건축잡지』453호에「공주公州 신출토新出土 백제시대의 전塼」이란 제목하題目下에 소논문을 발표하기도 했다.

앞에서 말하는 아마이케모天池某라는 자는 아마이케 시게다로天池茂太郎란 자이며 골동거간 및 상인으로서 당시 명치정明治町: 現 明洞에 큰 골동상점을 열고 전국의 도굴품들을 거래한 당대 최대의 장물아비이다.[419] 그가 8개의 전塼을 조선총독부박물관에 팔았다. 1923년의 조선총독부 학무국고적조사과의 '대정12년도 진열품陳列品 구입결의購入決議' 조條를 보면 아마이케天池로부터 유물을 구입한 건件만 해도 10회에 걸친 구입의 건이 있다.『광복이전 박물관자료 목록집』

---

418 關野貞,『朝鮮の建築と藝術』, 岩波書店, 1941, pp.476~481.
419 國分弘二,『大正12年京城商工名錄』, 京城商工會議所, 1923, p.237.

을 살펴보면 1916년부터 1943년간에 무려 68회에 걸쳐 조선총독부박물관에서는 이자로부터 총 740여 점에 이르는 막대한 유물의 구입 건이 나타나 있다.[420]

1923년 7월 11일

경기도 장단군 율서면 화장사華藏寺 말사 극락암極樂庵을 폐지하다.[421]

1923년 7월 21일

대구 달성군 비산동 제34호분 조사

1923년 7월 21일~7월 31일까지 고이즈미 아키오小泉顯夫가 의해 대구 달성 고분군(비산동)중 제34호분을 발굴하여 은제대식銀製帶飾 및 수하요패식垂下腰佩飾, 환두태도, 철창신, 등 무기류, 마구류, 토기 다수를 발견하였다.[422]

---

420 『光復以前 博物館 資料目錄集』, 國立中央博物館, 1997.

421 『朝鮮總督府官報』 1923년 7월 11일자.

422 小泉顯夫, 野守健, 「慶尚北道達城郡達西面古墳調查報告」, 『大正12年度古蹟調查報告書 1冊』, 朝鮮總督府, 1931.

제34호분 유물 부장 상태

1923년 7월

최남선, 진학문 등이 경성에서 발행하던 잡지『동명東明』을『시대일보時代日報』로 개제改題하여 발행할 것을 요청 중이던바 인가되다.[423]

1923년 8월 6일

평안북도 강계군 화경면 장수암長壽庵, 운흥암雲興庵, 어전면 부춘사富春寺, 만경암萬慶庵, 서운암棲雲庵, 전천면 중흥사重興寺, 천솔사天率寺, 종면 고청사高淸寺,

423『東亞日報』1923년 7월 19일자.

송서면 용은사龍隱寺, 고산면 삼수암三水庵, 외귀면 양수암兩水庵을 폐지하다.[424]

1923년 8월 10일

경주 용장사지 석조불상(보물 제187호) 조사

경주 용장사지茸長寺址 삼층석탑의 남방 아래쪽에는 3층연대三層蓮臺의 석불좌상이 있다. 머리 부분이 없어져서 불상의 명칭을 확정지우기가 어려우나 『경주 남산의 불적』에서는 '3층연대승형탑三層蓮臺僧形塔' 이라고 하고 있으며, 인근 마을 사람들은 많은 석불 석상 중에서 이석불은 중의 모습을 닮았다고 해서 '중꾸부렁이' 라고 불렀다고 한다.[425] 고유섭 선생은 삼국유사에 나오는 장육상을 지목하고 있다.[426]

도괴된 석상(『남산의 불적』)

이 불상은 1923년 봄에 도괴되는 재난을 만나, 8월 10일에 조선총독

---

424 『朝鮮總督府官報』 1923년 8월 6일자.
425 「慶州文化의 今昔」, 동아일보, 1961년 11월 4일자.
426 高裕燮은 「朝鮮塔婆의 樣式變遷(各論, 續)」(『佛教學報』 3, 4집 합집, 1966년 12월, 東國大佛教文化研究所, p.3)에서, "곧 僧形임은 보살형으로서 미륵을 나타내기 위함이고, 그가 西面하여 놓여진 것은 동방불로서 미륵의 西方 彌陀淨土에의 回向을 의미하고 있는 것이라고 해석한다"라 기술하고 있다.

부 학무국 고적조사과 고雇 경주 주재 와타리 후미야渡理文哉가 현지에 파견되어 조사를 하고, 8월 17일자로 복명했다. 와타리가 조선총독부 학무국 고적조사과에 보고한 복명서에는 용장사지 석불 관련 도면, 탁본, 약도 등이 수록되어 있다.[427]

오바 쓰네키치小場恒吉는 석상의 머리를 잃어버린 것은 1922년 이전의 일로서 삼층연대의 도치倒置를 그 증거로 들고 있다.[428]

와타리의 조사 후 가을에 삼층석탑과 함께 복건復建하였다. 그러나 1932년에 재차 파괴되어 그 해 12월에 복구했다.

1923년 8월 23일

수원 화홍문 유실

일주일 동안 계속 오던 비가 23일에는 더욱 폭우가 심하여 수원 화홍문이 붕괴되어 물에 떠내려갔다.[429]

---

427 「경주군 용장사지(茸長寺址) 도괴 석불탑 수색 보고」, 『국립중앙박물관 소장 조선총독부박물관 공문서』, 목록번호 : 96-139.

428 小場恒吉, 『南山の佛蹟』, p.51; 小泉顯夫, 『朝鮮古代遺蹟の遍歷』, 1986, p.150.

429 『每日申報』 1923년 8월 25일자.

『매일신보』1923년 8월 25일자

1923년 8월

일본인 고고학자 도리이 류조鳥居龍藏에 의하여 부산부 암남반도岩南半島의 유적이 선사시대의 패총인 것으로 확인되다.[430]

1923년 9월 1일

『개벽』 9월호가 경찰에 압수되다.[431]

---

430 『東亞日報』 1923년 8월 18일자.
431 『東亞日報』 1923년 9월 2일자.

대지진으로 인한 도쿄박물관의 피해

1923년의 대지진으로 박물관도 상당한 피해를 입었는데, 건물 피해 총평수 956평, 물품 피해 3만 7천여 점, 그 중 자연과학과 아울러 그 응용에 관한 참고품이 가장 많은 피해를 입었다. 전국 각지에서 개최한 박람회 출품물과 박물관에서 누차 개최한 각종 전람회 출품물 중 교육상 가장 가치가 있는 것을 선발 수집한 것, 그 외 해외 교육 참고 자료로부터 사진, 통계, 서적 등이 일시에 사라지고 말았다.[432] 대지진으로 건물 피해가 컸으며 진열품은 미술공예부의 도자기의 피해는 다소 있었으나 피해가 적은 편이었다.[433]

『매일신보』 1923년 9월 29일자에는 다음과 같은 기사가 있다.

> 제실박물관 복구문제
>
> <중략> 동관에 진열된 물품은 아국我國 문명文明에 호자료好資料되는 다시 얻기 어려운 황실의 어소유의 미술품 기타 중요한 것뿐으로 만일의 일이 있을까하여 당국의 심통心痛이 여간치 아니하였고 일시라도 속히 당국은 건물에 진열을 하여 종전과 같이 일반에 공개하고자 초려焦慮하는 중인바 인접한 표경관은 완전하나 진열의 여유가 없고 또 궁내성으로서는 재난에 반하여 막대한 비용을 지출하였으므로 새로 건축할 사事가 불가능할 상태라더라.

---

432 棚橋源太郎,「東京博物館と震火災」,『中央史壇』 제9권 3호, 1924년 9월.
433 大森金五郎,「文獻の喪失 文化の破壞」,『中央史壇』 제9권 3호, 1924년 9월.

帝室博物館 復舊問題

1924년부터는 제1호관~제3호관에 있던 유물을 모두 표경관으로 옮겨 진열하였으며, 제1, 제2(구제5, 6)양실은 미술공예부로, 제1실은 금속, 옥석 갑각 목죽품, 제2실은 도자기를 진열했다. 제3(구제7실)은 미술부의 조각으로, 제4실, 제5실(구8, 9) 양실을 역사부로 하고, 계상에 제6(구1)실을 역사부 제7, 제8(구2, 3)로 구분했다.[434] 미술공예부는 내국과 외국으로 나누고 있는데 한국 것은 내국으로 분류하고 있다.[435] 박물관의 진열관은 대지진 후 전적으로 표경관으로 이를 충당했으며 1938년까지 표경관을 위주로 진열하였다.

도쿄대학 대지진의 피해

도쿄제대 부속도서관은 도서관이 창립된 지 50년 간 수집한 내외 고금의 도서가 무려 약 75만여 권에 달했는데 귀중서만 해도 3,000여 점 이상으로 이 속에는 우리나라의 고대문서, 기록사본, 명가자필본, 고간본, 고서본 등이 엄청나게 소장되어 있었

434 帝室博物館, 『帝室博物館年譜(昭和10년 1월~12월)』, 1936년.
435 帝室博物館, 『帝室博物館年譜(昭和12년 1월~12월)』, 1938년.

다. 1923년 9월 1일 대지진으로 인하여 일거에 소실되어 60만 권의 손실을 입었다.[436] 그 중 도서관에 39만 책 전후로 생각하는데, 38만 책은 모두 소실되고 겨우 1만여 책만 건졌다. 법, 문, 경의 연구실에서 불타버린 것이 약 10만 책 전후로 추정된다.[437]

『매일신보』 9월 12일자에는 다음과 같은 기사가 있다.

東大藏書燒失數

七十六萬卷中一萬卷殘餘

四百六十萬圓

大阪府取扱

진재의 연금

『매일신보』 9월 12일자 기사

동대 장서 소실 수

76만권 중 1만권 잔여

동경제국대학은 의학부의 대부분과 부속병원을 세한 외에는 서의 다 회신에 놀아갔는데 그 중에도 대학으로서 가장 중대한 도서관을 소실하여 장서 76만권 중 1만부를 남기고 전부 소진되어 그 중에 막쓰미라문고 1만권과 엔계레문고 6만권과 문부성 소유 문례자휘文例資彙 6만 4천권, 신사보제기록神社普制記錄과 내무성 소유 평정서기록評定書記錄 9만 1천권과 막말사幕末史 2만 5천권과 궁내성 소유 금정금고禁廷錦庫 홍엽산紅葉山 9천9백95권과 서

436 土井重義, 「東大附屬圖書館」, 『圖書館雜誌』, 日本圖書館協會, 1942년 9월.
和田萬吉, 「東京帝國大學附屬圖書館の罹災に就いて」, 『中央史壇』 第9卷 3號, 1924년 9월.
437 植松安, 「東大圖書館の震火」, 『中央史壇』 제9권 3호, 1924년 9월.

장일체경西藏一切經 등 다시 얻기 어려운 장서를 잃었는데 그 가운데서도 일본 자료편찬에 될 요한 서적 약간을 태우지 않음은 불행 중 다행이라더라.

도쿄대도서관 및 각 연구실에서 소실된 중요한 장서를 들면,

1. 구막부평정소기록舊幕府評定所記錄, 구막부사사봉행기록舊幕府寺社奉行記錄

3. 시로야마구로미스문고白山黑水文庫, 만철이 연구소를 가지고 만주 조선 지지를 중심으로 수집한 것

4. 합방이전 소위 통감부시절 부산영사관釜山領事館에서 도쿄제국대학에 기증한 구막부시대舊幕府時代 이후 한일교섭문서집韓日交涉文書集 1천여 책

5. 조선왕조실록 1,697권 774책

6. 서장문, 만주문, 몽고문 일체경으로 궁내성에서 대부한 것

등이 있다.[438]

그 외 한국본 중 유명한 것은 가와이문고본河合文庫本 무오자戊午字로 인출한 『황화집皇華集』이 있고, 그 후 총독부에서 모은 것 등 귀중본을 소장하고 있었으나 관동대지진 때 거의 소실되었다.[439]

특히 시로야마구로미스문고白山黑水文庫본은 1909년 이래 남만주철도회사가 시라토리 쿠라기치白鳥庫吉에게 조선과 만주의 역사조사를 의탁하여 시라토리의 지도하에 다년간 조선과 만주관계사료를 수집하여 그 양이 막대하였으며 시라토리白鳥는 그 스스로가 수차에 걸쳐 조선에 건너와 조선사료를 수집한 것이다.

---

438 和田萬吉,「東京帝國大學附屬圖書館の罹災に就いて」,『中央史壇』 제9권 3호, 1924년 9월.
439 大森金五郎,「書庫博物館等の罹災」,『中央史壇』 第9卷 第3號, 國史講習會, 1924.

이러한 조선 만주의 연구 자료는 모두 지진 때 소실되었다.[440] 이 중의 4총서四叢書는 실로 천하일품天下一品이라 칭할 수 있는 귀중한 것으로 이 총서叢書에 실려 있는 서적의 전부가 극히 희귀한 것으로 일부분은 다른 단행본으로 세상에 전하는 것도 있지만 많은 것은 절무絕無하다고 할 수 있다. 『사총서四叢書』는 광사십집廣史十集 200책, 휘수彙數 15책, 설해說海 59책, 총사叢史 50책으로 그 서목書目은 일본 『사학잡지』 제35편과 『중앙사단中央史壇』 제9권 3호의 '소실燒失된 귀중서목貴重書目'에 실려 있다.[441] 이마니시 류今西龍의 기록에, "총사叢史, 설해說海, 휘수彙數, 광사廣史는 모두 수년 전 시라토리白鳥 박사가 조선에서 얻은 서적으로 현재 도쿄제국대학에 장藏"[442]이라고 하여, 어디에서 나온 것인지는 밝혀지지 않고 있지만 모두 일제 때에 반출해 간 것을 알 수 있다. 시로야마구로미스문고白山黑水文庫에는 이 외에도 조선의 석학홍유碩學鴻儒들의 필적筆跡 수 백 매(외에 십여 첩)는 조선 유학사의 연구에 대단히 귀중한 사료이나 모두 불타 버렸다.[443]

도쿄교육대학도서관에는 귀중서로 지정된 것이나 귀중도서 후보목록에 올랐던 우리나라 고서가 상당히 많다. 『산학계몽算學啓蒙』 1책, 『송양휘산법宋陽輝算法』 2책, 『대전사송취大典詞訟聚』 1책, 『사율제강師律提綱』 1책, 『환림편람宦林便覽』 1책, 『경민편警民編』 1책, 『송론宋論』 1책, 『진법陳法』 1책, 『진신편람縉紳便覽』 1책 이상의 9부 10책은 양안원본養安院本 조선 고활자판서籍古活字版書籍으로 유명한

440 稲葉岩吉, 「震災と鮮滿史料の佚亡に就て」, 『朝鮮史講座』, 朝鮮史學會同人, 1923.
441 「燒失된 東大附屬圖書館 所藏 貴重書」, 『史學雜誌』 第35編 第3號, 1924, pp.66~73; 『中央史壇』 第9卷 3號의 '燒失된 貴重書目', 1924년 9월.
442 今西龍, 『朝鮮史の栞』, 近澤書店, 1930, p.34.
443 大森金五郎, 「燒失したる貴重書目」, 『中央史壇』 제9권 3호, 1924년 9월.

데,[444] 매부마다 《안양원장서養安院藏書》의 인印이 찍혀 있다. 특히 『산학계몽算學啓蒙』은 태종3년(1403)의 금속활자金屬活字 주조鑄造를 실물로서 보여 주고 있으며, 『송양휘산법宋陽揮算法』은 「선덕팔년계축오월 일 경주부판간宣德八年癸丑五月日 慶州府板刊」이라 기記하고 있어 1433년에 간행한 조선 고활자古活字의 초기에 속하는 귀중한 활자본이다.[445] 이들 중 대부분이 불탔을 것으로 보인다.

1923년 9월 2일

『신천지』 9월호(조선 귀족계급 몰락호)가 경찰에 압수되다.[446]

1923년 9월 6일

일본 경찰당국의 방침에 따라 한국인의 일본 입국이 금지되다.[447]

---

444 藤本幸夫, 「東京教育大學 朝鮮本に就いて」, 『朝鮮學報 第81輯』, 1976.

445 中山久四郎, 「東京文理大 所藏 朝鮮活板 養安院本」, 『史潮』, 東京文理科內 大塚史學會, 1932년 6월, pp.96~98.
中山久四郎 자신도 대단한 귀중서를 수장하였는데, 1931년에 양안원장서 인이 찍힌 『文中子』 1册, 『居業錄』 1册, 『晦齋集』 1册을 구했으며, 1932년에는 『歷代總要 卷二』 1册, 『龍龕手鑑 卷四』 1册을 구했는데 『龍龕手鑑』은 陶活字本으로 자신의 書齋 중에서 一善本이고 一希貴本이라 한다.

446 『東亞日報』 1923년 9월 4일자.

447 『東亞日報』 1923년 9월 8일자.

1923년 9월 14일

‘치안유지를 위하여 하는 벌칙에 관한 건’이 공포(勅令 第403號)되다. 그 내용은 다음과 같다.[448]

출판, 통신 기타 하등의 방법으로써 함을 불문不問하고 폭행, 소요 기타 생명 신체 혹은 재산에 위해를 미칠만한 범죄를 선동하며 안녕질서를 문란할 목적으로써 치안을 해하는 사항을 유포하거나 또는 인심을 혹란할 목적으로써 유언부설流言浮說을 한 자는 10년 이하의 징역 혹은 금고 또는 3천원 이하의 벌금에 처함.

부칙

본령은 공포일부터 차를 시행함.

1923년 9월 16일

발견 유물

경주 황룡리에서 매장물 발견

경주 황룡리의 장갑상이란 사람이 1923년 9월 16일 경주군 내동면 황룡리 산림 중에서

448 『朝鮮總督府官報』 1923년 9월 14일자.

향로 등 불구 4개를 발견하여 경주경찰서에 보관했다.

발견 장소는 황룡사의 소재로 황룡사의 유물로 추정되고 있다.[449]

1923년 9월 28일

사학자 이병도李丙燾가 이날부터 『동아일보』에 「조선사개강朝鮮史槪講」을 연재하다.

朝鮮史槪講 (一)

斗溪生 李丙燾 (寄)

緖論

今日의朝鮮과滿洲와는地理上서로連接하야잇슴으로自來歷史上, 政治上 軍事上및經濟 交通上, 자못密接한關係를가젓다 더욱古代에잇서서는滿洲의南部와半島의北半은혹은同一族屬에依하야占據되얏섯다 그럼으로今日政治的自然境界로認하는鴨綠豆滿의兩江은上代에잇서서는그다지種族을分하고言語 習俗을다르게하는重要한天然的障壁이아니엿섯다 도리어同一族屬或은同一國家內의一河川에不過하얏섯다

『동아일보』 1923년 9월 28일자 기사

449 「다이쇼(大正) 12년도 경상북도 경주군 발견 불구(佛具)」, 『국립중앙박물관 소장 조선총독부박물관 공문서』. 목록번호 : 97-발견07.

1923년 9월

덕수궁 영성문대궐 터에 불교제중원佛敎濟衆院이 개업하다.

『매일신보』 1923년 9월 2일자에는 다음과 같은 기사가 있다.

> 불교제중원佛敎濟衆院의 개업, 정동 불교중앙포교당 안에 실비 치료하는 병원이 신설
>
> 시내 정동에 있는 불교중앙포교소에서는 동 포교소 내에 일찍이 불교제중원 신축 중이던바 이번에 동 병원이 준공되었으므로 작일 오후 4시에 시내 국일관에서 낙성 자축을 겸하여 개업의 피로연을 열었는데 이 제중원은 이회광, 장일 양씨가 여러 가지 희생을 돌아보지 않고 사회봉사를 위하여 성립되었다는 바 원주되는 장일씨의 말을 들으면 <후략>

불교제중원(『매일신보』 1923년 9월 17일자)

1923년 10월 6일

10월 6일에 평양의 명찰 영명사永明寺에 봉안한 금불 1구를 도난당했다.

『매일신보』 1923년 10월 10일자에는 다음과 같은 기사가 있다.

永明寺金佛이逢賊

수상한승녀가자고간후에

『매일신보』 1923년 10월 10일자 기사

영명사 금불의 봉적逢賊

수상한 승려가 자고 간 후에

조선 30본산의 하나인 평양 명찰 영명사에서는 지난 6일에 그 절 안에 안치하였던 금불이 없어졌으므로 즉시 평양경찰서에 신고하여 금불의 거처를 수색하는 중인데 혹은 어떤 자가 그것을 골동물로 팔아먹을 마음으로 절취하여 갔는지 또는 어떤 자의 악희인지 아직 조사하는 중인바 목하 협의자로 인증하는 것은 5일 밤에 어떤 객승 두 명이 아무 말도 없이 들어와서 범당에서 자는 것을 6일 아침에 영명사 주지가 발견하고 꾸짖어 보냈었는데 그 객승이 간 후에 금불이 없어졌음으로 경찰에서는 그들의 간 곳을 탐사하는 중이라더라.

강원도 회양군 난곡면 현리 석탑의 국유 해제 요청에 대한 불허

강원도 회양군 난곡면 현리의 3층석탑은 원래 난곡면 귀락리의 김소사란 사람의 소유지에 있던 탑으로, 이 토지를 사토 히로오佐藤浩夫가 매입하였다. 그러나 3층석탑은 1917년 8월 20일 고적 및 유물 제190호로 국유 등록하였다.

그 후 1922년 8월 26일부로 사토 히로오佐藤浩夫가 총독부에 현리석탑에 대한

'고석탑 국유 소속 해제원'을 제출했다. 이에 대한 회답에 앞서 1923년 4월에 오바 쓰네키치小場恒吉를 현지에 파견하여 임시조사를 하게 되었다.

현리석탑

오바의 조사 결과, 1917년 여름에도 경성 파성관 주인이 이 석탑을 사토 히로오佐藤浩夫로부터 매수하려고 총독부에 문의하였으나 총독부에서는 이를 불허하였나. 또 석탑은 이미 경찰관 주재소로 옮겨졌으며, 토지 역시 타인에 매각된 것으로서 사유를 인정할 만한 하등의 이유가 없으며 등록 해제의 필요를 인정할 수 없다고 보고를 했다.

사토 히로오佐藤浩夫가 제출한 '고석탑 국유 소속 해제 요청'에 대해 1923년 10월 8일(10월 6일 판결)부 학무국장이 사토 히로오佐藤浩夫에게 보낸 '고석탑 국유 소속 해제원에 관한 건'[450]은 다음과 같다.

> 지난 년 8월 26일부로서 강원도 회양군 난곡면 현리 소재 우 석탑 국유 소속 해제원출에 대하여 취조한 바 종래 조선의 관습에 의하면 궁전, 성책, 사찰 등의 폐지에 있는 탑비, 불상, 당간, 석등 등은 국유로 보는 관습으로서, 가령 그 물건의 소재가 세월이 흘러 산야, 논밭 또는 택지가 되어 사유

450 「大正11년-13년 고적보존철」, 『국립중앙박물관 소장 조선총독부 공문서』, 목록번호 : 96-101.

등에 귀속하는 경우에 있어서도 탑, 비 그 외 금석물은 여전히 이를 국유로 인정하여 그 선점취득을 불허함.

따라서 그 물건은 당연히 토지와 함께 토지 소유자에게 속하는 것으로 인정하지 않기로 되어 있음. 그리하여 이 석탑은 1916년 8월 고적조사위원회 결의에 의하여 동년 7월 조선총독부령 제52호 고적 및 유물보존규칙에 근거해 고적 및 유물대장에 국유로 등록되어 있기에 지금에 이르러서는 이의 국유해제 논의는 불가능한 것으로 생각하오니 이를 요지了知할 것을 명에 따라 회답함.

이라 하여 사유를 불허하여 매매할 수 없음을 밝히고 있다.

1923년 10월 23일

대구 달성 고분군 발굴 조사

1923년 3월경에는 대구에서 신시가지 개설을 계기로 대구 달성 고분군이 조사되었다. 1923년 3월의 조사에서 고분군의 배치도를 작성하였는데 이 고분군은 대구시가의 서쪽 성주가도의 서쪽에 해당하는 달성공원에 접속한 구릉丘陵에 87기의 고분이 산재하였다. 이런 등은 달성군 달서면 내당동 내지 비산동에 속하는 것으로 상당수가 전답화로 인해 일부가 파손되었고 도굴 흔적

이 있는 고분만도 24기에 달했다.[451]

당시에 직접적 계기는 오늘날의 서문시장의 설립인데, 이 새로운 시장경지는 고분군 아래를 흐르는 달서천 지류와 그 너머 동산 즉 현재의 동산병원이 위치하는 구릉사이에 있는 저수지였다. 이 저수지는 '천왕당지天王堂池' 라고 불리었는데, 이를 매립하여 시장경지를 확보하고자 하였던 것이다. 이 개발과 관련된 사람이 강흥주姜興周: 당시 37세)이다. 강은 새로운 시장의 개설에 즈음하여 고분군 주변의 구릉을 매입하였다. 매입 목적은 새로운 시장개발에 필요한 매립토를 확보하여 이를 매각하고 더불어 채토지점採土地點을 택지로 개발하기 위한 것이었다.[452]

그 경지 매립용 토사를 채취하는 과정에서 땅 주인이 7기의 고분을 파괴하면서 다수의 부장품을 획득하게 되어 그것을 탐지한 대구 경찰서장이 토사 채취를 중지시키고 도청을 경유하여 조선총독부에 보고하게 되었다. 『매일신보』 1923년 6월 21일자에는 다음과 같은 기사가 있다.

> 천년 고물 발굴
>
> 달성군에서 흙을 파다가
>
> 대구부 수정 172번지 강흥주라는 사람은 수일 전에 자기집 가옥 건축에 쓰려고 흙을 구하려고 부외 달성군 서면 내당동 회생병원 부근에 있는 조그마한 언덕을 파다가 본즉 넓이 약 두평 가량되는 석함 같은 것이 있음으로 그것을

---

451 野守健, 「慶尙北道 達城郡 達西面 古墳調査報告」, 『大正12年度古蹟調査報告』 第1册, 朝鮮總督府, 1931, '慶尙北道 達城郡 達西面 飛山洞. 內堂洞古墳 配置圖.'

452 咸舜燮, 「大邱 達城古墳群에 대한 小考」, 『碩晤尹容鎭敎授停年退任紀念論叢』, 1996.

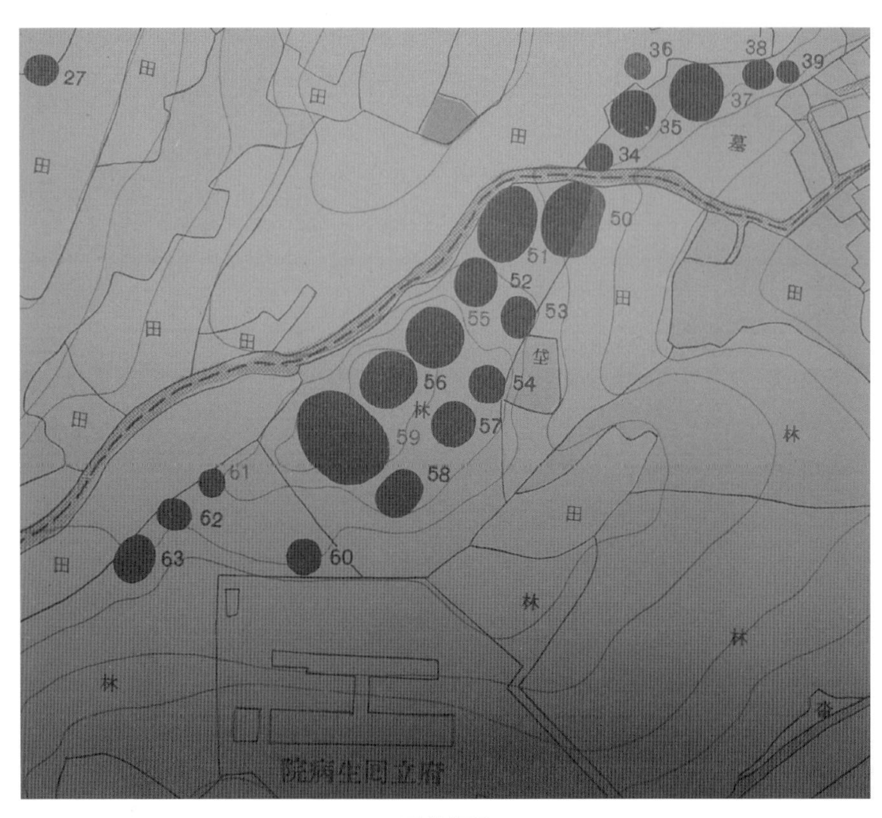

고분분포도

들치어 보니 그 속에 무수한 도자기와 철물 등이 있으므로 그 사실을 해지 주재소에 신고하여 18일에 대구경찰서에 가져왔는데 그 물품이 과연 얼마의 가치가 있는 것인지 또 그 연조가 몇 해나 묵은 것인지 전문가의 감정을 기다리기 전에는 알 수 없으나 범암으로 본 감정에는 대략 오륙백년 내지 일천년 가량이나 되겠다는데 그 물품은 목하 대구경찰서에서 보관하는 중이라더라.

이 같은 사실이 조선총독부에 보고가 되어 총독부에서 기수 오가와 게이키치

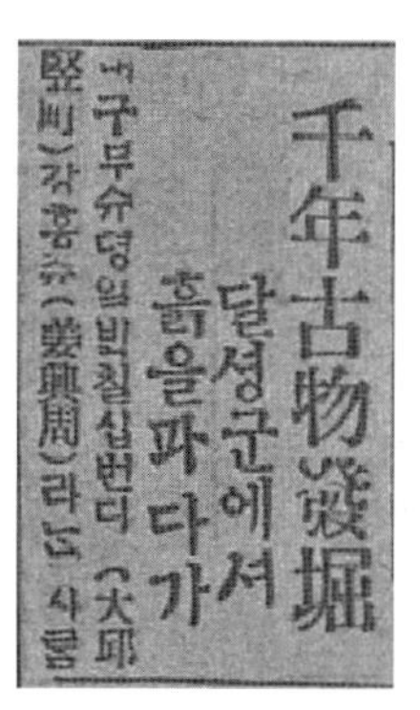

千年古物發掘
달셩군에셔
흙을파다가

대구부유뎡일빅칠십번디(大邱堅町)거쥬배흥쥬(裵興周)라는 사람

는슈일젼에자긔집가옥건츅에쓰랴고흙을구하려부외달셩군셔면내당동(府外達城郡西面、唐洞)회생병원(回生病院)부근에잇는죠고마한 언덕을 파다가본즉넓이가약두평가량이나 되는 석홈갓흔것이 잇슴으로 그것을들시고본즉그속에 무수한도자긔(陶磁器)등속파편물(鐵物) 밋치가잇슴으로 그사실을 히디쥬재소에신고하야지는십팔일에대구경찰셔에가져왓는대 그물품이파면얼마의가치가잇는것인지、또그의년죠가몃해나 묵은것인지 젼문가의감뎡을기다리기젼에는알슈업스나범안으로봄감평에는대략오륙빅년니지일쳔년가량이나되겟다는대 그물품은 목하대구경찰셔에셔 보관하는즁이라 며다(大邱)

『매일신보』 1923년 6월 21일자 기사

小川敬吉와 고이즈미 아키오小泉顯夫를 파견 이를 조사하였다. 고이즈미 아키오小泉顯夫가 현상에 노착하였을 때는 부덤들이 완전히 파괴되어 봉토와 석실의 석재가 산란하고 토기조각이 부서진 채 무수히 흩어져 처참한 모습을 보이고 있었다.

오가와 고이즈미는 1923년 10월 23일부터 12월 13일까지 완전한 고분 4기와 도굴분 2기를 발굴하였다.[453]

발굴은 달성의 남으로 접해있는 구릉상의 고분군으로 이고분군 중에서 사유지에 속한 제35호분, 제52호분, 제53호분, 제54호분, 제56호분, 제57호분, 제58호분은 토지 소유자가 토사를 채취하기 위하여 파괴해 버리고 그 때 발견된 유물의 대부분은 경찰서와 토지소유자가 소장하고 있던 것을 나중에 제출받게 되었다.

당시 행정구역상 비산동에 속한 37호분과 내당동에 속한 50호분, 51호분, 55호분, 59호분, 62호분을 발굴하기로 결정했다. 하지만 62호분은 이미 도굴을 당하여 봉토가 유실당하고 천정석을 제거하고 부장품을 도굴해 갔다. 59호분도 이미 도

453 野守健, 「慶尙北道 達城郡 達西面 古墳調査報告」, 『大正12年度古蹟調査報告』 第1册, 朝鮮總督府, 1931, p.2.

굴을 당하여 토사가 석곽 내에 유입되었고 부장품의 단편이 곳곳에 산란했다.

당시 발굴은 야수건과 소천이 함께 시작했으나 소천은 제51호분 제1석곽의 조사를 완료하고 병으로 입원하게 되어 나머지 고분은 야수건의 인솔하이 발굴이 진행되었다.

당시 발굴일정을 보면 다음과 같다.

1923년 10월 22일	경성 발
10월 23일	대구 착, 소천촉탁과 함께 도청 및 경찰서의 도움을 얻어 고분군을 조사하고 발굴고분을 선정했다.
10월 24일	제37호분의 외형을 실측하고, 소천은 34호분을 발굴하여 석곽을 노출시키고 토기파편 수 개를 출토
10월 25일	제51호분의 외형을 실측하고, 소천은 전일과 같이 계속하여 34호분을 발굴
10월 26일	고분배치도의 작성에 착수히고, 소천은 51호분을 발굴
10월 27일	50호분의 외형을 실측하고 37호분 발굴에 착수, 소천은 전일에 계속하여 51호분을 발굴
10월 28일	제55호분 및 제59호분외형을 실측하고 또 50호분 발굴을 시작 소천은 제51호분 제1석곽을 발굴조사
10월 29일	전일에 계속하여 제50호분 발굴, 소천은 전일과 같이 계소 발굴 梁 촉탁이 도착하여 고분군 배치도 작성을 맡김
10월 30일	전일과 같이 50호분을 발굴하여 천정석 일부를 발견 소천은 전일에 계속하여 발굴조사를 하여 51호분 제1석곽 조사를 완료
10월 31일	비가 와서 발굴 중지
11월 1일	비로 인해 발굴 중지
11월 2일	50호분 제1석곽 내부조사를 시작하고, 제37호분 천정석의 일부에 도달함, 인부 일부를 빼내어 55호분 발굴을 시작 소천은 병이 나서 열이 심하게 올라 의사의 권고로 병원에 입원, 이후부터 모든 발굴은 야수가 맡음

11월 3일	제50호분 제1석곽 내부를 조사하고, 또 제37호분 제1석곽의 막음돌을 제거하고 내부에 들어가 대략의 조사를 함. 또 제55호분의 천정석 일부에 도달함
11월 4일	제50호분 제1석곽 내부를 조사하고, 제55호분의입구로 생각되는 곳을 발굴, 고원 神田惣藏이 조사에 가세함
11월 5일	제50호분 제1석곽의 실측을 하고 조사를 완료함 제37호분 제1석곽의 막음동을 제거하고 내부에 들어가 조사를 시작 또 제55호분의 상부 할석을 제거하고 내부를 조사 제59호분 발굴에 착수
11월 6일	제37호분 제1석곽의 내부를 조사하고, 제50호분 발굴을 마침 제59호분의 천정석에 도달함
11월 7일	제37호분 제1석곽의 내부를 조사하고 부장품 전부를 채취
11월 8일	제37호분의 제1석곽의 실측을 마치고 조사를 완료
11월 9일	정리를 위하여 발굴을 중지하고 제37호분 제1석곽, 제50호분 제1석곽의 실측도 정리 및 발견품 정리
11월 10일	제55호분 석곽 중앙부에 토사가 유입되어 있어 이를 밖으로 운반
11월 11일	제55호분 석곽 내부의 토사를 제거하고 제37호분 제1석곽의 북서부를 발굴, 해질 무렵에 이르러 다시 제1석곽 천정석을 발견하여 이 석곽을 제2석곽이라 이름함
11월 12일	제55호분을 조사하고 비가내려 조사를 중지
11월 13일	비가 와서 발굴을 중지하고 출토물을 정리
11월 14일	제55호분 석곽 내부를 조사하고 제37호분 제2석곽 입구로 생각되는 곳을 발굴
11월 15일~11월 22일	제55호분 석과 내부를 조사
11월 23일	제55호분 석곽의 실측과 조사를 완료
11월 24일~26일	제37호분 제2석곽 내부를 조사
11월 27일	제50호분 제2석곽의 서남벽의 적석을 제거하고 내부로 들어가 조사를 함 제59호분은 이미 도굴 당한 것을 확인
11월 28일	비가 와서 발굴 중지
11월 29일	제50호분 제2석곽의 내부를 조사하고 부장품 전부를 들어냄 또 제37호분 제2석곽을 실측

11월 30일	제50호분 제2석곽 및 제37호분의 제2석곽을 실측 제59호분의 내부를 조사
12월 1일	제50호분 제2석과 실측조사를 완료하고 오후부터 제59호분 석곽 내부 조사를 위해 토사를 밖으로 운반 제37호분 제2석곽 실측조사 완료
12월 1일	제50호분 제2석과 실측조사를 완료하고 오후부터 제59호분 석곽 내부 조사를 위해 토사를 밖으로 운반 제37호분 제2석곽 실측조사 완료
12월 2일	제59호분 석곽 내부의 토사를 운반하고 조사, 토기파편, 철편 등을 발견
12월 3일	제59호분의 석곽 내부를 조사하고 많은 부장품을 발견
12월 4일	제59호분 석곽의 실측조사를 완료
12월 5일	제51호분 제1석곽 천정석에 도달
12월 6일	제59호분과 제51호분 발굴을 계속
12월 7일	전일과 동일
12월 8일	제51호분 제2석곽의 내부가 추락 오후부터 제59호분 계속 발굴
12월 9일	제51호분 제2석곽에 추락한 돌을 운반
12월 10일	제51호분 제2석곽의 실측을 하고 조사를 완료
12월 11일	제51호분 제2석곽을 실측하고 조사를 완료 제62호분의 노출된 천정석의 부근을 발굴하기 시작
12월 12일	제62호분을 전일과 같이 발굴을 계속하여 부장품을 출토
12월 13일	제62호분의 실측과 조사 완료
12월 14일	발굴품 정리
12월 15일	대구를 출발 귀임

출토 유물을 정리하면 대략 다음과 같다.

제37호분 (10월 23일 ~12월 1일)	野守健	金銅冠 2개, 金製耳飾 1대, 金銅環, 銙帶金具殘缺, 琉璃小玉 2連, 環頭太刀 등 武器類, 馬具類, 土器類 다수	
제50호분 (10월 28일 ~11월 30일)	野守健	耳飾, 鉸具, 斧頭 등 무기류 약간, 토기 300여점	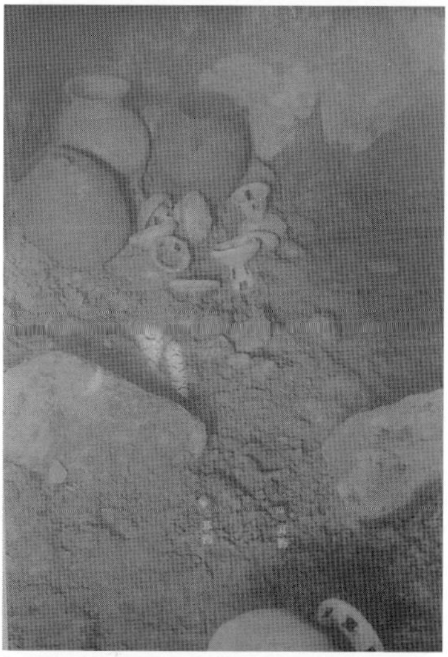
제51호분 (10월 25일 ~12월 11일)	小泉顯夫	銀製冠飾 2개, 金製耳飾, 銀製銙帶金具, 銀製腰佩, 環頭太刀 등 武器類 약간, 馬具類, 鐵製雜品, 土器 100여점	
제55호분 (10월 28일 ~11월 23일)	野守健	金銅冠殘缺, 冠帽 1개, 金銅鐶殘缺, 金製耳飾 2대, 勾玉 2개, 銀製銙帶金具 1구, 銀製腰佩 1개 그 외 服飾類 약간, 金銅環頭太刀 등 무기류, 마구류 상당수, 금동제 잡품, 토기 80여 점	

제59호분 (10월 28일 ~12월 4일)	野守健	銀製耳飾,金銅鐶, 冠帽前立金具殘缺, 銀製銙帶金具殘缺 10개, 銀製透彫佩飾金具殘缺, 그 외 무기류, 마구류, 토기	
제62호분 (12월 10일 ~12월 13일)	野守健	銀製雜品, 土器 40여 점	

당시 59호분에서는 모두 도굴당하고 부장품 단편이 일부 발견되었는데 그 중에는 '관모전립금구'잔결이 발견되었다.[454] 관모전립금구冠帽前立金具 잔결殘缺은 대구의 이치다 지로市田次郎와 오구라 다케노스케小倉武之助가 소장하고 있는 완전한 것과 동일한 양식이었으며, 은제투조패식단구단편銀製透彫佩飾端具斷片이 발견되었는데 이것은 대구의 오구라 다케노스케小倉武之助가 소장한 완전한 것과 동일한 양식으로 보고 있어,[455] 당시 이와 같은 고분들이 무수히 도굴당하여 이치다 지로市田次郎와 오구라 다케노스케小倉武之助를 포함한 개인의 손에 들

제37호분 출토 금동관

454 野守健, 「慶尙北道 達成郡 達西面 古墳調査報告」, 『大正12年度 古蹟調査報告』, 朝鮮總督府, 1931, p.2.

455 野守健, 「慶尙北道 達城郡 達西面 古墳調査報告」, 『大正12年度古蹟調査報告』 第1册, 朝鮮總督府, 1931, pp.92~92.

어가고 있음을 볼 수 있다. 특히 오구라小倉의 도굴품은 1937년 도쿄제실박물관 제1실 금공품진열실金工品陳列室에서 그 일부가 진열陳列되어 한일문화의 대조에 활용하기도 하였다.[456]

55호분 유물배치도

이는 당시 달성군 일대의 무수한 고분이 파괴되어 그 유물들이 이들의 손에 들어갔다는 것을 짐작케 하는 것이다.

1923년에 이를 조사한 결과 1~53호분까지의 고분 중에서 이미 도굴된 것이 11기, 봉분이 유실되어 셔우 형태만 지닌 것이 16기뿐이었다.[457] 이 일대는 현재 완전히 시가지로 변

---

456 그 日錄은 다음과 같다.

耳飾	金製	六對	伽倻時代
(國寶) 寶冠	銅鍍金	一頭	古新羅時代
冑	銅鍍金	一頭	古新羅時代
(國寶) 飾履	銅鍍金	二個	古新羅時代
杏葉	銅鍍金	三個	古新羅時代
(國寶) 環頭太刀柄	銅鍍金	一口	古新羅時代

『考古學雜誌』 27-2, 19937년 2월, p.138 參照.

457 「慶尙北道 達城郡 達西面 飛山洞 及 內堂洞 古墳 配置圖」, 『大正12年度 古蹟調査報告』, 朝鮮總督府, 1931.

하여 그 흔적조차 없어져 버렸지만 당시에 남아 있던 고분들이 어떤 경로로 없어졌는지는 밝혀지지 않고 있다. 대구를 중심으로 한 고대사 규명에 중요한 유적을 완전히 인멸시킨 것이다.

1923년 10월 28일

유점사 불상 도난

유점사 53불은 1916년에 도난사건이 있은 이후 1923년에도 불상 도난사건이 발생했다. 동아일보 1923년 11월 13일자에 다음과 같은 기사가 있다.

금강산 유점사의 금불을 훔친 자, 두 명이 고성경찰서에 잡혀

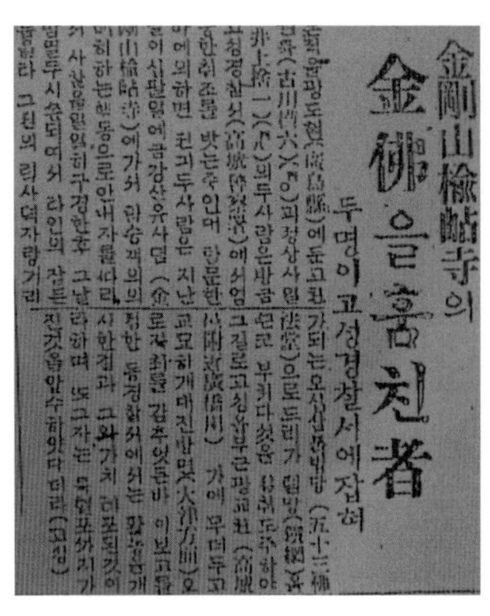
金剛山楡岾寺의 金佛을 훔친者
두명이 고성경찰서에 잡혀

『동아일보』 1923년 11월 13일자 기사

본적을 히로시마현廣島縣에 둔 고가와 곤로쿠古川權六(40세)와 이노우에 스데이치井上捨一(48세)의 두 사람은 방금 고성경찰서에서 엄중한 취조를 받는 중인데 탐문한 바에 의하면 전기 두 사람은 지난 달 28일에 금강산 유점사에 가서 탐승객의 의례히 하는 행동으로 안내자를 따라서 사찰을 일일이 구경한 후 그날 밤 12시 쯤 되어 타인의 잠

든 틈을 타 그 절의 역사적 자랑거리가 되는 53불 법당으로 들어가 철망을 뜯고 부처 다섯을 절취 도주하야 그 길로 고성읍 부근 광교천 가에 묻어두고 교묘하게 대진 방면으로 자취를 감추었던 바 이 보고를 접한 고성경찰서에서는 활동을 개시한 결과 그와 같이 체포된 것이라 하며 또 그 자는 륙혈포까지 가진 것을 압수하얏다더라(고성).

1923년에 도난당했던 5구를 그대로 모두 회수 하였는지에 대해서도 명확하지 않다. 『개벽』 제42호(1923년 12월)에는 다음과 같은 기록이 있다.

불역무령佛亦無靈 유참사의 53불이라 하면 예술적 대가치가 있을 뿐 아니라 특히 승가에서는 절대 신성하고 영험이 많은 것으로 안다. 그러나 53불 중 3불은 극악세계로 갔는지 언제 없어지고 대정6년(대정5년의 착오)경에 17불을 도실하였다가 대정8년(대정7년의 착오)에 개성 고물상점에서 8불을 찾아왔었다(금 41불). 그런데 그 도실하였던 8불은 팔자가 그러한지 금년 10월 말일에 또 일적日賊 히로시마현廣島縣 인 이노우에 스데이치井上捨一와 고가와 곤로쿠古川權六란 자가 공교이 그 8불 中 5불을 훔쳐갔다. 다행이 경찰서 덕분에 찾기는 하였으나 부처님도 인제는 무령無靈한지 유참사 승려들은 보관하기에 대 걱정이다.[458]

1930년 5월 20일 이곳을 탐방한 다나카 만소田中萬宗는 다음과 같이 기록하고 있다.

---

458 「嶺西八郡과 嶺東四郡」, 『개벽』 제42호, 1923년 12월.

현금現今 총계 41체 밖에 뿐이며, 고로 53체 중 12체의 행방을 실失하였다. 유猶 20체위는 극히 근세의 작이다.[459]

다나카田中의 기록대로라면 신라 전래의 불상은 21체 뿐이라는 것인데, 당시 다나카는 여행기를 쓰면서 고적조사원을 비롯한 많은 학자들로부터 지도를 받은 것을 감안한다면 상당히 신빙성이 있는 것으로 추정된다.

이렇듯 도난당한(적게는 17구, 많게는 32구) 불상들은 일인들의 수중으로 들어가서 '유점사 전래상' 이라 전칭傳稱되어 미국 보스턴미술관에 소장된 것[460]도 있지만 많은 것은 일본 어디에서 이름을 감추고 비장秘藏되어 있을 것이다.

그 후 사원에서는 1930년에 부족한 수를 경성미술품제작소에서 주조하여 보충하였으며, 이 후에는 불상의 도난에 대한 소문이 두려웠음인지 불상의 촬영조차도 꺼려한 것 같다.

보충한 후의 53불 도판은 1934년 고유섭이 촬영한 것이 유일하게 남아 있으며 그의 기록을 보면 다음과 같다.

장차 53불을 배관하고 동경 경도 등의 대학에서까지 와서 촬영하려다가

---

459 田中萬宗,『朝鮮古蹟行脚』, 東京太東書院, 1930, pp.227-228.

460 이 불상의 원적지에 대해서 보스턴미술관이 밝힌 자료에 따르면 이 불상은 금강산 유점사에 있던 53불 중의 하나이다. 이를 소장했던 사람은 보스턴미술관의 큐레이터를 지낸 오카쿠라이다(『옛살림』, 1995년 7월).
1982년 보스턴 박물관 한국실을 돌아 본 강우방은,
"유점사 53불 중의 하나로 전해지는 것으로 통일신라 중기 불상 가운데서 가장 정교하게 만들어진 것으로 생각된다" 라고 하고 있다(『박물관신문』, 1982년 12월 1일).

못하고 간 그 53불을 일일이 촬영하려 가는 나다. 석가를 본받아 설산의 여마를 극복할 용기는 없다하더라도 불벌佛罰이 무섭도다. 더욱이 이번 여행에는 안될 걸 하려간다고 총독부박물관장까지 빈정대고 말리는 것을 장담하고 나선 내가 만일 53불을 일일이 촬영하지 못하고 돌아가는 날에는 조소만이 나를 환영할 것이요. 체면은 보잘것없이 사라지는 날이요. 장래의 신망까지 없어지는 날이다. 나는 뿌리치고 일어나서 행낭을 둘러메고 미련이 남은 듯한 동행을 독촉하여 비를 맞으며 나섰다. 이리하여 나의 목적인 유점사의 53불의 촬영은 완전히 성공하였다.[461]

유서 깊은 유점사는 6 · 25 때 불타 버렸으니, 유점사 불상은 오늘날까지 무사한지 어디에 보장되어 있는지 명확히 알 수 없다. 단지 옛 사진으로만 볼 수밖에 없으니 안타까운 일이나.

1923년 10월

『개벽』 10월호가 경찰에 의하여 압수되다.[462]

461 『新東亞』, 1934년 9월, 『高裕燮全集』에서

462 『東亞日報』 1923년 10월 3일자.

도쿄제국대학에 조선 고서 기증할 예정

1923년 9월 1일 간토대지진關東大地震으로 인해 도쿄대 소장의 도서 대부분을 소실하게 되자 도쿄대에서는 각지에 도서 기증을 요청하게 된다. 조선도 예외 없이 도서 기증 요청을 받게 되자 조선총독부에서는 이왕직에 고서 기증을 권유를 했다. 『매일신보』 1923년 10월 24일자에는 다음과 같은 기사가 있다.

朝鮮古書寄附

李王職의寄贈

關東震災로以하야可惜히帝國大學圖書館은烏有에歸하야맛참내復舊의所望이一時는立치못할狀態에至하얏스나內外各地에同情이集하야此를文部當局은急速히復舊하기로하고各地에向하야古書의寄贈을勸誘하얏는대朝鮮의古書에關하야는總督府를通하야李王職에寄贈함을申込할模樣인대李王職에셔도可及的帝大圖書館의復興를助하기爲하야寄贈할意嚮이라더라

조선고서 기부

이왕직의 기증

관동지진으로 인하여 가석可惜히 제국대학도서관은 오유烏有에 귀歸하여 마침내 복구의 소망이 일시一時는 입치 못할 상태에 지至하였으나 내외 각지에 동정을 모아 이를 문부 당국은 급속히 복구하기로 하고 각지에 향하여 고서의 기증을 권유하였는데, 조선의 고서에 관하여는 총독부를 통하여 이왕직에 기증함을 신입申込할 모양인데 이왕직에서도 가급적 제대도서관의 복흥復興을 돕기 위해 기증할 의향이라더라.

당시 사정으로 보면 권유라기보다는 강요라고 여겨진다. 신문 기사에는 '기증할 의향' 이라고 하는 것으로 보아 기증했을 것으로 보이나 어떤 것을 기증했는지는 알 수 없다.

화순군 석탑 및 용암사지(龍岩寺址) 조사

후지타 료사쿠藤田亮策는 1923년 10월 26일자 전라남도지사의 보고서에 나타난 전라남도 화순군 동면 국동리 탑동 삼층석탑과 용암사지를 둘러싼 석조물의 외지 반출과 분쟁 문제를 해결하기 위해, 현지에 출장하여 탑동 삼층석탑과 용암사지龍岩寺址를 조사했다.[463]

탑동3층석탑 조사

이 석탑은 화순군 동면 국동리 탑동 소재한 것으로 조사 내용은 대략 다음과 같다.

1. 소재지는 동면 백룡리에서 천궁리에 통하는 도로의 중간 선지산乾芝山 배후의 곡에 있음
1. 사지는 지금 대부분 밭으로 변하였으며, 와편 도편이 산재하여 일견 사지임을 알 수 있다.
사지의 중앙에서 조금 서로 편偏한 전중田中에 지금 3층석탑의 기단지복석 및 석등대석이 있다.
1. 전기 3층석탑의 주요부는 제1층지복석, 탑신 및 간석, 제2층 탑신 및 간석, 제3층 탑신 및 간석과 함께 보주형정석부寶珠形頂石部 합 8개, 현재 동면

463 「화순군 석탑 및 용암사지(龍岩寺址) 조사 보고」, 국립중앙박물관 소장 조선총독부박물관 공문서, 목록번호 : 96-139.

백룡리 구칭 용생의 2등도로상에 운반하였음

1. 우 3층석탑은 1923년 9월까지 국동리 탑동의 사지에 엄존儼存하여 동면 전부락의 신앙의 중심으로서 연년참예공화年年參詣拱花한 것이라고 함. 그런데 사지 소재지 소유자인 관주군 지한면 홍임리 김문백이 자기의 소유라고 하여 자유 매각함으로써 동면 주민은 격앙激昂하여 이를 주재소경관에게 소訴하여 경관은 곧 이의 운반을 정지시켜 유물 발견의 수속을 한 것이라고 함 이상과 같이 우 3층석탑은 탑동 사지에 있던 것으로 그 일부는 아직 원위치에 소재하였던 고인古人의 사리탑骨塔임이 분명하며 토지조사에 의하여 토지와 함께 김문백의 소유로 돌아간 것으로 인정할 수 없다. 그리고 탑은 3층방탑으로서 수미완비首尾完備하여 고려시대 탑으로서 형태가양形態佳良하여 학술의 자료로 보존의 가치를 지니는 것이다. 단 지금 그 주요부를 전부 1리여 떨어진 산록에 운반하였으므로써 원위치에 복구하기는 용이容易하지 않다.

이 같이 현 상태를 조사함과 아울러 그 해결 방안으로 "동면면장, 동면주재순사부장의 말에는 면민은 면내보존을 열망" 하고 있으므로, "면사무소 내 등 적당한 땅에 보관하기를 바람. 만약 면민이 희망함에 있어서는 탑동의 원위치에 복귀 운반하여도 가함" 이라고 하고 있다.

이 같은 사정으로 보아 면사무소나 마을 근처로 보존했을 것으로 추정되나 후지타 료사쿠의 현지 출장 이후 행방에 대해서는 밝혀진 것이 보이지 않는다.

화순군 동면의 국동리는 굴동窟洞과 탑성 등 2개 자연 마을로 구성되어 있었으나 탑성 마을은 1990년경 주민들이 타지역으로 이주하면서 폐촌이 되었다. 국동리의 지명은 굴동 마을의 이름을 취한 것이나, 한자는 물론 이름도 바꾸어 국동리菊東里라 하였다. 굴동 마을은 마을에 자연 동굴이 있다고 하여 굴동이라 하였다. 탑성 마을은 탑이 서 있던 곳이라 생긴 이름이라고 한다.[464]

용암사지 조사

용암사지는 화순군 춘양면 우봉리 동북쪽에 소재하며 후지타의 조사에 의하면,

용암사지는 화순군 춘양면 우봉리 부락 동방에 있는 사지로, 사지의 서단에는 석탑의 단편이 잔존하고 사지일대는 와편과 도자기편이 산재하며, 사지의 가장 수요한 유물로서 비신을 잃은 이수와 귀부, 사리탑 등이 있다.

사지의 실지 조사에 의하여 현재 토지 소유자를 탐사探査한 바 1923년 2월 24일부 전라남도청의 회신에 의한 우봉리 송찬회 또는 윤상연이 아니고, 귀부 소재지는 우봉리 석자영, 석부도 소재지는 우봉리 홍승환의 소유로 도청보고에서 말하는 바와 같이 윤상연이란 자가 타인의 소재지에 있는 무주 탑비를 함부로 매매함과 같음은 무법이라고 할 것이다. 유물도 역시 전기와 같이 고려시대 사지의 유물로 볼 수 있는 것으로서 학술의 참고에 자資할 수 있을 것이다. 따라서 석이수, 귀수龜首, 사리탑의 3자는 현재 소재의 나주군청 또는 경찰서 내에 엄중 보관하기를 바람.

1924년 4월 21일 총독부 제1회의실에서 개최된 제20회 고적조사위원회에서 '대정12년도 고적조사 사무보고' 내용 중 '전라남도 화순군 석탑조사'(藤田 위

464 화순군청 소개 자료.

원) 건에 대해서 다음과 같이 보고를 하고 있다.

> 근년 전라남도 목포 부근에서 석물을 이출하는 자가 많고 사원의 보물 등의 매각되는 것이 적지 않다고 들었는바 화순군 춘양면 우봉리 및 동면 국동리의 사지로부터 각 석탑, 비석, 이수 등을 운반하여 매각하는 자가 있다고 도청으로부터 보고가 있어 대정12년 11월 이의 실지 조사를 하였음. 양지 모두 판연한 사지로서 고려시대의 우수한 석물을 파괴 운반함을 보고 소할 경찰 또는 면사무소에 보관을 명하였음.[465]

후지타의 조사 이후 그 처리 결과 국동리와 우봉리의 석조물은 경찰서와 면사무소에 보관하도록 명했다고 하는데, 이후 이 석조물의 행방에 대해서도 구체적으로 알려진 것이 보이지 않는다.

1923년 11월

강화도 송운면 하도리 고분 조사

후지타 료사쿠藤田亮策와 오가와 게이키치小川敬吉는 1923년 11월에 강화도

---

465 「제20회 고적조사위원회」, 『국립중앙박물관 소장 조선총독부박물관 공문서』, 목록번호 : 96-282.

송운면 하도리의 고려시대 고분 6기를 조사했다. 이 조사에 대해서는 보고서를 남기지 않고 『1924년도 유물수입명령서』(국립중앙박물관)의 「대정12년도 11월 중순 고적조사 수집품 인계목록 藤田亮策, 小川敬吉, 1924年 3月 17日」 문서와 『유리원판목록집 I』(국립중앙박물관)로 남아 있어 이를 정리하면 다음과 같다.

1923년 11월	강화도 송운면	藤田亮策, 小川敬吉	하도리 제1호분	靑瓷壺, 靑瓷牧丹文盌, 靑瓷皿, 銅匙, 鐵釘	출처[644]
1923년 11월	강화도 송운면	藤田亮策, 小川敬吉	하도리 제2호분	靑瓷盌, 靑瓷壺, 銅匙, 鐵釘	출처[645]
1923년 11월	강화도 송운면	藤田亮策, 小川敬吉	하도리 제3호분	靑瓷盌, 靑瓷壺	출처[646]
1923년 11월	강화도 송운면	藤田亮策, 小川敬吉	하도리 제4호분	靑瓷皿, 銅匙, 靑瓷壺	출처[647]
1923년 11월	강화도 송운면	藤田亮策, 小川敬吉	하도리 제6호분	靑瓷文盌, 靑瓷皿, 八稜形靑瓷皿, 靑瓷壺	출처[648]
1923년 11월	강화도 송운면	藤田亮策, 小川敬吉	하도리 제7호분	靑瓷文盌, 銀匙, 靑瓷破片	출처[649]

466 梅原末治, 「漢代漆器紀年銘文集錄」, 『東方學報』 京都第5册, 東方文化院京都研究所, 1934. 國立中央博物館, 『유리원판목록집 I』, 1997, 원판번호 230248~230250, 130271, 230272.

467 國立中央博物館, 『유리원판목록집 I』, 1997, 원판번호 2303273.

468 國立中央博物館, 『유리원판목록집 I』, 1997, 원판번호 230274.

469 國立中央博物館, 『유리원판목록집 I』, 1997, 원판번호 230275.

470 國立中央博物館, 『유리원판목록집 I』, 1997, 원판번호 230276~230277.

471 國立中央博物館, 『유리원판목록집 I』, 1997, 원판번호 230278~230279.

같은 해

황학정(黃鶴亭) 매각

황학정黃鶴亭은 회상전 북쪽에 세운 사정射亭인데 1923년 민간유지들에게 매각하여 사직단社稷壇의 후방에 이건했다.[472] 이로써 300여 년 간 빛난 역사를 가진 옛 경희궁의 모습은 완전히 사라지게 되었다.

황학정은 1923년 민간 유지에게 매각되었고, 매수자는 이것을 사직단 뒤로 이건하였다. 성문영이 쓴 '황학정기黃鶴亭記'에 따르면, 이 정자의 유래는 다음과 같다.

> 옛날 인왕산 아래에 백호정이 있었는데, 순조 7년 한봉이란 자가 바로 그 옆에 풍소정을 세웠다. 당시 서촌에는 이 풍소정을 비롯해 필운동의 등과정, 옥동의 등용정, 삼청동의 운용정, 사직동의 대송정 등이 있었다. 이것을 한데 묶어 '四村五射亭'이라고 불렀느네, 이 정자들은 장충동의 석호정, 마포의 화수정, 동대문 밖 자지동의 청룡정, 가회동의 일가정, 천연정 안의 서호정 등과 함께 무인들이 궁술을 연마하던 장소로 유명하였다. 그러나 갑오개혁 이래 궁술을 폐함으로써 이것은 그저 민간의 오락으로 남게 되었다. 그 과정에서 많은 정자들을 없앴는데, 풍소정만 체육시설이라는 명목으로 남겨 두었다. 고종 때 황학정을 세웠으나, 1922년 임술년(경성공

472 京城府,『京城府史』第2卷, 1934, pp.355~357

립중학교 기로에는 1923년) 사직단 뒤쪽 등과정 옛터로 이축하였다.[473]

곤도近藤는 1923년에 수정상업회의소에서 서화 골동의 대경매회를 가졌다고 한다.[474] 그러나 당시 어떤 것이 얼마나 나왔는지는 구체적으로 알려진 것이 없다.

교토대학 고고학교실 진열품 도록 발간

교토대학은 1907년에 사학과가 설치됨에 따라 관계 자료의 수집이 본격화되었다. 고고자료 수집은 하마다 고우사쿠濱田耕作가 본격화 시켰다. 하마다는 1905년 7월에 도쿄제국대학 사학과를 졸업하고 1909년 9월에 교토제국대학 문과대학 강사로 취임한 후에 본격적인 수집이 시작되었다.[475] 1914년에는 진열관이 완성되었다. 1916년 11월 12일, 13일 양일간에 신축진열관에서 대전람회를 개최했다. 진열품은 주로 제1실에 판본 및 희귀서, 제2실에는 고기록 및 고지도, 제3실에는 조선 관계의 저서, 문서, 제4실에는 인도, 중국, 조선 일본의 조상造像, 사경 및 간경 등이 진열되었다.[476]

---

473 서울특별시 시사편찬위원회, 『국역 경성부사』 제1권, 1912, p.376.
474 佐佐木兆治, 『京城美術倶樂部創業20年記念誌』, 京城美術倶樂部, 1942, p.39.
475 『京都帝國大學 文學部陳列館 考古圖錄』, 1923.
有光教一, 「京大考古學教室創立の頃の人」, 『考古學ジャーナル』 170, 1980년 4월.
476 京都帝國大學 文學部, 『京都帝國大學 文學部30周年史』, 1935.

1918년에 하마다가 조선고적조사위원으로 임명된 것을 계기로 하마다와 우메하라는 매년 한국에서 행한 발굴조사와 유물정리에 종사하면서 각지의 유물을 채집하고, 한국 각지의 개인 수집가로부터 유물을 기증 받았다.[477] 교토대학 문학부진열관 고고학교실 소장 관계의 표본은 1922년을 기점으로 무려 2,200여 종, 총 12,000여 점에 달했다. 1923년 당시 주임으로 있던 하마다 교수가 주요품 300여 점을 골라서 도록으로 처음 간행했다.[478]

『교토제국대학 문학부진열관 고고도록』에 실린 한국 유물은 다음과 같은 것이 있다.

품명	출토지	출처	비고
蓮華紋瓦	부여 발견	『考古圖錄』1923,[657] 도판 44-3	寄贈. 부여군청
石槍	경주 부근 발견	『考古圖錄』1923, 도판 45-1,2	寄贈. 諸鹿央雄
石斧	경주 부근 발견	『考古圖錄』1923, 도판 45-3	
石庖丁	경주 부근 발견	『考古圖錄』1923, 도판 45-4	
石鏃	경주 부근 발견	『考古圖錄』1923, 도판 45-5~12	

477 吉井秀夫, 「日本 西日本地域 博物館에 所藏된 高句麗 遺物」, 『高句麗 遺蹟 發掘과 遺物』, 高句麗硏究會, 2001, p.529.

478 京都帝國大學文學部, 『京都帝國大學文學部陳列館 考古圖錄』, 1923.

陶壺	경주 황남리 고분 출토	『考古圖錄』1923, 도판 46	교토대학 고고학교실원 채집

교토대학 문학부진열관은 1955년에 문부성으로부터 박물관상당으로 지정되고, 1959년에는 교토대학 문학부박물관으로 개칭했다. 1986년에는 박물관 신관이 완성되어 고고자료는 새로운 수장고에 이전하고, 1997년에는 자연사계 자료를 수장 전시하는 부문과 병합하여 교토대학종합박물관으로 개칭했다.

이곳에는『교토제국대학 문학부진열관 고고도록』에 나타난 것 외에 고구려 유물이 많이 소장되어 있다. 1914년에 이마니시 류가 기증한 총 60점의 와전류가 소장되어 있다. 이마니시는 1913년 9월부터 12월까지 세키노, 야쓰이, 구리야마 등과 함께 평안남북도, 함경남도 각지의 유적을 조사하면서 11일 동안 집안의 유적을 조사했다. 그 때 태왕릉, 장군총, 천추총을 비롯한 그 주변의 지역에서 많은 와전류를 수집했다. 이들의 일부가 도쿄제국대학, 도쿄제실박물관과 함께 교토제국대학에 이마니시의 경유로 들어온 것이다. 그리고 야마다 사이치로山田釮次郎가 평양 주변의 출토품 기와 54점을 1916년에 기증한 것이 소장되어 있다.[480]

479 『京都帝國大學 文學部陳列館 考古圖錄』, 1923.

480 吉井秀夫,「日本 西日本地域 博物館에 所藏된 高句麗遺物」,『高句麗研究』12, 社團法人 高句麗研究會編, 2001.

후쿠나가 도쿠지로(福永德次郎) 소장 불상을 오구라 다케노스케(小倉武之助)가 구입하다.

1907년 군대 해산 후 각지에서 의병들의 봉기가 극렬해지자 대구에 재주한 일본인들은 자경단을 조직하여 자체 경계에 들어갔다. 그런데 "대구 남문 내에 살고 있던 후쿠나가福永德次郎는 폭동이 일어나면 제일 먼저 불통을 맞을 것 같아 7월 하순부터 가제도구를 정리하여 밤에 몰래 뒤뜰을 파고, 소장하고 있던 신라자기, 고려자기, 등을 묻어두었다"고 하니 후쿠나가의 수집품은 1907년 전에 이미 상당수에 달했던 것으로 짐작된다. 가와이 아사오河井朝雄에 의하면, 후쿠나가의 소장품 중에는 높이 2자나 되는 금동고려불좌상 1구가 있었는데 다른 소장품은 땅속에 묻으면서 이 불상은 땅 속에 묻어도 도둑맞을 염려가 있어 이 불상만은 팔려고 가와이에게 의논하려 왔었다고 한다. 가와이도 일찍 대구에 재주하면서 골동 수집가들을 잘 알고 있었기 때문에 판로를 알아보기 위해 찾아온 것이다. 그러나 대구에서는 살 사람이 없으므로 부산으로 가지고 갔다. 불상은 7, 8관이나 되는 중량이므로 큰 보자기에 싸서 어떤 사람의 소개로 부산의 호상이며 풍류객인 야하시矢橋寛一郎 씨에게 보였더니 야하시는 자기도 이런 것을 소장하고 있으니 탐은 나지 않지만 150원이면 사겠노라고 하였다. 그러나 후쿠나가는 너무 싼 값이라 생각하여 팔지 아니했다. 이 불상은 결국 1922,3년경에 오구라 다케노스케에게 넘어 갔는데, 후쿠나가로부터 이 불상을 산 오구라는 가장 눈에 잘 띄는 자기집 현관 앞에다 안치해 놓았다고 한다.[481]

---

481 河井朝雄,(손필헌 역) 『大邱物語』(1931년), 대구중구문화원, 1998.

후쿠나가 도쿠지로福永德次郎에 대한 자세한 기록을 찾을 수가 없다. 그러나 그는 경주 등지의 고분에서 도굴되어 시중에 나온 유물들을 많이 수집했으며, 대구에 재주하면서 가장 일찍 골동품 수집에 손을 댄 자 중의 한 사람임은 틀림없다. 그가 골동에 손을 댄 것은 대구에 아직 골동상들이 유행하기 전인 1907년 이전부터 시작되었던 것으로 보인다.[482]

『조선고적도보』에 실린 후쿠나가의 소장품들을 보면 대부분이 경주의 고분에서 출토한 유물들이다.

482 사단법인 우리문화재찾기운동본부, 『경북지역의 문화재 수난과 국외 반출사』.

우리 문화재 수난일지

1924년

1924년 1월 31일

경상북도 군위군 악계면 동산동 오도암悟道菴을 폐지하다. 평안남도 용강군 신덕사神德寺를 폐지하다.[483]

1924년 2월

잡지 『신천지』 1호의 원고가 압수되다.[484]

1924년 2월 2일

전라남도 강진군 도암면 백련사白蓮寺 사유 건물 극락전極樂殿, 수진각守眞閣을 폐훼廢毁하다.[485]

황해도 신천군 용진면 봉림암鳳林庵을 폐지하여 건물은 매각하고, 불상, 보물

---

483 『朝鮮總督府官報』 1924년 1월 31일자.
484 『東亞日報』 1924년 2월 25일자.
485 『朝鮮總督府官報』 1924년 2월 2일자.

은 월정사에 양도하다.

황해도 신천군 용문면 운흥사雲興寺를 폐지하고 불상 및 보물은 패엽사貝葉寺에 양도하다.[486]

1924년 3월

마에다 교사쿠 (前間恭作)의 수집본 동양문고로 넘어가다.

주한일본공사관 통역관이었던 마에마 쿄사쿠前間恭作(1868~1941)는 조선 고적에 정통해서 재임 중(1891～1911) 고서적을 구입하여 애장하고 있었는데, 이것은「在山樓」라고 불렸다. 그는 동양문고 개설에 즈음하여 1924년 3월에 자료를 기증하였다. 그 뒤에 수집한 자료는 그의 사후, 1942년에 유족에 의하여 기증되었다. 모두 822부, 2,310여 책이었고, 그 밖에 고지도, 탁본 등이 있었다.[487]

동양문고에는 마에다 고사구前間恭作의 재산루구장서의 대부분을 한국본이 점하고 있으며, 이와사기岩崎구장서도 다소 포함하여 고금희유古今稀有의 자료를 구비하고 있다. 그는 일찍이 한국에 건너와 한국어학과 한국서적에 대한 연구를 하여 이에 대한 해박한 지식을 가지고 있었으며, 이와 관련한 귀중서를

486 『朝鮮總督府官報』 1924년 2월 2일자.

487 前間恭作, 『古鮮册譜』 제1권 序文, 東洋文庫, 1944; 『해외사료총서22 -일본 · 중국소재 한국사 자료 조사보고-』, 국사편찬위원회, 2010.

엄청나게 많이 모았다. 활자본만 해도, 현종실록자 『삼국사기』 50권 11책, 『동문선東文選』 33권 15책, 초주갑인자初鑄甲寅字 『표해록漂海錄』 3권 3책, 『오산집五山集』 2책 등 무려 100여 종을 헤아린다.

조선학회 주최로 동경에서 1962년 10월 13일에서 14일 양일에 걸쳐 동양문고 소장 귀중서가 전시되었는데, 그 목록[488]을 보면, 『인천안목人天眼目: 宋智昭編, 至正7年(1357)刊』, 상권 1책, 『목우자심결牧牛子心訣: 高麗 知訥撰, 1467刊』 1册, 『불조삼경佛祖三經: 1449刊』 1책, 『양곡집陽谷集: 1571刊』 14권 7책, 『형재선생시집亨齋先生詩集: 李稷 著, 1618年刊』 4권 1책, 『신증유합新增類合: 柳希春修補』 2권 1책, 『요집要集: 甲辰字』 1책, 『신증승평지新增昇平志: 李晬光 編, 1729年刊』 2권 2책, 『임원십육지林園十六志』 2책, 『동사강목고본東史綱目: 稿本安鼎福自筆』 2册, 『절화기담折花奇談』 초본 1책, 『규합총서閨閤叢書』, 『투호아보投壺雅譜』 鈔本 1책, 『고금아곡古今雅曲』 2册, 『후청잡저鯸鯖雜著: 李齊臣 著 1629年刊』 1册, 『소영경역蘇營經歷: 張厚植著』 1책 등의 조선서 17권이 소개되었다.

마에다前間는 1892년 경응의숙慶應義塾을 졸업하고, 1892년 7월 외무성에서 조선 유학생을 모집하자 이에 응시하여 8월 11일부로 유학생으로 명 받았다. 그는 부산을 경유하여 11월에 인천에 상륙하여 경성으로 들어왔다. 유학생으로 경성에서 2년 반을 보내고 1894년 7월에 영사관 서기관으로 명받아 인천에 근무했다.

1898년 7월 한국재근 외무서기생으로 명받아 다시 경성으로 옮기고 1902년 10월에 공사관 2등서기관으로 임명되었다. 1905년 12월에 한국통감부제가 발포되자 다음해 1월에 통감부 통역관으로 옮겨 총무부 외무과 겸 서무과에 근무

---

488 『朝鮮學報 第26輯』, 1963년 1월.

했다. 1910년 조선총독부 시정 총독부 통역관으로 임명되어 총무부 문서과에 근무하다가 1911년에 퇴임하여 동경으로 돌아갔다. 전후 18년간 한국에서 생활하면서 막대한 조선을 수집했다.[489]

마에다가 조선서적에 대한 해박한 지식과 더불어 이에 대한 탐구 또한 얼마나 열심이었는지 그 한 예로, 1936년에 평양에서 양주동이 《조선어학도서전람회朝鮮語學圖書展覽會》를 개최한 일이 있었다. 당시 방종현도 수십 책을 출품하였다고 한다. 이에 대한 도서 해제를 양주동 혼자서 대략 붙였다고 하는데 혼자서 바쁘게 전시회에 관계하다보니 미쳐 교정을 보지 못한 부분들이 있어 이 해제에 착오가 있었던 모양인데, 그대로 전람회를 가졌다고한다. 그 후 얼마 있지 않아 방종현은 편지를 한 통 받았는데 겉봉투를 뜯고 내용을 본 즉, 여러 장의 종이에 깨알같이 빽빽하게 글씨를 썼는데 그 내용은 『선가귀감禪家龜鑑』, 『삼운통고三韻通考』, 『시경대문詩經大文』 등에 대해 착오된 부분을 일일이 문헌적으로 고증하여 보내온 것에 대해 놀라웠다고 한다.[490]

마에다의 조선관계 저술로는 『교정교린수지校訂交隣須知』(1904), 『한어통韓語通』(1909), 『계림류사려언고鷄林類事麗言攷』(1926), 『반도상대半島上代의 인문』(1938), 『훈독이문訓讀吏文』(1942), 『선책명제鮮册名題』(1946), 『고선책보』(1945, 56, 57), 『조선의 판본』(1968) 등이 있다.

---

489 岩井大慧, 「前間先生小傳」, 『古鮮册譜 附錄』 제1권, 東洋文庫, 1944.
490 方鍾鉉, 「愛書狂의 獨白」, 『朝光』 第2卷 2號, 1936년 2월.

1924년 4월 2일

제3차 조선사편수회 위원회

조선사편수회 제3차 위원회는 1924년 4월 2일 개최하여 사료채방史料採訪 문제에 관해 협의하고 그때까지 수집된 사료를 총독 이하 각 위원들이 전람했다.

또한 이날 위원회에서는 1923년 9월 관동대지진 때문에 재정긴축이 불가피하여 예산을 삭감하였으므로 사업을 2년 연상하여 1933년까지 완성키로 계획을 변경하였다. 그 주요 발언 내용은 대략 다음과 같다.[491]

> 위원장 : 본 위원회의 창립 시에 총독부는 본 사업의 완성 기한을 10년 내라고 선고하였고, 그 기한 내에 반드시 완성할 것을 약속하였습니다. 따라서 이에 필요한 예산을 계상했습니다만, 잘 아시다시피 진재로 인해 긴축하지 않을 수 없게 되었고, 또 최근 내지의 정정政情의 결과 지금은 전년도 예산을 답습하게 되었습니다. 그렇지만 시기를 보아 최초 계획한 예산을 가능한 한 빨리 계상할 작정입니다.
>
> 연한에 대해서는 유감이나, 최초의 10년 계획, 즉 대정11년부터 동 20년까지 완성해야 하는데, 다소 연장하지 않으면 실제의 성과를 거두기 어려운 상태이므로 전체 계획 연한에 2개년을 연장한다는 것을 선고합니다. 그리고 이 2개년의 연장 기간에 반드시 완성을 기하지 않으면 안 됩니다. 자칫

491 朝鮮總督府朝鮮史編修會, 『朝鮮史編修會事業概要』, 1938(시인신서 편집부 옮김, 1986).

하면 이런 종류의 사업은 느긋해지기 쉬우므로 그간의 사정을 명심하고 직접 편찬을 맡은 위원들은 오로지 전심하여 사무를 수행해 주기 바랍니다.

이나바稲葉 위원

종래의 경험에 비춰보면, 도서를 편찬하는 데에 있어서는 무엇보다도 사료의 목록을 정리하는 것이 필요하다고 생각하기 때문에 이번 연도에는 이에 전력을 기울였습니다. 사료에는 미지의 것과 이미 알고 있는 것이 있습니다. 그래서 작년 5월 도지사 회의 때에 각 지방에 산재해 있는 사료를 수집할 목적으로 사료 목록을 작성하여 송부해줄 것을 부탁드렸더니 11월 말까지 각 지방 관청에서 점차 보고가 올라오고 다행히 유익한 사료도 있어서 크게 감사하고 있는 바입니다.

이미 알고 있는 사료에 대해서는 공사 도서관에서 각기 목록이 나와 있습니다. 예를 들면, 동경제국대학 도서관, 내각문고, 동서 양 제국대학 도서관, 조도전·경응대학도서관, 사내문고寺内文庫, 일광보물관日光寶物館, 그리고 이 쪽에서는 이왕가도서관 등입니다.

이들 도서관에서 보내온 수증受贈 목록을 기초로 하여 카드에 일일이 기입하였는데, 이미 기입이 끝난 것이 28,000여 건에 달합니다. 이 카드는 정리한 것, 아직 정리 안 된 것 모두 아래층에 있으므로 둘러보시기 바랍니다.

이상과 같이 사료 목록 제작 사업은 아직 끝나지 않았기 때문에 올해도 계속할 필요가 있습니다.

다음으로 채방에 대해 말씀드리겠습니다.

채방은 내지와 선내에 걸쳐서 이루어졌습니다. 선내에서는 경상북도를 주로 하여 백원栢原, 홍 두 위원께서 이 일을 맡았습니다.

경상북도는 아시다시피 명족, 구가가 많은 곳이어서 귀중한 사료가 있었습니다. 그 중에서도 안동의 류성룡의 문서가 귀중합니다.

다음으로는 평안남도 룡강 김씨의 문서를 들 수 있습니다. 김씨는 김경서의 후손인데, 이것은 소전篠田 위원의 교시에 의해 작년 겨울에 채방하여 유력한 사료를 얻었습니다. 이 문서는 사진으로 찍어 아래층에 진열해 두었습니다.

내지에서 채방한 것은 대마의 종백작가宗伯爵家의 문서입니다. 이 문서는 여기에 열석하신 흑판黑板 박사의 직접적인 지도에 의해 동료인 백원栢原 위원이 채방을 맡았습니다. 백작가의 장고에는 아직도 일선 관계의 귀중한 사료가 풍부하게 있음이 밝혀졌습니다.

그 중 일부의 차입을 신청하였더니 쾌히 승낙해 주어서 다행히 오늘 진열할 수 있었습니다.

채방하러 갔던 동료 백원栢原 군이 이미 고인이 되어 오늘의 회를 볼 수 없게 되었음은 정말 애석합니다.

동경의 재해로 인해 우리 조선 사료에도 영향을 받았습니다. 그 중에서도 동경제국대학 도서관의 소실로 귀중한 조선 사료를 많이 잃게 되었습니다.

민간에서도 역시 마찬가지입니다. 그렇지만 궁내성 도서료, 내각문고 등이 재액을 면한 것은 불행 중 다행이라 해야겠지요. 채방에 대해서는 이상과 같습니다.

4월 2일 정동 중추원에서 개최한 조선편찬위원회 사료전람회에는 임진란 때에 영의정 류성룡이 임진란이 시작하던 임진년부터 끝나는 무술년까지 7년 동안의 전역기사戰役記事를 쓴 징비록초본懲毖錄草本, 퇴계 선생의 모친이 자녀에게 재산을 나누어 줄 때 퇴계가 쓴 재산분여첩財産分與帖과 퇴계가 문제사우門弟士友에게 준 그의 손자 종도宗道가 쓴 유언장, 명종10년 대마도 종씨 의족인 평송차平松次에게 조선 정부에서 준 직첩職帖 등을 비롯한 그동안 수집 또는 빌려온 귀중한 많은 사료들을 진열했다.[492]

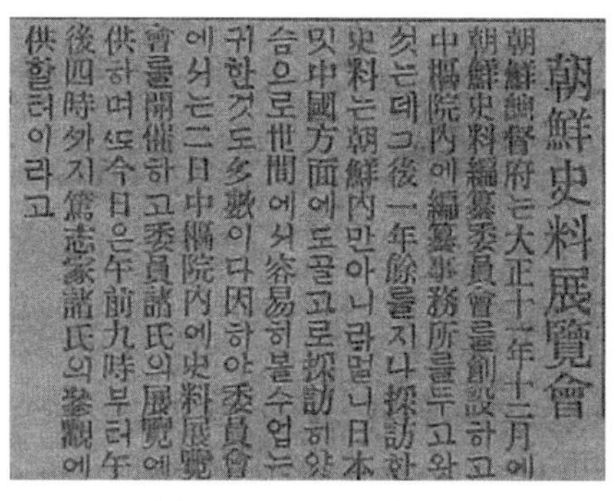
朝鮮史料展覽會
朝鮮總督府는大正十一年十二月에朝鮮史料編纂委員會를創設하고中樞院內에編纂事務所를두고와섯는데그後一年餘를지나探訪한史料는朝鮮內만아니라멀니日本및中國方面에도골고로探訪하얏슴으로世間에서容易히볼수업는귀한것도多數이다因하야委員會에서는二日中樞院內에史料展覽會를開催하고委員諸氏의展覽에供하며또今日은午前九時부터午後四時까지篤志家諸氏의參觀에供할터이라고

『시대일보』 1924년 4월 3일자

1924년 4월 10일

어보(御寶) 도난

종묘宗廟의 영녕전永寧殿에 봉안奉安되었던 덕종德宗과 예종睿宗의 어보御寶를 도난당했다. 1924년 4월 10일 아침에 종묘를 순시하던 자가 영녕전 전각의 자물쇠가 비틀어져 있는 것을 발견하여 조사한 결과, 덕종과 예종의 어보가 없어진 것이 발견되었다. 종묘 내의 절도는 5백년래 처음 발생한 일로서, 당일 밤에는 전사보典祠補 홍성두가 수직을 하였었는데 전례에 의하여 밤11시와 새벽3시에 2번이나 순시를 하였으나 발속에 가려있는 자물쇠가 비틀려 있으며 도적이

492 『時代日報』 1924년 4월 4일자.

들은 것은 꿈에도 몰랐었다고 한다.

1924년 4월 12일자 『동아일보』에는 다음과 같은 기사가 있다.

종묘전내宗廟殿內에 의외 사변

이조 5백년 역대제왕의 祠位를 봉안한 종묘에 도적이 들어 재작 10일 아침에 종묘를 수직하는 직원이 아침 봉심을 하던 중 우영히 첩첩이 잠긴 종묘의 자물쇠가 비틀려 있는 것을 발견하고 황급히 이 사실을 장관에게 보고하매 장관이하 책임자가 되는 예식과장이 종묘에 이르러 살펴보니 과연 덕종德宗, 예종睿宗의 신위 앞에 놓여 있던 보寶가 없어졌다. 본시 보라하는 것은 생시에 쓰던 인장으로 재료는 백철 종류이라 그다지 값진 것은 아니나 고물이나 또는 역사적으로는 극히 귀중한 것이니 분명히 어떠한 자가 돈에 욕심이 나서 대담한 짓을 한 것인 듯 하다하며 이 놀라운 소식을 들으신 이왕전하께서는 10일 밤을 새우시어 이왕직 책임관리와 창덕궁경찰서장을 시시로 부르시어 보를 찾겠느냐고 초조히 지내시는데 대하여는 근시자들은 다만 황송히 지낼 뿐이오. 11일 저녁 때까지는 범인의 단서를 찾지 못하고 야노矢野 창덕궁경찰서장은 부하를 독려하여 대활동을 계속 중이라 한다.

야노矢野 창덕궁경찰서장 담

종묘에는 예식과에서 10여명의 관원이 있어서 수직의 책임을 지고 있으므로 자기가 직접 책임은 질것이 아니나 이미 그 같은 불상사가 난 이상 한시라도 바삐 범인을 잡으며 보를 찾아 전하의 심려를 들어드리라고 합니다. 이미 다소간 짐작가는 곳이 있어서 상당한 계책도 세우고 있으니 불일간 찾기는 할듯하나 그동안에 전하께서 초조히 지내시는 것은 황송무지한 일이오.

宗廟殿內에 意外事變

德睿兩朝의 御寶를 紛失

뎐각의 잠을쇠를 틀고 그일밤에 도적한 일

李王殿下께서는 寢啖을 廢하서

犯人未詳

수사에 고심중

『동아일보』1924년 4월 12일자 기사

『시대일보』 1924년 4월 13일자에는 다음과 같은 기사가 있다.

감정문제가 원인인 듯한 종묘의 어보 분실

밖으로 들어간 형적이 없고 어떤 필요로 내응된 일이다.

지나간 11일 아침에 종묘 자물쇠를 비틀고 덕종 예종 양조 신위 앞에 놓여 있던 보寶가 간 곳이 없어진 기괴한 사실이 발각되었는데 원래 그 보라는 것은 임금이 돌아가신 후 그 시호를 새겨서 신위 앞에 놓아두는 것으로 혹은 금보金寶도 있고 혹은 은보銀寶도 있는 바 금보라는 것은 주석에다가

금을 올려서 만든 것이오. 은보라는 것은 흙에다가 은을 올려 만든 값없는 것임으로 그 내용을 아는 사람은 그것을 가져갈 리가 없을 것이며 또 종묘 속에 무엇이 있는 지 모르는 사람은 그것을 가져 갈 리도 없을 것이라 한다. 이에 대하여 이왕직 당국자들은 말하되

내용이 있는 듯 이왕직 장시사장掌侍司長 한창수씨 담

이번 일은 참으로 뜻밖에 변고이외다. 그 보는 원래 분실될 염려가 있어서 별로 값나가지 않는 것으로 만든 것인바 그와같이 도난을 당한 것은 더욱 이상합니다. 사가에 도적이 드는 것도 그 집 아래 사람들과 내응內應이 없으면 절대로 되지안커든 하물며 궁중의 일일 뿐 아니라 사면에 에워 싼 담이 굳게 쌓여 있으며 또한 밤 8시만 되면 문을 첩첩이 잠겨두는 종묘 안에서 그와 같은 일이 생기는 것은 아무리 생각해 보아도 내응이 있는 듯합니다 하녀 다시 이왕직 예식과장 이항구 씨를 방문한 즉 할 일 없어서 창덕궁경찰서에 일임하여 조사케 하였다 하며 말을 피하려는 듯이 하였다는데 다시 창덕궁경찰서 당국자의 말을 들은즉

밖으로 들어간 형적이 없다

창덕궁경찰서 당국자 담

이 일이 발견되자 곧 본서에서 출장하여 상세히 조사하여 본 결과 종묘 밖으로부터 들어간 형적은 조금도 없으므로 더욱이 이상하여 일층 엄밀히 조사 중이외다 하였는데 어데로 보든지 필연 종묘 안에서 일어난 일인 듯하고 또 욕심에서 나온 행동이 아니라 어떠한 간교한 계획에서 나온 감정 문제가 그 원인인 듯하다고 한다.

이 사건이 발생하자 창덕궁경찰서장은 경기도경찰부와 종로경찰서에 의뢰하려 합동으로 조사를 하는 한편, 이왕직내에서는 예식과장과 종묘전사 및 숙직자에게 시말서를 받았다. 이들의 시말서는 즉시 일본 궁내성으로 들어가게 되었다.[493]

4월 14일 오전부터 야노矢野 창덕궁경찰장과 김 경기도경찰부 형사과장과 종로서 경부보, 동대문서원 등이 비가 내리는 중에 종묘에 모여 현장을 다시 검사하는 동시에 주변 인물에 대한 조사까지 서둘렀으나 아무런 단서를 찾지 못하자 일반은 경찰의 무능을 비방하기도 했다. 또 궁내宮內의 책임자인 이왕직차관 시노다 지사쿠篠田治策와 예식과장 이항구는 이 같은 사건이 있음에도 불구하고 한가히 운동을 하려 디닌다하여 비난의 소리가 높았다.[494] 도난사건의 실마리를 찾지 못한 가운데 순종은 4월 14일 오후에 영녕전에서 위안제를 거행하고, 조선미술품제작소에 명하여 잃어버린 어보를 새로 만들어 종묘에 봉안하였다.[495]

이왕직 어보분실 사건은 그동안 수색에 아무런 진전도 없이 오리무중에 빠지고 말았다. 이렇게 되자 1924년 6월 23일에 일본 궁내성으로부터 어보분실 사건의 책임자에게 징계 명령이 내려졌다. 예식과장 이항구는 계고戒告, 전사

493 『每日申報』 1924년 4월 14일자.

494 골프놀이에 취한 이왕직차관과 예식과장
종묘사건이 일어나자 위로는 이왕전하를 위시하여 창덕궁내는 주야로 초조한 빛에 싸여 있으며 더욱이 전하께서는 보를 찾았느냐고 시시로 근시에게 하문이 계시어 실로 봉답할 길을 모르는 이때에 소위 이번 사건의 직접 책임자인 이왕직차관 篠田治策과 예식과장 이항구씨는 11일 아침부터 자동차를 몰아 용산 효창원에 이르러 골프 놀이에 정신이 없었다하니 과연 이것이 그들의 취할바가 도리었겠는가. 차관과 과장은 골프놀이에 재미만 보고 지내니 이왕직에는 불평이 많으며 귀족간에도 비난이 높다더라(『東亞日報』 1924년 4월 15일자).

495 『每日申報』 1924년 4월 15일자, 5월 2일자.

정만조는 견책, 전사보 홍성두는 1개월의 감봉을, 수복 2명과 사정 2명은 축출 처분을 받게 되면서 이 사건은 미결로 남게 되었다.[496]

1924년 4월에 도난당한 덕종과 예종의 어보는 90년 동안 미해결로 남아 있다가 그 중 덕종의 어보[497]는 미국 시애틀미술관에서 발견되었다.

문화재청은 지난 7월 국립문화재연구소의 해외 소재 문화재 실태조사 과정(2014년 7월 8일~11일)에서 덕종어보가 시애틀미술관에 있다는 것을 파악했다. 문화재청은 덕종어보 반환 문세를 우호적인 빙법으로 해결히고자 하는 입장을 국립문화재연구소를 통해 시애틀미술관에 전달(2014년 7월)하였고, 지난 7월부터 시애틀미술관과 직접 협의를 진행하였다.

시애틀미술관은 기증자 유족(외손자 Mr. Frank S. Bauley)에게 이해와 동의를 구하는 한편, 미술관 이사회의 승인(2014년 11월 12일)을 얻어 반환을 결정했다. 문화재청은 "시애틀미술관은 어보뿐만 아니라 2008년 서울시 매듭장 김은영씨가 제작한 인수印綬(어보에 달린 끈)까지 함께 기증하겠다는 의사를 보였다"고 전했다.

문화재청(청장 나선화)과 미국 시애틀미술관(관장 Kimerly Rorschach)의 반환 합의에 따라 내년 3월 국립고궁박물관에서 양 기관의 관계자, 기증자 유족 등이 참석한 가운데 반환될 예정이다. 문화재청은 덕종어보 환수가 완료되면

---

496 『每日申報』 1924년 6월 26일자.

497 덕종어보는 성종이 재위 2년(1471)에 아버지인 덕종(德宗, 1438~1457년)을 온문의경왕(溫文懿敬王)으로 추존하면서 제작한 것으로, 일제강점기에 만든 '종묘 영녕전 책보록'이라는 책자를 통해 1924년까지 종묘에 보관됐음을 알 수 있다. 덕종은 세조의 장남으로 1455년 세자로 책봉되면서 의경세자(懿敬世子)로 일컬어졌으나 병약해 20세로 요절했다. 경기 고양에 있는 경릉(敬陵)의 그의 무덤이다(문화재청 보도자료, 2014년 12월 16일).

덕종어보(문화재청 보도자료)

국립고궁박물관에서 특별전시(2015년 상반기)를 통해 국민에게 공개할 예정이라고 발표했다.[498]

덕종어보는 1471년 제작된 뒤 1924년까지 종묘에 보관됐다가 도난을 당하여 국외로 반출됐다. 반출 과정과 시기는 밝혀지지 않았으나, 현재까지 알려진 것은 문화재 애호 여성이던 고 토머스 스팀슨(Thomas D. Stimson)이 1962년 뉴욕에서 구매해 이듬해 2월 1일 시애틀미술관에 기증한 것이라고 한다.

덕종의 어보와 함께 도난당한 예종의 어보는 아직까지 알려진 것이 없다.

498 문화재청 보도자료, 2014년 12월 16일자.

1924년 4월 21일

제20회 고적조사위원회

제20회 고적조사위원회는 1924년 4월 21일 총독부 제1회의실에서 개최되었다. 이때 논의된 '대정13년도 고적조사계획'을 보면, "본년도에 근소한 경비로 대반을 고적조사보고의 출판에 지출하고 하등의 대규묘 고적조사를 계획하기 어려움"을 밝히고, 고적조사는 다음과 같이 대폭 축소하였다.

1. 낙랑고분 발굴
   본부에서 기술자가 출장하여 발굴 조사를 하지만 경비 부족으로 인하여 약 1개월에 걸쳐 고분 약 2기를 발굴할 예정
2. 강원도 지석총支石塚 조사
   약 2주간에 걸쳐 춘천군, 평강군, 이천군 방면을 조사
3. 경상남도, 전라남도 방면 왜성 조사
   부산진성, 사천성 등 임진왜란 때 일본군과 관련된 것을 조사
4. 경상북도 경주 부근 고분 및 석물石物 조사
   약 1개월에 걸쳐 경주 부근에서의 고적등록 준비와 함께 고적보존을 위해 경주읍 내외 대고분의 조사와 부근의 사지 등의 석물을 정사

이번년도에는 '수집품 정리 및 조사보고 인쇄'에 가장 많은 경비를 지출하고 있는데 그 내용은 다음과 같다.

1. 『고적도보』(關野貞, 小場恒吉)

2. 『낙랑군 유적유물』 조사보고』(關野貞)

3. 『경주 금관총 조사보고』(濱田耕作, 梅原末治)

4. 『고구려 유물』(關野貞)

5. 대구 고분 유물 정리(野守健, 小泉顯夫)

대구부외 달성군의 고분 내의 6기는 대정12년도 11월 12일까지 조사를 마쳐 본년 중에 전부 정리하고 담당발굴자에 의해 보고서 작성

6. 『남선南鮮의 한대漢代 유적』 조사보고(藤田亮策, 梅原末治, 小泉顯夫)

대정11년도 춘계 조사 관계의 경주군 외동면 입실리 동검, 동모, 동경 등을 발견의 유적 및 영천군 금호면 어은동 발견의 전한대 유물에 관한 상세한 발표

7. 『조선 유사 이전 조사보고 작성』(鳥居龍藏, 澤俊一)

조선의 유사이전의 연구는 주로 도리이 류조鳥居龍藏가 담당했던바 1910년 이래 수집품이 많이 쌓여 있는 상태이나 확실한 조사보고의 발표가 없음으로서 학계에서는 유감인바 이에 금년도 및 명년도까지 전반에 관해서 대보고서를 작성하여 출판은 명년도 이후에 하는 것으로 한다.

8. 『경주 부근 사지 및 석물조사보고 작성』(藤田亮策, 小川敬吉, 小泉顯夫, 小場恒吉)

본년도 중에 작성 제출 예정

9. 창녕 고분 발굴품 정리 및 제도(小場恒吉, 小川敬吉, 野守健)

대정6년 7년도 야쓰이谷井 조사의 경남 창녕군 창녕의 고분은 임나의 유적에서 가장 귀중한 것으로 본년도에 유물정리와 실측도를 작성하여

보고서 발표의 기초를 작성

이상의 내용을 보면 그간에 미루어 두었던 보고서 출간에 상당한 힘을 쏟고 있음을 볼 수 있다.

'제20회 고적조사위원회 결의안'의 '수원읍성 화홍문華虹門 복구' 건은 1923년 8월에 홍수로 인해 根柢부터 파괴되어 석축이 붕괴되고 목재를 유실하여 원형의 태반을 잃었는데, 전번에 도당국으로부터 조사 복구를 청원하여 조사한 결과 복구비 1만 1천 122원이 필요한데 예산부족으로 올해는 불가한 것으로 결의 했다.[499]

제20회 고적조사위원회의 결의안과 관련하여 『매일신보』 1924년 4월 22일자에는 다음과 같은 기사가 있다.

본년의 고적조사
이백 수십 매의 대도판과 공히 12년도 보고서를 출판
소전고적조사과장 담
병합 이래 조사위원회를 설치하고 매년 약 2만원의 경비를 사용하여 조선 문화의 연구를 계속하였는데 총독부에서는 21일 제1회의실에서 위원으로 입성 중의 경도대학 빈전 박사와 원전 등과 함께 위원회를 개최하고 대

499 「제20회 고적조사위원회」, 국립중앙박물관 소장 조선총독부박물관 공문서, 목록번호 : 96-282.

本年의 古蹟調査

二百數十枚의大圖版과共히

十二年度報告書를出版

小田古蹟調査課長談

정12년도 중의 조사 성적 보고 및 결의안에 대하여 심사하고 다시 대정13년도에 있을 조사계획을 의결하고 고적조사과장 소전성오는 말하되, 조선의 문화를 유지하고 그 세계에 흥미 있는 보고를 위하여 고적조사위원회가 설치된 이래 모두 전문가의 손에 신중한 조사를 추진하여 학계에 공헌한바 적지 않음은 사도식자斯道識者가 함께 인식하는 바인데 대정12년도에 있은 조사는 경비절감에 의하여 예상과 같이 진행치 못하였으나 그 주요한 것은

一. 관야 박사에 의하여 조사된 낙랑 및 고구려의 유적

一. 조거 박사에 의한 평안남도 유사이전의 조사

一. 지내 박사에 의한 함경남도의 고려시대의 성지 연구

一. 본부위원에 의한 대구부근에 있는 신라시대의 고분 발굴

등으로 특히 경상남도 창녕에 있는 신라 진흥왕탁경비는 조선에 존재한

조선비석 중 최고의 것으로 학술상 가치는 큰바라 종래로 모 민가의 정원 내에 재하여 부근의 땅을 점하여 약 8천원을 투하여 비각을 설하고 보존하기로 되었으며 또 작년 중에 발간할 예정이었던 고려시대의 유물 특히 고려기의 도판 있는 도보 제8권은 불행히 진재를 맞아 원판까지도 오유에 귀하였으므로 본년에 재판하기로 되었으며 또 대정10년 경주 노서면의 고분으로부터 발견한 신라시대의 금관 기타 중요한 유물은 당시로부터 학자의 주의를 끌었던바 목하 입성 중의 빈전 박사에 의하여 연구되어 대정12년 중 보고서 세1책의 탈고를 보았으므로 대성13년도에 발행될 터이며 기타 경상남도 고분에 관한 본부 등전 감사관의 조사보고도 대정12년도에 출판될 터인데 대정13년도 중에 있을 고적조사계획으로는 대체로,

一. 종래 계속하여 낙랑군의 고적조사를 할 사

一. 종래 학계의 의문이던 지석총에 관한 조사

一. 경주 부근의 고적조사

등인데 가능하면 남선 지방에 재한 조사도 행할 예정으로 도보의 출판에 대하여는 전술과 같이 제8권의 재판과 보고는 대정5년 이래 관야 박사 조사의 낙랑군의 유적 유물에 관한 것으로 이백수십 매의 대도판과 함께 출판할 터이며 빈전 박사의 손으로 작성되는 경주 금관총의 보고로 출판될 터인데 양자는 학계를 경도驚倒케 할만한 귀중한 조사라 13년도는 기타 전년래 계속 조사를 점차 정리하고 보고서의 작성을 하고자 사료하노라.

1924년 4월 22일

경상북도 칠곡군 동명면 망월암望月庵을 폐지하다. 강원도 회양군 장양면 보현암普賢菴을 폐지하다.[500]

1924년 4월 25일

경기도 장단군 진서면 화장사 말사 낙기암洛加庵을 폐지하다.[501]

1924년 4월 29일

영광(永光) 3년 재명동종(在名銅鐘)

평양 재명동종(在名銅鐘) 및 기타 조사 보고

1924년 4월 29일부터 5월 5일까지 고적조사위원 후지타 료사쿠藤田亮策, 고적조사 촉탁 우메하라 스에지梅原末治가 평안남도 대동군 소재 낙랑군 시대 고분군의 현황을 시

500 『朝鮮總督府官報』 1924년 4월 22일자.
501 『朝鮮總督府官報』 1924년 4월 25일자.

찰하고 돌아와 같은 해 8월에 복명서를 제출했다. 고분 시찰 외에 대동강면 선교리 전한前漢 영광永光 3년 재명동종在名銅鐘 출토 유적, 허산 비행장 입구 동인銅釵 발굴 유적, 추을미면 사동과 미림리에 위치한 선사시대 유적과 낙랑고분 등을 조사했다.

1924년 4월 21일

광고전람회

전람회장

4월 21일부터 경성상업회의소 주최로 광고자료전람회를 개최하였다. 출품된 것은 포스터와 포장지상품에 붙이는 레벨, 소책자광고 도안 등 2만여 점을

진열하였다.[502]

1924년 4월 24일

창경궁의 야간 벚꽃놀이

1924년 4월 20일부터 창경궁의 야간 벚꽃놀이가 시작되었다.[503] 이때부터 매년 봄이 오면 벚꽃을 보기 위해 입원한 사람들로 인상인해를 이루었으며, 벚꽃이 피는 시기에는 전등불 밑에서 보는 요염한 벚꽃을 보기위해 주간 입원자의 수보다 야간 입원자의 수가 더 많았다.

일제는 창경궁을 공원화 하면서 이를 일본화하기 위하여 수목으로는 사쿠라를 설정하여 식수하였다. 이는 이왕가박물관과 그 역사를 같이 한다. 1908년에 일본식日本式 유원지를 만들기 위하여 벚나무 약 200여 주를 일본으로부터 옮겨다 심은 것이다. 그 후 해마다 종류와 수가 증가하여 1937년경에는 창경궁에는 약 2000주나 되었다.[504]

창경원을 비롯하여 한국 내에 일본인들이 전파한 '사쿠라'는 일본 고사에도 있는 목천본木千本이란 말을 지어내게 한 소위 요시노 사쿠라吉野櫻이다.

502 『每日申報』 1924년 4월 22일자.
503 『每日申報』 1924년 4월 20일자.
504 「德壽宮 內로 옮겨진 由緒 깊은 李王家博物館」, 『朝光』 4권 5호 1937.

창경원 야장 만화(『조광』1935년 5월호)

일본인들은 마치 우리나라에는 벚꽃이 없었던 것처럼 하고 있으나, 없었던 것이 아니라 깊은 산속에 피어 있는 야앵野櫻이란 것도 있고 제주의 왕벚꽃도 있다.[505]

서울 남산을 일반적으로 '금산' 이라 하는 것은 식목의 벌채를 엄금했기 때문이다. 예부터 이곳은 경성 내 주위의 산 가운데 소나무가 가장 울창했고, 게다가 그 사이에는 야생종 벚나무가 곳곳에 있었다. 현재 약수곡, 와룡사, 노인정, 홍엽정 부근에서 벚나무 고목을 볼 수 있었다.[506] 이것은 예전에 경성에는 벚나

505「德壽宮 內로 옮겨진 由緖 깊은 李王家博物館」,『朝光』4권 5호 1937.
506 서울특별시 시사편찬위원회,『국역 경성부사』 제2권, 2013,

무가 없었다는 전설을 반증한다.

이 꽃의 명소로는 1930년을 기준으로 하면, 서울의 창경원이 제일이고 왜성대, 장충단, 삼청동이 유명하고 경상도에서는 대구의 달성공원과 동래의 온천장이 가장 유명한 것으로 알려져 있다.

색인

ㄴ

ㄷ

ㅁ

ㅂ

ㅅ

ㅇ

ㅈ

ㅊ

ㅌ

ㅍ

ㅎ